CB143250

AMOR SEM IGUAL

Obras da autora publicadas pela Record

Acidente
Agora e sempre
A águia solitária
Álbum de família
Amar de novo
Um amor conquistado
Amor sem igual
O anel de noivado
O anjo da guarda
Ânsia de viver
O apelo do amor
Asas
O beijo
O brilho da estrela
O brilho de sua luz
Caleidoscópio
Casa forte
A casa na rua Esperança
O casamento
O chalé
Cinco dias em Paris
Desaparecido
Um desconhecido
Desencontros
Doces momentos
Ecos
Entrega especial
O fantasma
Final de verão
Forças irresistíveis
Galope de amor
Honra silenciosa
Imagem no espelho
Jogo do namoro
Jóias
A jornada
Klone e eu
Maldade
Meio amargo
Mergulho no escuro
Momentos de paixão
Um mundo que mudou
Passageiros da ilusão
Pôr-do-sol em Saint-Tropez
Porto seguro
Preces atendidas
O preço do amor
O rancho
Recomeços
Relembrança
Resgate
O segredo de uma promessa
Segredos de amor
Segredos do passado
Segunda chance
Tudo pela vida
Uma só vez na vida
Vale a pena viver
A ventura de amar
Zoya

DANIELLE STEEL

AMOR SEM IGUAL

Tradução de
AULYDE SOARES RODRIGUES

10ª EDIÇÃO

EDITORA RECORD
RIO DE JANEIRO • SÃO PAULO

2010

CIP-Brasil. Catalogação-na-fonte
Sindicato Nacional dos Editores de Livros, RJ.

S826a Steel, Danielle
10ª ed. Amor sem igual / Danielle Steel; tradução de Aulyde Soares Rodrigues. – 10ª ed. – Rio de Janeiro: Record, 2010.

Tradução de: No greater love

1. Romance norte-americano. I. Rodrigues, Aulyde Soares. II. Título.

CDD – 813
94-0110 CDU – 820(73)-3

Título original norte-americano
NO GREATER LOVE

Copyright © 1992, 1991 by Danielle Steel

Direitos exclusivos de publicação em língua portuguesa no Brasil adquiridos pela
EDITORA RECORD LTDA.
Rua Argentina 171 – Rio de Janeiro, RJ – 20921-380 – Tel.: 2585-2000

Impresso no Brasil

ISBN 978-85-01-03897-5

CÓPIA NÃO AUTORIZADA É CRIME
ABDR
ASSOCIAÇÃO BRASILEIRA DE DIREITOS REPROGRÁFICOS
RESPEITE O DIREITO AUTORAL
EDITORA AFILIADA

Seja um leitor preferencial Record
Cadastre-se e receba informações sobre nossos lançamentos e nossas promoções.

Atendimento e venda direta ao leitor
mdireto@record.com.br ou (21) 2585-2002

A Beatrix,
menina doce e especial,
você me enche de alegria,
amor e admiração.
Menina corajosa, que a sua vida
seja sempre suave,
em mares calmos,
com pessoas boas,
brisas mansas, dias ensolarados,
e se a tempestade chegar
algum dia
lembre o quanto a amamos.

E a John,
para quem nunca houve,
nunca haverá,
nunca poderia haver...
amor maior do que o meu.
O maior amor,
e todo o meu coração, toda a minha vida
para sempre.

d.s.

Capítulo 1

10 de abril de 1912

OS ÚNICOS SONS na sala de jantar eram o tique-taque do grande relógio sobre a lareira e o ocasional ruge-ruge de um guardanapo de linho grosso. Havia onze pessoas na enorme sala, e o frio era tão intenso que Edwina mal podia mover os dedos. Olhou para as mãos, para o anel de noivado, que refletia a luz da manhã, e sorriu. Olhou para o pai, notando a expressão marota, quase de menino. Tinha certeza de que, sob a mesa, ele segurava a mão da sua mãe. Juntos, estavam sempre brincando, rindo, murmurando alegremente, e os amigos diziam que nem parecia que tinham seis filhos. Aos quarenta e um anos, Kate Winfield parecia uma menina, esguia, com a cintura fina, e à distância era difícil distingui-la da filha mais velha, Edwina, também alta, de cabelos negros brilhantes e grandes olhos azuis. Eram muito unidas, como toda a família. Em sua casa todos riam, falavam, gritavam, trocavam abraços e brincavam. Todos os dias inventavam alguma brincadeira.

Edwina olhou para o irmão George e mal conseguiu conter o riso. Nuvens de vapor saíam da boca do rapaz, na sala gelada que o tio Rupert, lorde Hickham, gostaria de manter um pouco mais fria do que o Pólo Norte. Os Winfields não estavam acostumados a nada disso. Seu ambiente era o clima confortável e quente da Califórnia. Há um mês tinham saído de São Francisco para visitar os tios e participar o noivado de Edwina. Seus laços com a Inglaterra tendiam a se repetir. A irmã de Kate, Elizabeth, casada com lorde Rupert há vinte e quatro anos, era segunda viscondessa e senhora da Havermoor Manor. Tinha vinte e um anos quando conhecera lorde Hickham, muito mais velho, e se apaixonara por ele. Mais de duas décadas depois, os sobrinhos ainda não compreendiam seu entusiasmo. Lorde Hickham era arredio e rabugento, pouco hospitaleiro e não ria nunca. Era mais do que evidente que não lhe agradava a presença de crianças em sua casa. Não que *não gostasse* de crianças, explicava sempre a tia Liz, é que não estava *acostumado* com elas, uma vez que não tinham filhos.

Essa foi a explicação para o fato de ele não ter achado graça na peça que lhe pregara George, ao colocar alguns girinos na sua cerveja quando voltara da caça ao pato com seu pai. Na verdade, Rupert há muito desistira da idéia de ter filhos. Houvera um tempo em que reconhecera a necessidade de um herdeiro para Havermoor Manor e outras propriedades, mas agora estava convencido de que isso não fazia parte do Grande Plano. Sua primeira mulher, depois de vários abortos, morrera de parto dezessete anos antes de ele se casar com Liz. E ele culpava Liz por também não lhe ter dado filhos. Não que quisesse tantos quantos tinham Kate e Bertram, e sem dúvida os seus jamais teriam sido tão maleducados. Era absolutamente chocante, dizia ele a Liz, o comportamento daquelas crianças. Mas todos sabiam que os americanos eram assim. Não tinham senso de dignidade, nenhum controle, nenhuma educação, nenhuma disciplina. Entretanto, estava satisfeito com a idéia de Edwina casar com o jovem Charles Fitzgerald. Talvez houvesse alguma esperança para ela, afinal, observara ele quando Liz falara sobre o noivado.

Lorde Hickham estava com setenta anos e não gostara nem um pouco quando Kate escrevera para a irmã perguntando se podiam passar alguns dias em Havermoor Manor. Eles iriam a Londres para conhecer os Fitzgeralds e anunciar o noivado, e Rupert recebera com desagrado a notícia de que passariam alguns dias com eles, depois disso.

— O quê? Toda a ninhada? — perguntara horrorizado, quando Liz o consultara cautelosamente, depois do café da manhã. Estavam quase no Natal, e eles pretendiam visitá-los em março. Liz esperava poder convencê-lo a concordar com a idéia nesses dois meses que faltavam. Ela desejava ardentemente a visita da irmã, e certamente as crianças alegrariam seus dias tristonhos. Naqueles vinte e quatro anos, Liz aprendera a odiar Havermoor e sua vida com Rupert, sentia falta da irmã e tinha saudades da sua infância feliz na Califórnia.

Rupert era um homem difícil, e o casamento fora muito diferente de tudo que ela havia sonhado. No começo, deixara-se impressionar pelo ar de dignidade e o título de Rupert, a gentileza com que a tratava e as histórias sobre a "vida civilizada" na Inglaterra. A diferença entre os dois era de vinte e cinco anos, e quando chegara à Inglaterra, ficara chocada com o ambiente tristonho e a conservação precária de Havermoor. Naquele tempo, Rupert tinha também uma casa em Londres, mas Liz logo descobrira que raramente era usada, e, depois de anos e anos de abandono, foi finalmente vendida a um bom amigo. Liz achou que a situação seria melhor quando viessem os filhos, e estava ansiosa para ouvir vozes jovens e alegres ecoando pelos corredores sombrios. Mas com o passar do tempo, convenceu-se de que não teria esse privilégio e passou a viver para as vezes em que via os sobrinhos, nas suas raras visitas a São Francisco. Aos poucos, até esses pequenos prazeres lhe foram negados. Rupert vivia sempre muito doente para viajar e agora estava velho demais. Reumatismo, gota e simplesmente a idade desencorajavam longas viagens pelo mundo, e, como precisava cuidar dele o tempo todo, Liz era uma prisioneira em Havermoor. O sonho de voltar para São Francisco era cada vez mais freqüente do que ela própria queria admitir, mas há anos não conseguia sequer fazer uma visita. Por isso, a presença de Kate e das crianças era tão importante para ela, e sentiu-se grata a Rupert quando ele concordou, desde que não se instalassem para sempre em sua casa.

A visita foi muito mais maravilhosa do que Liz esperava. Há anos não os via e ficou extremamente feliz. Os longos passeios com a irmã, no jardim, eram a realização de um sonho de muitos anos. Houve um tempo em que as duas pareciam gêmeas, e agora Liz notava com espanto a aparência jovem e bela da irmã. Além disso, era evidente que estava mais do que nunca apaixonada por Bert. Mais uma vez Liz arrependeu-se de ter casado com Rupert. Durante todos aqueles anos, freqüentemente imaginara como seria sua vida se, ao invés de se tornar *lady* Hickman, tivesse casado com alguém dos Estados Unidos.

Ela e Kate tiveram uma infância e adolescência alegres e descuidadas, felizes na companhia dos pais amorosos. Foram apresentadas à sociedade com dezoito anos, e por um breve tempo divertiram-se em jantares, bailes e festas. Então, cedo demais, Rupert aparecera e Liz fora para a Inglaterra com ele. Embora tivesse vivido ali mais de metade da sua vida, Liz jamais sentira pertencer àquele lugar. Nunca conseguira mudar qualquer coisa já estabelecida por Rupert em Havermoor. Era quase uma hóspede na mansão, uma hóspede sem influência, sem nenhum controle sobre as coisas, uma hóspede nem sequer bem-vinda. Uma vez que não fora capaz de dar um herdeiro a Havermoor, sua presença não tinha nenhuma utilidade.

Sua vida era o oposto da vida de Kate. Como a irmã poderia compreender isso? Com seu marido jovem, bonito, de cabelos negros, e os seus belos filhos, verdadeiras dádivas concedidas regularmente pelos céus durante os vinte e dois anos felizes de casamento. Eram três homens e três mulheres, todos cheios de vida, saudáveis, belos e inteligentes como os pais e com muito senso de humor. E por mais estranho que fosse, qualquer pessoa que os visse reconhecia que Kate e Bert mereciam toda aquele bênção. Embora Liz desejasse ter a mesma felicidade, jamais sentira inveja da irmã. Tudo parecia tão certo, e Kate e Bert eram, basicamente, pessoas boas e decentes. Reconheciam a riqueza e a felicidade que possuíam e procuravam fazer com que os filhos também reconhecessem. Vendo isso, Liz sentia saudade de algo que jamais tinha conhecido... o amor de um filho... e o relacionamento caloroso e terno de Kate com o marido. A vida com Rupert fizera dela uma mulher quieta, muito calada. Pouco tinha a dizer, depois de todo aquele tempo, e não havia ninguém para ouvi-la. Rupert não se interessava realmente por ela. Dava atenção unicamente às suas propriedades, seus patos, galos silvestres, seus faisões, e, quando mais jovem, aos cavalos e aos cães, mas uma esposa era relativamente inútil para ele, especialmente agora que a gota o incomodava quase o tempo todo. Ela podia servir o vinho, chamar os empregados e ajudá-lo a ir para a cama, mas seu quarto ficava longe do dela, na outra extremidade do corredor, desde que se convencera de que Liz não lhe daria filhos. Partilhavam apenas o arrependimento, a casa e a fria solidão. Tudo isso fazia com que a visita dos Winfields fosse como abrir as janelas, arrancar as cortinas, deixar entrar a luz do sol e o ar fresco e limpo da primavera da Califórnia na velha mansão.

Lorde Rupert, na cabeceira, ladeado por Liz e Kate, aparentemente não ouviu o soluço seco, seguido por uma risada abafada, na outra extremidade da mesa. As duas mulheres trocaram um sorriso. Liz parecia dez anos mais jovem do que no dia da chegada da irmã. A presença da irmã e dos sobrinhos sempre parecia animar seu estado de espírito. Com o coração apertado, Kate via o quanto a irmã tinha envelhecido e como era solitária sua vida naquele lugar tristonho, numa casa que odiava, com um homem que evidentemente não a amava e provavelmente nunca a tinha amado. E agora ela sentia a angústia da partida próxima. Iam partir em menos de uma hora. E só Deus sabia quando voltariam à Inglaterra. Kate convidou a irmã para visitá-los em São Francisco, durante os preparativos do casamento de Edwina, mas Liz disse que não podia deixar Rupert por tanto tempo e prometeu que iria em agosto, para o casamento.

O soluço na extremidade da mesa fora quase um alívio da tensão, e Kate olhou para Alexis, que ia fazer seis anos. George murmurava alguma coisa no ouvido dela, e Alexis estava a ponto de explodir numa gargalhada.

— Shhh... — murmurou Kate, sorrindo para eles, e olhando rapidamente para Rupert.

Na Califórnia, o café da manhã parecia sempre um piquenique do Dia da Independência, mas ali precisavam se comportar, e dessa vez todos estavam conseguindo obedecer às regras de Rupert, cujo rigor parecia ter se amaciado um pouco com a idade. Ele convidara várias vezes Phillip, de dezesseis anos, para caçar, e embora o jovem tivesse dito ao pai que detestava o esporte, portara-se educadamente, agradecendo e aceitando o convite. Mas Phillip era assim, sempre procurando agradar os outros, sempre bondoso, o eterno cavalheiro, delicado e extraordinariamente atencioso para um jovem da sua idade. Parecia incrível que só tivesse dezesseis anos. Era, sem dúvida, o mais responsável dos filhos de Kate. Com exceção de Edwina, é claro, mas ela tinha vinte anos, e dentro de cinco meses teria um marido e um lar só seus. E um ano depois, esperava, talvez até mesmo um filho. Era difícil acreditar, pensava Kate, que sua filha mais velha tivesse idade para casar e ter filhos.

Estavam voltando para casa, onde começariam os preparativos para o casamento, e dessa vez Charles ia com eles. Charles tinha vinte e cinco anos e estava loucamente apaixonado por Edwina. Conheceram-se por acaso em São Francisco e estavam namorando desde o último verão.

O casamento seria em agosto, e estavam levando metros e metros de uma fazenda cor marfim, para o vestido de noiva, comprada em Londres por Kate e Edwina. A costureira de Kate, em São Francisco, ia bordar o vestido com pequenas pérolas, e o véu estava sendo feito por uma francesa que acabava de se mudar para Londres. *Lady* Fitzgerald o levaria pessoalmente quando fosse a São Francisco, em julho. Tinham muito que fazer. Bertram Winfield era um dos homens mais importantes da Califórnia. Ele e sua família eram donos de um dos mais tradicionais jornais da cidade e teriam de convidar centenas de pessoas para o casamento. Kate e Edwina há um mês estavam organizando a lista. E já havia mais de quinhentas pessoas relacionadas.

Charles limitou-se a rir quando Edwina disse que provavelmente teriam de convidar muito mais do que isso.

— Seria muito pior em Londres. No casamento da minha irmã, dois anos atrás, tivemos setecentos convidados. Graças a Deus, eu ainda estava em Delhi.

Charles passara os quatro últimos anos viajando. Depois de dois anos na Índia, com o Exército, passara um ano no Quênia, viajando e visitando amigos, e Edwina adorava ouvir as histórias de todas as suas aventuras. Ela sugerira a lua-de-mel na África, mas Charles optara por algo mais calmo. Passariam o outono na Itália e na França, e voltariam a Londres para o Natal, quando então Edwina já estaria grávida, conforme esperava. Estava loucamente apaixonada por Charles e queria uma família grande e um relacionamento feliz como o dos seus pais. É claro que eles brigavam às vezes, e os lustres da casa em São Francisco tremiam quando a mãe perdia a paciência, mas ao lado da zanga estava sempre o amor. Havia ternura, perdão e compaixão, e era fácil perceber o quanto Kate e Bert se amavam. Era isso exatamente que Edwina queria no seu casamento com Charles. Nada mais e nada menos. Não precisava de um homem importante, nem de um título, nem de uma mansão elegante. Não queria nada das bobagens que tinham atraído a tia Liz para o tio Rupert. Queria bondade, senso de humor e inteligência, alguém com quem pudesse rir, conversar e trabalhar. Na verdade, a vida dos dois seria fácil. Charles gostava de esportes e da companhia dos amigos e jamais precisara trabalhar para ganhar a vida, mas tinha os valores certos e o respeito de Edwina, e no futuro ocuparia o lugar do pai na Casa dos Lordes.

Exatamente como Edwina, Charles queria, no mínimo, meia dúzia de filhos. Kate e Bert tiveram sete, mas um morrera ao nascer, um menino, entre Edwina e Phillip, o que aumentava o senso de responsabilidade de Phillip. Era como se estivesse tomando o lugar de outra pessoa, como o filho mais velho agora, e tudo que ele fazia, tudo que lhe dizia respeito, parecia aumentar essa responsabilidade. Exatamente tudo aquilo que tornava a vida mais fácil para George, que, aos doze anos, considerava sua única missão divertir todo mundo, sem a menor preocupação com responsabilidades no momento. Provocava Alexis e os menores sempre que podia e achava que era sua obrigação amenizar o rigor da atitude do irmão mais velho, o que fazia, amarrando os lençóis da cama dele, pondo cobras inofensivas nos seus sapatos, um camundongo aqui ou ali e pimenta no café da manhã, só para começar o dia com o pé direito. Phillip evidentemente acreditava que George fora criado só para atormentar sua existência, e nos seus raros e cautelosos casos de interesse pelo sexo oposto, George sempre aparecia, pronto para dar conselhos e assistência. George não era nada tímido com as meninas, ou com outra pessoa qualquer. Na viagem para a Inglaterra, em todos os cantos do navio, Kate e Bertram encontravam pessoas encantadas com seu segundo filho. "Oh, *são* os pais de George!..." E Kate estremecia, imaginando o que ele teria feito, mas Bertram achava graça nas brincadeiras inofensivas e no eterno bom humor do filho. A mais tímida era Alexis, logo abaixo de George, com cabelos louros encaracolados e olhos muito grandes e azuis. Todos os outros tinham cabelos escuros e olhos azuis, como Kate e Bert, mas os cabelos de Alexis era tão claros que pareciam brancos à luz do sol. Era como se os anjos tivessem dado a George todo o seu espírito maroto e toda a sua coragem, e a Alexis algo muito delicado e muito raro. Aonde quer que ela fosse, as pessoas notavam e comentavam sua beleza. E minutos depois ela parecia desaparecer no ar, com suas asas silenciosas, para reaparecer algumas horas depois. Era o "bebezinho" de Kate e a "menininha especial" do pai e raramente falava com mais alguém que não fossem eles. Vivia feliz no seio da família e era protegida por todos. Estava sempre ali, silenciosa, olhando, falando muito pouco. Às vezes passava horas no jardim, fazendo grinaldas para os cabelos da mãe. Os pais eram tudo para ela, mas ela amava também Edwina. Edwina, porém, era mais apegada a Frances, ou Fannie, como a chamavam, de quatro anos, logo abaixo de Alexis. Fannie, com o rosto redondo e doce, mãozinhas gorduchas e pernas pequenas e fortes. Seu sorriso derretia qualquer coração, especialmente o do pai, e, como Edwina, ela tinha olhos azuis e cabelos negros e brilhantes. Era o retrato do pai e tinha o bom gênio dele. Estava sempre feliz e risonha, contente onde quer que estivesse, como o irmão mais novo, Teddy. Ele tinha dois anos e era o queridinho da mãe. Já estava falando e descobrindo tudo que o rodeava. Tinha cabelos encaracolados e uma risada feliz e descontraída. Gostava de fugir de Oona. Oona era irlandesa, tinha deixado a Irlanda aos quatorze anos, e Kate sempre abençoava a sorte que a pusera no seu caminho. Tinha dezoito anos e ajudava Kate com todos os filhos e os serviços de casa. Oona censurava Kate, dizendo que ela estava mimando demais o pequeno Teddy. E Kate, rindo, admitia que era verdade. Mimava todos, uma vez ou outra, porque os amava demais.

Contudo, a cada ano Kate notava com admiração a enorme diferença entre seus filhos. Cada um era um indivíduo único, com necessidades variadas. Tudo neles era diferente, as atitudes, as aspirações, as reações a ela e de um para o outro... desde a timidez e os muitos temores de Alexis, ao senso de responsabilidade de Phillip, à completa ausência desse senso em George, à segurança tranqüila e forte de Edwina. Edwina era tão desprendida, sempre mais preocupada com os outros do que com ela mesma, que sua paixão por Charles, a alegria daquele amor, era um alívio para Kate. Ela merecia. Durante muitos anos fora o braço direito da mãe, e estava na hora de viver a sua vida.

Kate desejava apenas que ela não fosse para a Inglaterra. Era a segunda vez que perdia uma pessoa amada para aquelas praias distantes. E só podia esperar que a filha fosse mais feliz do que Liz. Mas Charles era diferente de Rupert. Era encantador, inteligente, atraente e bom, e Kate estava certa de que seria um ótimo marido.

Iam encontrar com Charles naquela manhã, nas docas White Star, em Southampton. Ele concordara em voltar aos Estados Unidos com eles porque não suportava a idéia de ficar quatro meses longe de Edwina, e também porque Bert insistira para que os acompanhasse na viagem, como um presente de noivado. Era a viagem inaugural do navio, e todos estavam entusiasmados.

Agora, ainda sentados à mesa, em Havermoor, George murmurou alguma bobagem no ouvido de Alexis, soltou mais vapor pela boca no ar gelado, e a menina começou a rir alto. Bertram ia começar a rir também, quando Rupert levantou-se, liberando todos, afinal. Bert aproximou-se para se despedir e apertou a mão do cunhado. E pela primeira vez Rupert realmente sentiu a sua partida. Ele gostava de Bert. Durante todos aqueles anos chegara até mesmo a gostar de Kate, embora ainda tivesse dúvidas a respeito das crianças.

— Foram dias maravilhosos aqui com vocês, Rupert. Vá nos visitar em São Francisco — disse Bertram com sinceridade.

— Infelizmente, acho que seria demais para mim.

Estava combinado que Liz viajaria com os parentes de Charles para assistir ao casamento. Feliz com a concordância do marido, ela mal podia esperar. Com Kate e Edwina, já tinha comprado em Londres o vestido que ia usar.

— Se tiver disposição, não deixe de ir.

Os homens trocaram um aperto de mão, e Rupert sentiu-se feliz com a visita e feliz com a partida.

— Escreva, contando sobre o novo navio. Deve ser uma maravilha.

Por um breve momento ele pareceu invejar os que iam partir. Mas Liz não os invejava nem um pouco. A simples idéia de barcos e navios, de qualquer tipo, a deixava mareada. Já estava com medo da travessia, em julho.

— Você vai escrever sobre o navio no seu jornal, Bert?

Bert sorriu. Raramente escrevia para seu jornal, a não ser um editorial ou outro, quando o assunto o interessava muito. Mas tinha de admitir que ultimamente estava pensando em escrever mais.

— Talvez. Se escrever, mando uma cópia para vocês.

Rupert passou o braço pelos ombros de Bert e caminharam juntos até a porta, enquanto Edwina e Kate reuniam as crianças com Oona, providenciando para que todos fossem ao banheiro antes de partir para Southampton.

Era muito cedo ainda, o sol começava a aparecer no horizonte, e tinham três horas de viagem pela frente. O motorista de Rupert e dois empregados iam levá-los em três carros, com a pouca bagagem que tinham com eles. A maior parte das malas-cabine tinha sido despachada na véspera e já devia estar no navio.

Num instante as crianças embarcaram nos três carros, Edwina e Phillip com uma parte da bagagem, e George, que insistiu em sentar na frente, ao lado do empregado que dirigia, Oona com Fannie e Teddy e o resto das malas no outro carro, e Kate e Bertram no Silver Ghost de Rupert, com Alexis. Liz ofereceu-se para acompanhá-los, mas Kate disse que era uma viagem muito longa para ela. De qualquer modo, estariam juntas outra vez dentro de quatro meses, e não seria agradável voltar sozinha de Southampton, com mais dois carros vazios. As duas irmãs se abraçaram, e por um longo momento Liz apertou-a ternamente, sem saber por que estava tão emocionada nessa manhã.

— Tenham cuidado... Vou sentir a sua falta...

Dessa vez a despedida parecia mais dolorosa, como se ela não tivesse mais resistência para tantas separações. Liz abraçou-a com força outra vez, e Kate riu, ajeitando o chapéu elegante comprado para ela, por Bertram, em Londres.

— Antes que tenha tempo para pensar, estaremos em agosto, Liz — murmurou Kate no ouvido da irmã —, e você estará em casa outra vez. — Beijou o rosto da irmã e recuou um pouco, olhando para ela, entristecida com o seu abatimento e desânimo. Pensou na mudança de Edwina para a Inglaterra, depois do casamento, e desejou que a vida da filha fosse mais feliz que a da irmã. Detestava a idéia da distância que as separaria, bem como a idéia de deixar Liz agora, enquanto Rupert pigarreava, dava instruções aos motoristas, e os aconselhava a partir logo para não perderem o navio. Iam partir dentro de cinco horas.

— O navio sai ao meio-dia, não sai? — perguntou a Bert, tirando o relógio do bolso.

Kate abraçou Liz com força e entrou no carro, puxando Alexis com ela.

— Sim. Temos muito tempo.

Eram sete e meia da manhã, do dia dez de abril.

— Tenham uma viagem maravilhosa! É um grande navio! Boa viagem! — Ele acenou quando o primeiro carro partiu, e com Liz ao seu lado, viu partir o segundo e o terceiro.

Na janela, Kate acenou com um largo sorriso, com Alexis no colo e o braço de Bertram sobre seus ombros.

— Eu amo vocês!... — disse Liz quando o último carro partiu. — Eu amo vocês... — As palavras sumiram no ar, e ela enxugou uma lágrima, sem saber por que estava tão preocupada. Na verdade, era bobagem, pois veria a todos novamente em agosto. Sorrindo, ela entrou em casa com o marido. Rupert trancou-se na biblioteca, como fazia todas as manhãs, e Liz voltou para a sala de jantar. Olhou para as cadeiras vazias e os pratos que a empregada tirava da mesa, e uma solidão terrível a envolveu. Há poucos momentos estavam todos ali, todas as pessoas que ela amava, enchendo a sala de vida e de riso. Agora tudo parecia mais vazio do que nunca, ela mais solitária do que nunca, e eles estavam a caminho de Southampton.

Capítulo 2

CHEGANDO AO PORTO de Southampton, o carro de Kate e Bertram conduziu o comboio dos automóveis de lorde Hickham ao local de embarque dos passageiros de primeira classe. No segundo carro, Edwina teve de mandar George parar de pular no banco, antes que ela e Phillip ficassem loucos.

— Olhe, olhe o navio, Edwina. — George apontou para as quatro enormes chaminés do navio, enquanto Phillip tentava acalmá-lo. Ao contrário do irmão exuberante, Phillip começava a ler sobre o navio ao saber que seriam passageiros da sua viagem inaugural. Assim, sabia da existência de outro, quase idêntico, o *Olympic*, inaugurado há um ano, mas este era, literalmente, o maior navio do mundo. O R.M.S.*Titanic* superava ligeiramente em tamanho o navio irmão, embora fosse uma vez e meia maior que qualquer outro navio de passageiros, e George estava encantado e impressionado com seu tamanho. O jornal do seu pai o chamara de "Navio Maravilha", e em Wall Street o chamavam de "O Especial dos Milionários". Era um privilégio ser passageiro dessa viagem inaugural. Bert Winfield havia reservado cinco dos vinte e oito camarotes especiais no convés B. Esses camarotes constituíam outra das características exclusivas do novo transatlântico. Tinham janelas, em vez de vigias, e eram decorados com móveis antigos franceses, holandeses e britânicos. A White Star Line sem dúvida tinha superado tudo que existia em luxo e conforto. Os cinco camarotes dos Winfields eram interligados, formando uma grande suíte.

George ia ficar num camarote com Phillip, Edwina ficaria em outro com Alexis, Oona com os dois menores, Fannie e Teddy, e Bertram e Kate no maior, ao lado do camarote de Charles Fitzgerald. A viagem prometia ser festiva, e George não via a hora de embarcar. Desceu do carro e correu para a prancha de embarque. Mas o irmão foi mais rápido e segurou-o pelo braço, levando-o para onde Edwina ajudava a mãe com os outros menores.

— Aonde pensa que vai, meu jovem? — perguntou Phillip, mais parecendo o pai do que ele mesmo.

George olhou irritado para ele.

— Você está parecendo o tio Rupert.

— Deixe disso. Você fica aqui mesmo até papai dar ordem para embarcarmos. — Olhou por cima do ombro de Edwina e viu Alexis agarrada na saia da mãe, e Oona segurando os dois menores que choravam. — Vá cuidar de Teddy. Oona está ajudando mamãe a organizar a bagagem.

Bertram estava se despedindo dos motoristas de lorde Hickham. Era o tipo de situação que George adorava, o caos completo, sua oportunidade para desaparecer e fazer o que bem entendesse.

— Tenho mesmo de ir? — George ficou apavorado com a idéia de cuidar dos irmãos, quando havia tanta coisa para descobrir.

A quilha majestosa do *Titanic* estava muito perto deles, e tudo que George queria era embarcar e descobrir todos os segredos do navio. Estava ansioso para começar suas explorações. Não tinha tempo a perder.

— Sim, você *tem* de ajudar — disse Phillip, empurrando George na direção dos irmãos e afastando-se para ajudar o pai. Notou então que Edwina estava tendo dificuldades com Alexis.

— Não seja boba. — Edwina estava ajoelhada no píer, ao lado da irmã, com o elegante *tailleur* azul comprado para o encontro com a família de Charles. — Não precisa ter medo. — Edwina estendeu o braço para o navio. — É como uma cidade flutuante, e em poucos dias estaremos em Nova York. Depois, tomaremos o trem para São Francisco. — Edwina procurava fazer com que tudo parecesse uma aventura interessante, mas Alexis, apavorada com o tamanho do navio, agarrou outra vez a saia da mãe e começou a chorar.

— O que foi? — Kate olhou para a filha mais velha, tentando ouvir o que ela dizia, no momento em que a banda, no convés, começou a tocar. Porém, fora isso, até então não havia nenhum sinal de festa. Ao que parecia, a White Star Line achava que barulho demais era vulgar. — O que aconteceu? — Kate tentava acalmar Alexis.

— Ela está com medo — disse Edwina, apenas movendo os lábios, e Kate fez um gesto afirmativo.

Era sempre a pequena Alexis que se apavorava com as coisas novas, com pessoas novas, lugares novos, e também tivera medo de embarcar no *Mauretania*, perguntando repetidamente à mãe o que aconteceria se ela caísse na água.

Kate acariciou os cabelos louros com a mão enluvada e curvou-se para murmurar no ouvido da menina. Lembrou que faltavam cinco dias para seu aniversário, e Alexis sorriu. Ia fazer seis anos, e a mãe havia prometido uma festa a bordo e outra quando chegassem em São Francisco.

— Tudo bem? — murmurou Kate, mas Alexis sacudiu a cabeça e começou a chorar outra vez, agarrada à mãe.

— Eu não quero ir.

E então, antes que tivesse tempo para dizer mais, foi erguida do chão por braços fortes e sentada nos ombros do pai.

— É claro que quer, benzinho. Não ia querer ficar na Inglaterra sem nós. Sei que não, bobinha. Vamos todos para casa agora, no navio mais maravilhoso do mundo. Sabe o que acabo de ver? Uma menina mais ou menos da sua idade. Aposto que antes de chegarmos a Nova York vocês duas serão as maiores amigas. Agora, vamos embarcar e ver como são nossas cabines, está bem?

Alexis parou de chorar, e Bert, segurando o braço de

Kate, conduziu a família para o navio. Quando estavam seguros a bordo, pôs Alexis no chão. Ela segurou com força a mão do pai e subiram a escadaria para o convés superior, espiando pelas janelas do salão de ginástica para ver o famoso camelo-elétrico.

Havia gente por toda parte, admirando a decoração, os painéis de madeira trabalhada, os lustres finos, as tapeçarias, os cinco grandes pianos. Até Alexis se aquietou durante o passeio, antes de chegarem aos seus camarotes, no convés B.

— É mesmo uma maravilha, não é? — disse Bert para Kate, e ela sorriu.

Kate adorava a idéia de estar a bordo com ele. Parecia tão aconchegante, tão seguro, tão romântico, suspensos entre dois mundos, todos confortavelmente instalados e atendidos. Pela primeira vez estava resolvida a deixar Oona cuidar das crianças para descansar e aproveitar a companhia do marido. Bert entusiasmou-se com o salão de ginástica e depois examinou a sala de fumar, mas Kate, com um sorriso, balançou o dedo num gesto de advertência.

— Não, nada disso! Quero passar algum tempo com você nesta viagem. — Chegou mais perto dele, sorrindo.

— Quer dizer que Charles e Edwina não são os únicos namorados neste navio? — murmurou ele, sem largar a mão de Alexis.

— Espero que não. — Com um sorriso cheio de promessas, tocou o rosto dele delicadamente com as pontas dos dedos.

— Muito bem, o que vocês acham de irmos para os camarotes, desfazermos as malas e depois continuarmos nosso passeio exploratório?

— Não podemos continuar agora mesmo, papai? — pediu George. O menino parecia a ponto de explodir de entusiasmo e expectativa, mas Bert achou melhor acomodar as crianças primeiro e prometeu que depois o acompanharia na aventura. A tentação, porém, era muito grande, e antes de chegarem ao convés B, dois andares abaixo da sala de ginástica, George desapareceu. Preocupada, Kate ia pedir a Phillip para procurar o irmão.

— Não se preocupe, Kate. Ele não pode ir muito longe. Desde que não saia do navio, estará seguro, e sua excitação é tão grande que ele não pensará em desembarcar. Depois que todos estiverem acomodados, vou procurá-lo.

Kate hesitou um pouco e depois concordou, sem contudo deixar de se preocupar com as possíveis travessuras de George. Quando viram os camarotes reservados por Bertram, porém, ficaram tão encantados que ninguém pensou em se preocupar com coisa alguma. Logo depois, Charles chegou e foi recebido alegremente por eles.

— Estou no lugar certo? — Sua cabeça apareceu na porta da sala de estar, com o cabelo bem penteado, e os olhos azuis cintilaram quando ele viu a noiva levantar-se de um salto e correr na sua direção, atravessando a saleta íntima que Kate e Bertram pretendiam usar quando quisessem se livrar dos filhos.

— Charles! — Corando intensamente, Edwina lançou-se nos braços do noivo, seus cabelos da cor dos dele, os olhos de um azul mais profundo, tudo nela um testemunho do amor que sentia.

Charles a levantou do chão, e Alexis e Fannie riram.

— Do que vocês estão rindo? — Charles gostava de brincar com as meninas, e para ele, Teddy era a criança mais doce do mundo. Era amigo de Phillip, e até o irrequieto George o divertia. Era uma família maravilhosa, e Charles agradecia a sorte que o fizera encontrar Edwina. — Já viram os cachorrinhos? — perguntou para as duas meninas, sobre o ombro da noiva.

Fannie sacudiu a cabeça, mas Alexis ficou preocupada.

— Vamos visitá-los depois do seu sono da tarde — prometeu Charles.

Ele era quase uma figura paterna para elas, e Edwina era como outra mãe.

— Onde estão eles? — perguntou Alexis, ansiosa, preocupada agora com os cães.

— Dentro de gaiolas, bem lá embaixo, e não podem sair — disse Edwina.

Alexis não sairia do camarote durante toda a viagem

se soubesse que havia o perigo de encontrar um cachorro andando pelos corredores do navio.

Edwina deixou as crianças aos cuidados de Oona e acompanhou Charles ao camarote dele. Bert reservara um belo camarote. Longe dos olhos curiosos das crianças, ele a abraçou e beijou. Com os lábios nos dele, Edwina prendeu a respiração, esquecendo de tudo, menos da presença poderosa do seu futuro marido. Em momentos como esse, ela duvidava que pudessem esperar até agosto. Mas iam esperar, mesmo naquela viagem tão romântica. Edwina jamais trairia a confiança dos pais. Charles também não, mas ia ser difícil se conter até meados de agosto.

— Quer passear um pouco, Srta. Winfield? — convidou Charles, com um sorriso carinhoso.

— Adoraria, Sr. Fitzgerald.

Ele deixou o casaco na cama e preparou-se para passear com ela no convés. Não estava frio ali no porto, e a presença dela o fazia tão feliz que Charles não podia pensar em qualquer outra coisa. Depois de alguns dias de separação, cada hora parecia preciosa, e ele estava feliz por voltar para São Francisco com eles. Teria sido insuportável não estar com ela.

— Senti muitas saudades — murmurou ela, enquanto subiam a escadaria para o convés de passeio, logo acima.

— Eu também, meu amor. Logo não precisaremos mais nos separar nem por um momento.

Feliz, ela concordou com um gesto. Passaram pelo "café na calçada", ouvindo as vozes dos garçons franceses que olhavam para ela e sorriam com admiração. Muitos passageiros da primeira classe pareciam curiosos com o pequeno bistrô. Era uma novidade, outra das características exclusivas do *Titanic.*

Foram até a metade do convés de passeio e pararam na imensa área envidraçada, de onde podiam ver o mar, protegidos do vento e da água salgada.

— Estou certo de que encontraremos muitos cantinhos românticos só para nós neste navio, meu amor. — Charles sorriu, segurando a mão dela, que se apoiava no seu braço, e Edwina riu.

— Foi o que George também pensou. Ele desapareceu a caminho dos camarotes. Aquele menino não tem jeito. Não sei como minha mãe agüenta — disse Edwina, exasperada só em pensar no irmão.

— Ela agüenta porque George é charmoso — defendeu-o Charles. — Ele sabe exatamente até onde pode ir.

Edwina concordou, embora muitas vezes tivesse vontade de estrangular o irmão.

— Acho que tem razão. Ele é tão diferente de Phillip. Phillip jamais faria uma coisa dessas.

— Eu também não, quando era pequeno. Talvez seja por isso que eu o admiro. Gostaria de ter feito. E George jamais vai se arrepender de "não ter feito alguma coisa". Estou certo de que ele sempre faz tudo.

Charles riu, pôs o braço sobre os ombros dela e juntos viram o enorme transatlântico afastar-se do porto. Edwina rezou para que seu pai tivesse razão quando dissera que George nem pensaria em sair do navio. Mas certamente Bert estava certo, havia muito para ver sem precisar desembarcar. O apito do *Titanic* soou estridente e poderoso, tornando impossível qualquer conversa. A excitação pairava no ar, e Charles a abraçou, e, beijando-se, ouviram os apitos bem acima das suas cabeças.

Ajudado por seis rebocadores e pilotos, o enorme transatlântico entrou no canal, seguindo na direção de Cherburgo, onde apanharia mais passageiros antes de ir para Queenstown; depois, atravessariam o oceano, direto para Nova York. De repente, aconteceu algo só visível para quem estava no convés superior. O *Titanic* passou por dois navios de passageiros, um americano, o outro britânico, amarrados no cais por causa de uma greve recente dos mineradores de carvão. O *New York*, da American Line, estava amarrado ao *Oceanic*, da White Star, deixando uma passagem estreita demais para o enorme transatlântico. De repente, com dois estampidos secos como tiros, as amarras que uniam os dois navios soltaram-se, e o *New York* derivou para bombordo do *Titanic* até quase se chocar com o grande navio. Com uma série de manobras rápidas, de um dos rebocadores que ajudavam a saída do *Titanic* do porto passaram um cabo para a tripulação do *New York*, e o pequeno navio foi detido e rebocado para longe. O *Titanic* saiu do porto e navegou para Cherburgo. Mas por pouco não fora abalroado. Só as manobras realmente impressionantes o salvaram do desastre. Para os passageiros que assistiram, fora sem dúvida uma exibição de extrema habilidade. Mas o *Titanic* parecia invencível, invulnerável a tudo. Tinha o comprimento de quatro quarteirões, ou duzentos e setenta metros, como Phillip havia informado antes, e não era nada fácil manobrar um navio daquele tamanho.

— Foi mesmo por pouco, ou só impressão minha? — perguntou Edwina, impressionada com o que acabava de ver, e Charles fez um gesto afirmativo.

— Acho que sim. Que tal uma taça de champanhe no Café Parisien para comemorar a partida?

Foram para o "café na calçada", onde George, afobado e ligeiramente desarrumado, encontrou-os.

— O que você está fazendo aqui? — perguntou a Edwina, com o boné de lado na cabeça, a camisa para fora, um dos joelhos da calça sujo de pó. Mas nunca estivera mais feliz em toda a sua vida.

— Quem pergunta sou eu. Mamãe procurou você por toda parte. O que andou fazendo? — disse Edwina, franzindo a testa.

— Eu tinha de ver tudo, Edwina. — Olhou para a irmã como se ela fosse muito boba por não entender isso e depois voltou-se para Charles com ar triunfante. — Como vai, Charles?

— Muito bem, obrigado, George. Que tal o navio? Seguro? Está satisfeito com ele?

— É uma beleza! Sabiam que tem quatro elevadores, e que cada um sobe nove andares? Tem também uma quadra de *squash*, uma piscina, e está levando um automóvel novinho em folha para Nova York, um Renault, e tem umas máquinas fantásticas na cozinha. Não consegui entrar na terceira classe, mas vi a segunda e parece muito boa, conheci uma menina muito interessante lá — informou ele.

Charles divertia-se com o futuro cunhado, mas Edwina estava horrorizada. George não tinha modos e nem parecia embaraçado com o estado das suas roupas.

— Vejo que examinou tudo, George. Meus parabéns — disse Charles, e o menino sorriu orgulhoso para ele. — Já esteve na ponte?

— Não — respondeu George, desapontado. — Na verdade, ainda não tive tempo. Estive lá em cima, mas tinha tanta gente que não se podia ver nada. Tenho de voltar mais tarde. Quer nadar um pouco depois do almoço?

— Eu gostaria muito, se não atrapalhar os planos da sua irmã.

Mas Edwina estava furiosa.

— Eu acho que você devia *dormir* depois do almoço, com Fannie e Teddy. Se pensa que pode ficar andando por aí, como um menino de rua, está muito enganado. Eu não concordo, e mamãe e papai também não vão concordar.

— Ora, Edwina — gemeu ele —, você não entende nada. Isso é muito importante.

— Comportar-se também é importante. Espere até mamãe ver o seu estado.

— O que está havendo? — perguntou Bert, atrás de Edwina, com riso na voz. — Olá, Charles... olá, George. Vejo que esteve muito ocupado.

O menino tinha até graxa no rosto e parecia feliz como nunca, descontraído, enquanto o pai o examinava com expressão divertida.

— Isto é uma maravilha, papai.

— Fico feliz em saber.

Nesse exato momento, Kate aproximou-se deles e viu o filho.

— Bertram! Como pode deixar que ele fique desse jeito! Ele parece... parece um moleque de rua!

— Ouviu isso, George? — perguntou o pai, com calma. — Acho que está na hora de se lavar. Sugiro que vá para o camarote e vista alguma coisa menos... bem... menos usada... antes que sua mãe fique realmente zangada.

Mas Bert parecia muito mais divertido do que zangado, e George ergueu os olhos para ele, com um sorriso igualzinho ao do pai. Sem achar graça, Kate mandou George tomar um banho e trocar de roupa antes de aparecer outra vez na frente deles.

— Oh, mamãe... — suplicou George, inutilmente.

Kate arregaçou a manga, segurou-lhe a mão, desceu a escada e deixou-o com Phillip, que estava estudando a lista de passageiros, à procura de algum nome conhecido. Os Astors estavam a bordo, evidentemente, e o Sr. e a Sra. Isidor Straus, da família proprietária do Macy's. Havia muitos nomes famosos e alguns jovens também, mas por enquanto nenhum conhecido. No entanto, já vira algumas jovens atraentes, que esperava conhecer durante a viagem. Kate entrou no camarote com George e pediu ao filho mais velho que convencesse o irmão a tomar um banho e a se comportar devidamente. Phillip prometeu fazer o melhor possível, mas George já estava tentando se livrar outra vez. Queria visitar a casa das caldeiras e a ponte, voltar à cozinha, onde havia várias máquinas cujo acesso lhe fora proibido na primeira vez, e precisava verificar se um dos elevadores subia ou descia mais rápido que os outros.

— É uma pena que você não fique mareado — disse Phillip, quando Kate os deixou sozinhos.

Bert, Kate, Edwina e Charles almoçaram, depois encontraram-se com Phillip, George, Oona e as crianças menores. Alexis parecia menos preocupada com o navio. Estava fascinada com o grande número de pessoas que passeavam e conversavam alegremente, e já tinha conhecido a menina da qual Bert havia falado antes de embarcarem. Chamava-se Lorraine, e em idade estava mais próxima de Fannie que de Alexis. Tinha três anos e meio e um irmãozinho chamado Trevor. Eram de Montreal. Lorraine tinha uma boneca igual à de Alexis. Não eram bebês, mas bonecas adultas. A de Alexis, que ela não largava e chamava de Sra. Thomas, fora presente da tia Liz no último Natal. A de Lorraine tinha o rosto quase igual, mas o chapéu e o casaco não eram tão elegantes, e a Sra. Thomas usava um vestido de seda cor-de-rosa, feito por Edwina, sob o casaco de veludo negro original. Tinha também sapatos abotoados, e naquela tarde Alexis a levou para passear no convés junto com seus pais.

O navio aportou em Cherburgo à noite, quando Alexis ia se deitar. Os menores já estavam dormindo, e George tinha desaparecido outra vez. Kate e Edwina vestiam-se para o jantar, e Charles, Phillip e Bertram as esperavam no salão de fumar.

Jantaram no grande salão do convés D naquela noite, os homens a rigor e as mulheres com os belos vestidos comprados em Londres, Paris ou Nova York. Kate usava a belíssima gargantilha de pérolas e brilhantes que pertencera à mãe de Bertram. O salão de jantar era muito bonito, com entalhes de madeira, metais polidos e lustres de cristal, e os trezentos passageiros da primeira classe pareciam saídos de um conto de fadas. Edwina nunca vira nada tão bonito. Ergueu os olhos sorridentes para o futuro marido.

Depois do jantar, foram para o salão de festas para ouvir a banda do navio. Finalmente Kate bocejou e disse que estava tão cansada que mal podia ficar de pé. Fora um longo dia, e ela voltou satisfeita para o camarote, com o marido e o filho mais velho. Edwina e Charles resolveram ficar mais um pouco, e Kate não fez nenhuma objeção. Phillip verificou que George estava dormindo, para alívio de todos.

No dia seguinte, ao meio-dia, o navio fez a última parada para apanhar passageiros da terceira classe, em Queenstown. Eles observavam o embarque do convés de passeio, quando, de repente, Oona, com um grito abafado, agarrou com força a grade da amurada.

— Oh, meu Deus, Sra. Winfield! É a minha *prima*! — exclamou, com seu sotaque irlandês.

— Como é que você pode ver daqui? — perguntou Kate. Oona era muito emotiva e com uma imaginação bastante rica. — Tenho certeza de que não é ela.

— Eu a reconheceria em qualquer lugar. Ela é dois anos mais velha do que eu, e sempre fomos como irmãs. Ela tem cabelos ruivos e uma filha pequena, e estou vendo as duas... Sra. Winfield, *eu juro!*... Há anos ela fala em ir para os Estados Unidos... oh, Sra. Winfield. — Com os olhos marejados de lágrimas, perguntou: — Como é que poderei encontrá-la no navio?

— Se for mesmo a sua prima, perguntaremos ao oficial de bordo. Ele pode verificar a lista de passageiros da terceira classe. Como é o nome dela?

— Alice O'Dare. O nome da filha é Mary. Deve estar com cinco anos.

Kate absorveu a informação. Se ela era dois anos mais velha do que Oona, devia ter vinte... com uma filha de cinco... imaginou se havia também um marido, mas não perguntou, para não ofender Oona, concluindo, acertadamente, que não havia.

— Posso brincar com a filha dela? — perguntou Alexis, em voz baixa.

Estava melhor agora. Depois de uma noite na cama confortável, o *Titanic* não parecia tão assustador. Todos os camareiros e comissários de bordo lhe dedicavam tanta atenção, que ela começava a gostar da aventura. Fannie também estava se divertindo. Naquela manhã, quando subiu na cama de Edwina, Alexis já estava lá, e logo depois apareceu Teddy. Mais tarde, George sentou na beirada da cama e começou a fazer cócegas nas irmãs, até Oona acordar com as gargalhadas. Ela entrou correndo e abriu um largo sorriso quando viu todos juntos. Como quando vira o nome da prima na lista de passageiros. Lá estava, claro como o dia. Alice O'Dare. Ela foi contar para Edwina, que se vestia para o jantar no Restaurant À la Carte com Charles e os pais.

— Srta. Edwina... eu estava certa... era a minha prima que eu vi embarcando hoje. Eu sabia. Há quatro anos não nos víamos, mas ela não mudou nada!

— Como você sabe? — perguntou Edwina, sorrindo. Oona era uma boa moça e gostava realmente das crianças.

— Uma das camareiras ficou com os menores, enquanto dormiam, à tarde, e eu fui até a terceira classe falar com ela. O oficial disse que ela estava na lista de passageiros, e eu tinha de vê-la. — Então, um pouco na defensiva: — A Sra. Winfield sabia. Ela disse que eu podia ir.

— É claro, tudo bem, Oona. — Às vezes, Edwina sentia-se numa posição estranha. Não era a patroa, nem uma das crianças, e sabia que Oona e os outros empregados a viam como espiã, que podia contar tudo a Kate. — Sua prima deve ter ficado muito satisfeita com o encontro. — Olhou carinhosamente para a jovem, sentindo-se muito mais velha.

Aliviada e feliz, Oona sorriu.

— Ela é uma moça muito bonita, e a pequena Mary é um doce. Tinha só um ano da última vez que a vi. É igualzinha a Alice quando tinha essa idade. Cabelos vermelhos como fogo.

Oona riu, feliz, e Edwina sorriu, prendendo nas orelhas os brincos de brilhante emprestados de Kate.

— Ela vai para Nova York?

Oona fez um gesto afirmativo, sentindo-se abençoada pela sorte.

— Ela ia. Tem uma tia e alguns primos em Nova York, mas eu a convenci a ir para a Califórnia. Ela disse que vai tentar. Farei qualquer coisa para ajudá-la.

Edwina sorriu. Oona parecia extremamente feliz, e era bom para ela ter parentes a bordo. Então, pensou em algo que certamente sua mãe tinha pensado também.

— Você lavou bem as mãos quando voltou da terceira classe?

— Lavei.

Embora levemente ofendida, Oona compreendia. Para eles, a terceira classe era como uma doença, um lugar que nunca tinham visto e nem queriam ver. Mas não era tão ruim quanto Oona temia. É claro que não se parecia com seu camarote, e nada era tão bonito nem tão fino, mas era decente e limpo, e o importante era que chegariam em segurança na América.

— Não é uma sorte, Srta. Edwina? Estamos no mesmo navio... imagine só... juro, nunca pensei que tivesse tanta sorte.

Sorriu mais uma vez para Edwina e voltou para seu camarote para cuidar das crianças. Edwina foi se encontrar com os pais e o noivo. Naquela noite iam jantar no elegante Restaurant À la Carte, e Edwina, sorrindo para Charles, concordou completamente com Oona. Todos eles tinham muita sorte, eram todos abençoados, com a vida que tinham, com as pessoas que amavam, os lugares que visitavam, e aquele belo navio que os levava para casa na sua viagem inaugural. Ficou de pé, de mãos dadas com Charles, com o vestido de cetim azul-claro, o cabelo escuro penteado para cima e o brilhante de noivado cintilando no dedo. Edwina Winfield sentiu que, em toda a sua vida, jamais fora tão feliz e abençoada pela sorte. Caminhando pelo corredor, de braço com Charles, na companhia de Kate e Bert, que conversavam carinhosamente em voz baixa, teve certeza de que ia ser uma noite muito especial, o prelúdio de uma vida inteira de felicidade.

Capítulo 3

OS DIAS NO *Titanic* pareciam deslizar com conforto e prazer. O tempo parecia curto para a variedade de atividades a bordo. Tudo era agradável, fácil, suspenso entre dois mundos, naquele navio que oferecia desde refeições requintadas a jogos de *squash*, piscinas e banhos turcos.

Phillip e Charles jogavam *squash* e exercitavam-se nas bicicletas pregadas no chão e nos cavalos-mecânicos todas as manhãs, enquanto Edwina experimentava as novidades do camelo-elétrico. George passeava de elevador, fazendo amigos, e todos os dias a família se reunia para o almoço. Então, quando os menores iam fazer a sesta com Oona, Kate e Bertram davam longas caminhadas no convés de passeio, falando de coisas que há anos não tinham tempo para comentar. Mas esses dias passaram muito depressa e terminaram quando menos esperavam.

As noites eram passadas no salão-restaurante ou no À la Carte, onde o capitão Smith, no segundo dia da viagem, apresentara os Winfields aos Astors. A Sra. Astor elogiou a bela família, e por várias coisas que ela disse, Kate concluiu que a jovem Sra. Astor estava grávida. Ela era muito mais nova do que o marido, e os dois pareciam muito apaixonados. Estavam sempre conversando tranqüilamente, de mãos dadas, e certa vez Kate os vira se beijando a caminho do camarote. Kate gostou também dos Straus. Nunca tinha visto duas pessoas tão compatíveis e tão evidentemente apaixonadas depois de muitos anos de casamento, e durante uma das suas conversas descobriu que a Sra. Straus tinha um notável senso de humor.

Havia trezentos e vinte e cinco passageiros na primeira classe, muitos interessantes, alguns bastante conhecidos, e Kate gostou especialmente de uma mulher chamada Helen Churchill Candee. Era escritora, tinha vários livros publicados e parecia interessada numa imensa variedade de assuntos. Muita gente também se interessava por ela, e raramente estava rodeada por menos de uma dezena de homens, alguns deles os mais atraentes do navio, com exceção de Bert, naturalmente.

— Veja o que você podia ter feito da sua vida se não estivesse presa a mim — disse Bert com um sorriso, quando passavam pela cadeira da Sra. Candee, ao lado da qual um grupo de homens parecia beber as palavras dela. Ouviram o riso claro e franco da escritora quando se afastaram. Mas Kate podia rir também. Nunca desejara uma vida assim. A idéia a fazia sorrir. Kate gostava da vida que levava, com os filhos e o marido.

— Tenho certeza de que jamais poderia ser uma *femme fatale*, meu querido.

— Por que não? — perguntou Bert, ofendido, como se ela estivesse questionando seu bom gosto. — Você é uma mulher muito bonita.

— Tolinho. — Beijou o pescoço dele e depois sacudiu a cabeça, com um sorriso maroto. — Provavelmente vou passar o resto da vida correndo com um lenço na mão para assoar o nariz de alguém. Acho que fui feita para ser mãe.

— Que desperdício... quando podia ter toda a Europa aos seus pés, como a ilustre Sra. Candee. — Falou em tom de brincadeira, mas era evidente o amor que os unia.

— Eu prefiro você, Bertram Winfield. Não preciso de toda a Europa.

— Suponho que devo ser grato. — Sorriu para ela, lembrando os anos partilhados, a felicidade, as alegrias, as tristezas. Tinham uma boa vida e eram não apenas amantes, mas bons amigos.

— Espero que Edwina e Charles tenham isso algum dia — disse Kate, em voz baixa, e Bert compreendeu que agora ela estava falando sério.

— Eu também. — E a despeito da brisa fria que começara a soprar naquela tarde, ele parou e a abraçou e beijou apaixonadamente. — Quero que saiba o quanto eu a amo — murmurou, e ela sorriu.

Ele parecia muito mais sério que de costume, e Kate tocou-lhe o rosto suavemente antes de beijá-lo outra vez.

— Você está bem? — Bert parecia extremamente profundo, o que era raro nele.

Ele balançou a cabeça afirmativamente.

— Sim, estou... mas às vezes não faz mal nenhum dizer as coisas em vez de só pensar nelas — disse ele.

Caminharam de mãos dadas. Era a tarde de domingo, e naquela manhã tinham assistido ao ato religioso oficiado pelo capitão Smith, onde rezaram por "Todos que estão no mar". O dia estava quieto, e quase todos já tinham entrado por causa do frio. Pararam na frente da sala de ginástica e viram a Sra. Candee com o jovem Hugh Woolner. Bertram e Kate continuaram o passeio e depois resolveram entrar para o chá. Estava frio demais para ficar no convés. O Sr. Astor tomava chá com a jovem esposa, Madeleine, num canto do salão, e então viram George e Alexis tomando chá com duas senhoras idosas, na outra extremidade.

— Veja só aquilo! — Bert sorriu. — Só Deus sabe o que aquele menino vai fazer quando crescer. Às vezes estremeço só de pensar.

Deixou Kate na sua mesa e foi cumprimentar as duas senhoras que estavam dando atenção aos seus filhos. Agradeceu-lhes pela bondade e depois levou os dois para onde Kate os esperava.

— Afinal, o que vocês estão fazendo aqui? — perguntou Bert, olhando para Alexis, que parecia muito à vontade com as duas senhoras estranhas, o que não era comum para ela. — E o que fizeram com Oona?

George respondeu, satisfeito:

— Ela foi visitar a prima lá embaixo e deixou os meninos com a camareira. Eu disse que ia trazer Alexis para vocês — deu de ombros, feliz da vida — e ela acreditou.

— George me levou na sala de ginástica e na piscina — anunciou Alexis com orgulho. — E subimos e descemos em todos os elevadores. Então ele disse que precisávamos descobrir alguém para nos dar doces, e descobrimos. Elas foram muito bondosas — disse ela, tranqüila, o rostinho de anjo, feliz com a grande aventura. — Eu contei que amanhã é meu aniversário.

Era verdade. No dia anterior, Kate tinha encomendado um bolo, e Charles Joughin, o doceiro-chefe, prometera fazer um, enfeitado com rosas. Ia ser uma surpresa para Alexis.

— Bem, fico satisfeito por ver que se divertiram bastante. — Bert achou graça no expediente, e até Kate riu, ouvindo a descrição de Alexis. — Mas acho que da próxima vez é melhor virem conosco, em vez de se convidarem para tomar chá com estranhos.

George olhou para os dois com um largo sorriso e Alexis encostou em Kate, que a abraçou e beijou carinhosamente. Alexis gostava de ficar assim perto da mãe, gostava do seu calor e maciez, e do roçar dos cabelos quando ela virava a cabeça, e do seu perfume. Havia um elo especial entre as duas. Era evidente e não podia ser negado. Não significava que Kate gostava menos dos outros. Significava apenas que, em certos momentos, Alexis era muito especial. Kate amava todos os seus filhos, mas parecia haver em Alexis uma necessidade da sua presença e do seu carinho que não existia nos outros. Era como se Alexis jamais se tivesse separado totalmente dela e talvez nunca fosse se separar, pensava Kate, talvez nunca precisasse. Às vezes Kate desejava poder conservar Alexis junto de si para sempre, especialmente depois que Edwina fosse para a Inglaterra.

Edwina e Charles entraram no salão um pouco depois. Acenaram para Bert e Kate. Quando se aproximaram, Edwina esfregava as mãos, tentando aquecê-las.

— Está gelado lá fora, não está, mamãe? — disse ela, com um sorriso.

Ultimamente, Edwina estava sempre sorrindo. Kate refletiu que nunca vira ninguém tão feliz, exceto ela mesma, talvez, quando casara com Bert. Era quase como se fossem feitos um para o outro. A Sra. Straus tinha notado também e comentara com Kate, dizendo que formavam um casal perfeito e que esperava que fossem felizes.

— Não sei por que está tão frio — disse Edwina para o pai, enquanto pediam chá e torradas com manteiga. — Muito mais do que de manhã.

— Nosso curso é bem ao norte. Prestando atenção, talvez possamos avistar alguns pequenos *icebergs* — disse Bert.

— Isso é perigoso? — perguntou Edwina, preocupada, mas o pai sacudiu a cabeça.

— Não para um navio como este. Vocês sabem o que dizem do *Titanic*. Não pode ser afundado. Seria preciso muito mais do que um *iceberg* para afundar um navio como este; além disso, posso garantir que o capitão está agindo com muita cautela.

Na verdade, durante todo aquele dia o *Titanic* tinha navegado a vinte e três nós, uma boa velocidade para o navio. E naquela tarde, enquanto eles tomavam chá com torradas, o *Titanic* já havia recebido três avisos de gelo de outros navios, o *Caronia*, o *Baltic* e o *Amerika*, mas o capitão Smith ainda não havia reduzido a velocidade. Ele não julgara necessário, uma vez que estava observando atentamente todas as condições do tempo. Era um dos capitães mais experientes da White Star, e ia se aposentar depois dessa viagem inaugural do *Titanic*, tão prestigiosa para sua carreira.

Bruce Ismay, o diretor da White Star Line, estava também a bordo e tinha visto um dos avisos. Depois de conversar a respeito com o capitão, resolvera que não precisavam tomar nenhuma providência.

Naquela noite, Kate levou as crianças para a cama, porque Oona estava visitando a prima, na terceira classe, e a camareira ia tomar conta deles até ela voltar. Kate não se importava. Na verdade, gostava de fazer isso, até preferia mesmo. Como estava muito frio, apanhou mais cobertores e os agasalhou bem nas camas.

A caminho do À la Carte, saíram por um momento para o convés. O frio era intenso àquela hora. Entraram, comentando o fato de Phillip estar interessado numa jovem muito bonita que viajava na segunda classe. Durante dias ele a observou do convés superior, certo de que jamais chegaria a conhecê-la. A menina olhara para ele, timidamente, várias vezes, e Phillip ia todos os dias ao mesmo lugar na esperança de vê-la. Kate temia que ele apanhasse um resfriado expondo-se assim ao frio. Mas, aparentemente, a jovem era mais sensata, ou talvez tivesse pais sensatos. Ela não apareceu. Depois de passar a tarde toda deprimido, Phillip disse que não ia jantar.

— Pobre Phillip — disse Edwina para a mãe, quando chegaram ao restaurante.

Bert trocou algumas palavras com o Sr. Guggenheim e depois com W.T. Stead, o famoso jornalista e escritor, que há alguns anos havia colaborado no jornal de Winfield, em São Francisco. Finalmente, ele sentou à mesa com a família.

— Quem é aquele homem com quem você estava falando, querido? — Kate estava curiosa. Conhecia Stead, mas não o outro.

— Benjamin Guggenheim. Eu o conheci em Nova York, alguns anos atrás — disse ele simplesmente.

Kate percebeu a reserva do marido e imaginou se seria por causa da mulher que estava com Guggenheim, uma loura belíssima. Imaginou que não devia ser a mulher dele. Quando perguntou, Bert não parecia disposto a discutir o assunto.

— Aquela é a Sra. Guggenheim?

— Creio que não.

Encerrando a conversa, Bert voltou-se para Charles e perguntou qual deles tinha calculado certo o número de milhas percorridas naquele dia pelo navio. Foram quinhentas e quarenta e seis milhas. Bert ainda não tinha acertado nem uma vez, e Charles adivinhou só no primeiro dia, ganhando algum dinheiro de prêmio.

A viagem estava sendo uma grande oportunidade para os dois homens se conhecerem melhor. Até aquele momento, Bert e Kate gostavam de tudo que viam em Charles, e sabiam que Edwina seria muito feliz com ele.

— Alguém está interessado numa vigorosa caminhada? — sugeriu Bert quando terminou o concerto daquela noite, no salão de festas.

O frio porém estava insuportável no convés, e as estrelas brilhavam intensamente no céu escuro.

— Meu Deus, que frio! — Kate estremeceu, a despeito do casaco de peles. — Está incrivelmente frio esta noite.

Mas era uma noite clara como cristal, e nenhum deles sabia que, durante o jantar, o radioperador havia recebido mais dois avisos sobre *icebergs*, de outros navios. Os responsáveis pela segurança da viagem, porém, achavam que não precisavam se preocupar.

Às dez e meia, desceram para o convés B. Bert e Kate conversavam em voz baixa enquanto se preparavam para deitar. Edwina e Charles tomavam champanhe na sala de estar dos camarotes.

Às onze horas, Kate e Bertram deitaram-se e apagaram a luz. Mais ou menos no mesmo momento, o *Californian*, que estava próximo, passou um rádio para o *Titanic* informando sobre o gelo que tinham visto. Mas Phillips, radioperador do *Titanic*, estava no momento em contato com a estação de Cape Race, na Terra Nova, recebendo e transmitindo mensagens pessoais dos passageiros, e pediu ao *Californian* para não interromper suas transmissões. Tinha ainda que enviar dezenas de mensagens e já ouvira o aviso sobre o gelo antes. Dessa vez, porém, não achou necessário avisar o capitão, que fora informado dos mesmos avisos antes e não lhes dera grande importância. O *Californian* saiu do ar sem informar a localização exata desse último *iceberg* avistado. Phillips continuou a enviar suas mensagens para Cape Race, e Kate e Bertram adormeceram. As crianças sonhavam no camarote ao lado, e Edwina e Charles, muito juntos no sofá da sala, falaram de suas esperanças e dos seus sonhos, até quase a meia-noite.

Estavam ainda conversando quando o navio estremeceu, como se tivesse sido abalroado, mas não parecia um impacto violento, apenas algo sem maiores conseqüências.

Continuaram a conversar, e depois de cinco minutos Edwina notou que não estava ouvindo mais o zumbido e a vibração constante do navio. O *Titanic* estava parado, e pela primeira vez Charles demonstrou preocupação.

— Acha que aconteceu alguma coisa? — perguntou Edwina, preocupada. Olhou pela janela de estibordo, mas não viu nada.

— Acho que não. Você ouviu o que seu pai disse esta tarde. O *Titanic* não pode ser afundado. Talvez estejam só descansando os motores, mudando o curso ou reajustando alguma coisa. Tenho certeza de que não é nada. — Mas Charles apanhou o paletó e a beijou suavemente nos lábios. — Vou dar uma espiada e dentro de um minuto volto para dizer o que está havendo.

— Vou com você.

— Está muito frio lá fora, Edwina. Espere aqui.

— Bobagem. É mais fria a sala do café da manhã na casa do meu tio Rupert.

Sorrindo, Charles ajudou-a a vestir o casaco de peles da mãe. Tinha certeza de que tudo estava bem e que, fosse qual fosse o problema, estava sendo resolvido e logo seguiriam viagem.

Nos corredores, encontraram outros passageiros curiosos, com roupas de dormir protegidas por casacos de pele, outros ainda de *smoking* e vestidos longos, outros ainda com roupão de banho e pernas nuas. Todos, incluindo John Jacob Astor, percebiam que alguma coisa estava errada e queriam saber o que era. Porém, uma volta no convés apenas os informou sobre o que já sabiam. O navio estava parado, e três das quatro grandes chaminés lançavam fumaça para o céu noturno. Não parecia haver nenhum sinal visível de perigo. Nenhum grande mistério para ser resolvido, nada errado, e finalmente um comissário explicou que "tinham batido num pequeno bloco de gelo", mas não havia motivo para preocupação. O Sr. Astor voltou para a jovem esposa. Charles e Edwina entraram e foram informados de que não havia nada a temer. Na verdade, ainda podiam ver um pedaço de gelo na área de recreação da terceira classe, e os passageiros da primeira classe, voltados para a popa, viam os outros, lá embaixo, alegremente atirando bolsas de neve e pedaços de gelo uns nos outros.

Charles e Edwina, convencidos de que não havia perigo, voltaram para seus camarotes. Faltavam cinco minutos para a meia-noite. Bertram estava na sala de estar com expressão preocupada.

— Alguma coisa errada com o navio? — perguntou, em voz baixa, para não acordar Kate. Estava preocupado desde a parada dos motores.

— Parece que não — disse Charles, pondo o casaco pesado numa cadeira, enquanto Edwina tirava o casaco de peles. — Batemos num bloco de gelo, mas ninguém parece dar importância. A tripulação parece calma e não se vê nada do convés.

Charles parecia calmo, e Bertram agora sentia-se um pouco tolo por ter se preocupado, mas tinha uma família a bordo e queria estar certo de que não corriam perigo. Deu boa-noite, disse a Edwina para não ficar acordada até tarde e voltou para a cama, exatamente às 00:03, no momento em que os foguistas lutavam desesperadamente para apagar o fogo nas caldeiras e a água jorrava, inundando o compartimento de carga. O *Titanic* batera realmente num *iceberg*, e a água que entrava pelo rombo inundava os cinco primeiros compartimentos considerados estanques. Na ponte, o capitão Smith, Bruce Ismay, diretor da White Star Line, e Thomas Andrews, o construtor do navio, atônitos, procuravam avaliar a seriedade da situação.

As conclusões de Andrews não eram muito animadoras. Com cinco dos compartimentos estanques inundados, o *Titanic* não permaneceria na tona por muito tempo. O navio que não podia ser afundado estava afundando. Acreditavam que podiam mantê-lo na superfície por algum tempo, mas não sabiam quanto, e quando Bertram Winfield voltou para a cama, por um momento teve a impressão de que o assoalho estava um pouco inclinado, mas convenceu-se de que era só impressão.

Cinco minutos depois da meia-noite, por insistência de Thomas Andrews, o capitão Smith voltou-se para os oficiais, na ponte, e mandou descobrir os botes salva-vidas.

Não tinham feito nenhum treino de salvamento, não tinham dado nenhum aviso, ninguém estava preparado. Aquele era o navio que não podia afundar, o navio perfeitamente seguro, e agora todos os camareiros batiam nas portas, e num instante Bert estava de volta à sala. Ouviu as vozes quando Charles abriu a porta, mas não dava para entender o que diziam. Agora, entretanto, ouvia perfeitamente. O camareiro, sorridente, falava com voz calma, como se fossem todos crianças. Queria que prestassem atenção, mas sem alarme ou pânico. Deixou bem claro que deviam fazer imediatamente o que ele estava mandando.

— Todos no convés, com os coletes salva-vidas. Agora!

Os sinos não tocaram, as sereias não apitaram, não houve nenhum alarme geral. Na verdade, o silêncio era sinistro, mas a expressão nos olhos do comissário dizia que ele falava sério, e Edwina sentiu que estava entrando em outro ritmo, como quando um dos irmãos se machucava. Compreendeu que devia ajudar a mãe com as crianças, imediatamente.

— Tenho tempo para trocar de roupa? — perguntou ao comissário, antes que ele passasse para o camarote seguinte. O homem apenas sacudiu a cabeça e disse:

— Acho que não. Fique como está e vista o colete salva-vidas, que a ajudará a se aquecer. É só por precaução, mas devem subir agora.

Charles apertou rapidamente a mão dela, e Bert foi acordar Kate e as crianças. Oona já tinha voltado da terceira classe e, como Kate e os outros, dormia profundamente no seu camarote.

— Eu a ajudo a levar as crianças para cima — disse Charles.

Imediatamene ele fez George e Phillip vestirem os coletes, apressando-os, tentando não assustá-los, o que era difícil. George estava achando tudo muito divertido, mas Phillip parecia extremamente preocupado enquanto vestia o colete, seguindo as instruções de Charles.

Edwina acordou primeiro Alexis, com um beijo e uma leve sacudidela. Tirou Fannie do berço e depois acordou Oona, tantando explicar à jovem assustada o que estava acontecendo, sem alarmar demais as crianças.

— Onde está mamãe? — Alexis estava apavorada e, enquanto Edwina mandava Oona apanhar Teddy, voltou correndo para a cama. Kate entrou no camarote, vestindo o roupão sobre a camisola, sonolenta, mas calma, e Alexis atirou-se nos seus braços.

— O que está acontecendo? — perguntou Kate, confusa, olhando do marido para a filha e depois para Charles. — Perdi alguma coisa de importância vital enquanto estava dormindo? — Tinha a impressão de ter acordado no meio de uma peça de teatro, sem saber nada da trama.

— Não tenho certeza — disse Bertram. — Só sei que batemos num bloco de gelo. Todos dizem que não foi nada sério, ou pelo menos foi o que disseram a Charles há meia hora, mas agora querem todos os passageiros no convés, com coletes salva-vidas, nos postos dos botes.

— Sei. — Seus olhos percorreram o camarote e pararam nas sandálias delicadas, de salto alto, de Edwina. Os pés dela ficariam congelados em menos de cinco minutos no convés. — Edwina, troque de sapatos. Oona, vista o casaco e ponha os coletes salva-vidas em Fannie e Teddy agora mesmo.

Charles já estava ajudando Oona, e Bertram vestiu uma calça sobre o pijama e trocou os chinelos por meias e sapatos. Vestiu um suéter que ainda não tinha usado, o sobretudo e depois o colete salva-vidas. Levou um vestido quente para Kate, que estava ajudando Alexis a se vestir. Nesse momento, Bert notou que o assoalho se inclinava rapidamente, e pela primeira vez naquela noite sentiu medo.

— Vamos, crianças, apressem-se — disse ele, tentando parecer confiante.

Phillip e George estavam prontos. Edwina calçou sapatos baixos e fechados e vestiu um casaco sobre o vestido de noite de cetim; com a ajuda de Charles, vestiu Fannie, Teddy e Alexis, ajudando-os a vestir os coletes. Só Oona corria de um lado para o outro, descalça e de camisola. Kate pôs o vestido pesado sobre a camisola, calçou sapatos de caminhada e vestiu o casaco de peles.

— Você precisa se vestir — disse Edwina para Oona, em voz baixa e sibilante, não querendo assustar mais ainda as crianças, mas procurando fazer com que a moça compreendesse a urgência da situação.

— Oh, Alice... preciso procurar minha prima Alice e a pequena Mary... — Quase chorando, Oona torcia as mãos, correndo pelo camarote.

— Não vai fazer nada disso, Oona Ryan. Vai se vestir e subir conosco — disse Kate, autoritária, segurando a mão de Alexis, que, embora ainda apavorada, estava quieta. Sabia que estaria a salvo na companhia dos pais. Estavam todos prontos, menos Oona, assustada demais para acompanhá-los.

— Eu não sei nadar... não sei nadar... — exclamou ela.

— Não seja ridícula. — Kate segurou-lhe o braço e fez sinal para Edwina subir com os outros. — Não precisa nadar, Oona. Só tem de vir comigo. Vamos todos subir agora. Mas antes você vai se vestir.

Kate enfiou um vestido de lã pela cabeça de Oona, ajoelhou-se e ajudou-a a calçar os sapatos, pôs-lhe um casaco seu nos ombros, apanhou o colete salva-vidas e em poucos minutos as duas seguiram os outros. Mas agora os corredores estavam apinhados de gente que subia para o convés, com as vestimentas mais estranhas, os coletes, e rostos preocupados. Uns poucos riam, dizendo que tudo aquilo era bobagem. Passavam quinze minutos da meia-noite, e o radioperador, Phillips, transmitia o primeiro chamado de socorro, enquanto a água nos porões subia muito mais depressa do que o capitão Smith tinha calculado. Afinal, fazia só meia hora que tinham batido no *iceberg*. Mas a quadra de *squash* já estava cheia até o teto, e Fred Wright, o professor de *squash*, não contou isso ao jovem Phillip quando o viu a caminho do convés dos botes.

— Você acha que eu devia ter trazido algumas das minhas jóias? — perguntou Kate ao marido.

Só agora lembrava das jóias, e não queria voltar ao camarote. Estava usando apenas a aliança, e para ela não era necessário nada mais.

— Não se preocupe com isso. — Ele sorriu e apertou a mão dela. — Eu compro outras se você... não encontrar mais essas... — Evitou a palavra "perder". De repente, Bert sentiu um medo terrível do que podia acontecer a Kate e aos filhos. Subiram até o convés dos botes, e quando passaram pela sala de ginástica viram John Astor e a mulher sentados nos cavalos mecânicos. Ele queria protegê-la, temendo que o frio, aliado ao medo, a fizesse perder o bebê. Os dois estavam com os coletes, e ele tinha outro no colo. Conversavam calmamente, e ele brincava com um canivete de bolso. Os Winfields saíram para o convés de bombordo, onde a tripulação descobria oito botes de madeira. A banda começou a tocar. Mais oito botes estavam sendo descobertos a estibordo, quatro na proa, quatro na popa, e havia também quatro botes infláveis de lona. Não era um espetáculo animador, e Bert, segurando com força a mão de Kate, sentiu o coração disparar no peito. Kate levava Fannie no colo, e Alexis estava o mais próximo possível. Phillip carregava o pequeno Teddy. Ficaram muito juntos, no frio, mal acreditando que naquele navio imenso e indômito estavam realmente descobrindo os botes salva-vidas, enquanto eles esperavam, na noite fria, para embarcar neles. Ouviam-se murmúrios, e Kate viu Phillip falando com um garoto que tinha conhecido logo no começo da viagem. Chamava-se Jack Thayer e era de Filadélfia. Seus pais naquela noite tinham estado no jantar oferecido ao capitão pelos Wideners, também de Filadélfia, mas Jack não os acompanhara e agora conversava com Phillip. Os dois trocaram um sorriso, e Jack passou para outro grupo, à procura dos pais. Kate viu também os Allisons, de Montreal, com a pequena Lorraine segurando a mão da mãe e apertando contra o peito a boneca querida. Estavam um pouco separados dos outros. A Sra. Allison segurava com força o braço do marido, e o bebê estava no colo da governanta, enrolado num cobertor, protegido do ar gelado do Atlântico Norte.

O segundo oficial Lightoller, encarregado do embarque nos botes de bombordo, lutava contra a confusão. Não tinham feito nenhum treino; ninguém, a não ser a tripulação, sabia em que bote devia embarcar, ninguém sabia onde ficar ou o que fazer. Pequenos grupos de homens descobriam os botes a esmo e jogavam lanternas e latas de biscoitos dentro deles, mas os passageiros continuavam um pouco afastados, enquanto os tripulantes acionavam as manivelas, erguendo os botes e depois baixando-os até a altura da amurada para o embarque daquela multidão hesitante que apenas olhava, sem fazer nenhum movimento. A banda tocava um *ragtime*, e Alexis começou a chorar, mas Kate, segurando com força sua mão, inclinou-se para a filha, lembrando que já era o dia do seu aniversário e que mais tarde ia ganhar presentes e talvez até mesmo um bolo.

— E depois, quando estivermos a salvo outra vez no navio, você vai ter uma linda festa de aniversário. — Kate ajeitou Fannie no colo outra vez e puxou Alexis para ela, olhando para o marido.

Bert tentava ouvir o que diziam as pessoas em volta deles, na esperança de obter alguma informação. Mas ninguém parecia saber o que estava acontecendo, a não ser que teriam de embarcar nos botes, mulheres e crianças primeiro, e nessa primeira remessa, nenhum homem. A banda começou a tocar mais alto, e Kate sorriu para os filhos e o marido, controlando o terror que a consumia.

— Não pode ser muito sério, do contrário a banda não estaria tocando uma música tão alegre, não acham? — Trocou um longo olhar com Bertram e percebeu que ele também estava com medo, mas não podiam dizer muita coisa ali no meio das crianças. E tudo parecia estar acontecendo tão depressa.

De mãos dadas com Edwina, Charles conversava com alguns jovens. Ela estava sem luvas, e Charles procurava aquecer nas suas as mãos geladas da noiva. Chamaram as mulheres e as crianças, e todos recuaram um pouco. Lightoller pediu que se apressassem. Ninguém queria acreditar que estavam realmente em perigo. Algumas mulheres hesitaram e então os maridos entraram em ação. Os senhores Kenyon, Pears e Wick levaram suas mulheres para a frente e as ajudaram a embarcar, enquanto elas pediam que não as obrigassem a partir sem eles.

— Não sejam tolas, senhoras — disse um passageiro, em voz alta —, logo estaremos de volta ao navio, para tomar o café da manhã. Seja qual for o problema, eles já o resolveram; e pensem na aventura que terão para contar.

A voz era tão jovial que algumas pessoas riram e outras mulheres adiantaram-se timidamente para os botes. Muitas estavam acompanhadas das criadas, mas os maridos receberam ordem de ficar para trás. Estavam embarcando somente mulheres e crianças. Lightoller não ia permitir que os homens sequer pensassem em entrar naqueles botes. Algumas mulheres sugeriram que os maridos podiam ajudar a remar, mas o oficial não cedeu. *Só* mulheres e crianças. Quando ele repetiu a frase, Oona olhou para Kate e começou a chorar.

— Não posso, senhora... não posso... não sei nadar... e Alice... e Mary... — Oona recuou e Kate percebeu que ela estava se preparando para correr.

Afastou-se de Alexis e caminhou lentamente para Oona, mas de repente, com um grito estridente, a jovem irlandesa correu para dentro do navio, à procura da porta pela qual passara para visitar a prima e a sobrinha, na terceira classe.

— Quer que eu vá atrás dela? — perguntou Phillip.

Kate voltou para sua família e olhou ansiosamente para Bertram. Fannie começou a choramingar, e Teddy estava no colo de Edwina. Mas Bertram não queria que ninguém fosse atrás de Oona. Se ela era bastante tola para voltar naquele momento, teria de embarcar em outra parte do navio e juntar-se a eles mais tarde. Não queria que ninguém se perdesse, era imperativo que todos ficassem juntos.

Kate hesitou e depois voltou-se para ele.

— Não podemos esperar? Não quero deixar você. Se esperarmos, talvez eles cancelem tudo e não precisemos fazer as crianças passar por tudo isso sem necessidade.

Mas enquanto ela falava, o convés inclinou-se mais, e Bertram compreendeu que não era um exercício. Era uma emergência real, e qualquer atraso podia ser fatal. O que ele não sabia era que, na ponte, Thomas Andrews acabava de informar ao capitão Smith que tinham pouco mais de uma hora para abandonar o navio, e os botes salva-vidas não eram suficientes nem para a metade dos passageiros. Tentavam freneticamente entrar em contato com o *Californian*, que estava a dez milhas do *Titanic*, mas não tinham resposta.

— Quero que você vá agora, Kate — disse Bert, em voz baixa e calma.

Kate assustou-se com o que viu nos olhos do marido. Ele estava preocupado e com medo, mais assustado do que ela jamais vira. Kate voltou-se, procurando Alexis, que até poucos momentos estava ao seu lado. Pela primeira vez, a menina não estava agarrada na saia da mãe, e Kate lembrou que havia soltado sua mão quando tentara impedir a fuga de Oona. E agora Alexis não estava ali. Kate procurou entre a multidão, depois voltou-se para ver se ela estava com Edwina, mas sua filha mais velha conversava com Charles, e George parecia cansado, com frio e muito menos entusiasmado. Mas animou-se quando os foguetes explodiram no ar, iluminando o céu noturno em volta do navio. Eram 00:45, pouco mais de uma hora depois da colisão com o *iceberg*, que todos tinham dito que não podia fazer nenhum mal ao navio.

— O que significa isso, Bert? — murmurou Kate, continuando a procurar Alexis. Talvez ela estivesse com a menina dos Allisons, comparando as bonecas, como faziam sempre.

— Significa que isto é muito sério, Kate — explicou Bert. — Você deve sair imediatamente com as crianças.

Dessa vez Kate compreendeu que ele falava sério. Bert segurou-lhe as mãos, e havia lágrimas nos seus olhos.

— Eu não sei onde está Alexis — disse Kate, com pânico na voz, e Bert olhou em volta nervosamente, mas não a encontrou. — Acho que ela está se escondendo. Soltei a mão dela para tentar deter Oona... — Seus olhos encheram-se de lágrimas. — Oh, meu Deus, Bert... onde ela está? Para onde pode ter ido?

— Não se preocupe, vou encontrá-la.

Bert foi de grupo em grupo, procurou em todos os cantos, mas Alexis não estava em lugar nenhum. Voltou apressadamente para Kate, que, com Teddy no colo, tentava não perder George de vista. Ela ergueu os olhos para o marido, numa indagação cheia de medo, mas Bert apenas sacudiu a cabeça.

— Ainda não — disse ele. — Mas ela não pode estar

longe. Alexis nunca fica muito longe de você. — Mas parecia assustado e confuso.

— Ela deve ter se perdido. — Kate estava quase chorando.

Aqueles momentos de tensão, quando os passageiros começaram a embarcar para deixar o navio, eram os menos apropriados para uma criança desaparecer.

— Ela deve estar escondida. — Bert franziu a testa. — Você sabe o medo que ela tem da água.

E o medo com que ela embarcara no navio, e como Kate tinha garantido que nada ia acontecer. Mas estava acontecendo, e Alexis tinha desaparecido, enquanto Lightoller chamava as mulheres e as crianças, e a banda tocava perto deles.

— Kate... — Bert olhou para a mulher, mas sabia que ela não ia sair dali sem Alexis.

— Eu não posso... — Kate olhava para todos os lados, e os sinais luminosos explodiam no céu como canhões.

— Então, mande Edwina. — O rosto de Bert estava coberto de suor. Aquilo era um pesadelo. E com o convés inclinando-se cada vez mais sob seus pés, ele compreendeu que o navio que não podia ser afundado estava afundando rapidamente. Tirou Teddy dos braços de Kate, beijando instintivamente o cabelo que aparecia sob o gorro de lã com que Oona o tinha agasalhado. — Edwina pode levar os menores com ela. E você vai no próximo bote com Alexis.

— E você? — O rosto de Kate estava muito pálido, iluminado pela luz fantasmagórica dos sinais luminosos, e a banda passou do *ragtime* para a valsa. — E George e Phillip? ...e Charles..

— Os homens não podem embarcar ainda — disse Bert. — Você ouviu o que o homem disse. Primeiro as mulheres e as crianças. Phillip, George, Charles e eu iremos depois.

Um grupo de homens estava ao lado deles agora, acenando para as mulheres que aos poucos embarcavam no bote. Passavam cinco minutos da uma hora, e o ar da noite parecia cada vez mais frio. As mulheres pediam ainda ao segundo oficial Lightoller para deixar que os maridos fossem com elas, mas ele não permitia, com expressão severa e autoritária, fazendo sinal para que os homens se afastassem.

Kate aproximou-se de Edwina.

— Seu pai quer que você entre no bote com Fannie e Teddy. E com George — acrescentou, de repente. Queria que ele pelo menos tentasse ir com os outros. Afinal, era também uma criança. Tinha só doze anos. E Kate estava resolvida a fazer com que ele embarcasse com Edwina.

— E você? — perguntou Edwina, chocada com a idéia de deixar o resto da família no navio, levando só George e os dois menores.

— Eu vou no próximo, com Alexis — disse Kate, com voz calma. — Tenho certeza de que ela se escondeu em algum lugar. Está com medo de entrar no bote. — Já não tinha tanta certeza, mas não queria comunicar seu pânico à filha mais velha. Queria que Edwina embarcasse com os menores. Como se não bastasse a fuga de Oona. Kate imaginou como ela estaria na terceira classe, com a prima e a sobrinha. — George pode ajudar você até seu pai e eu chegarmos.

George não gostou da idéia. Queria ficar até o fim com os homens. Kate levou todos para perto de Bert, e Charles os acompanhou.

— Já encontrou Alexis? — Kate olhou nervosamente em volta. Nem sinal.

Agora Kate queria que os outros entrassem logo no bote para continuar a busca. Mas Bert pensava nos outros. Lightoller preparava-se para descer o oitavo bote salva-vidas, no qual sobravam ainda alguns lugares. Daria para levar também alguns homens, mas nenhum deles pensou em desafiar as ordens do segundo oficial, que demonstrou estar disposto ao uso de armas, se fosse preciso.

— Mais quatro! — disse Bert para o oficial.

Edwina olhou apavorada para os pais e depois para Charles, que, atrás deles, a observava angustiado.

— Mas... — Não terminou a frase. Bert a empurrou para o bote com Fannie e George, e Teddy no seu colo.

— Mamãe... não posso esperar por você?... — Seus

olhos encheram-se de lágrimas, e quando a mãe a abraçou, Edwina parecia uma criança.

Teddy começou a chorar, estendendo os bracinhos gorduchos para a mãe.

— Não, filhinho, vá com Edwina... Mamãe ama muito você... — disse Kate com voz suave. Encostou o rosto no dele, depois beijou o rostinho redondo e as mãos pequeninas. A seguir, segurou o rosto de Edwina com as duas mãos e olhou carinhosamente nos olhos da filha mais velha. Agora suas lágrimas não eram de medo, mas de tristeza. — Estarei com vocês a cada minuto. Eu te amo, minha filha, de todo o coração. Aconteça o que acontecer, tome conta deles. — Então, murmurou: — Fiquem a salvo, que logo estarei com vocês.

Por um instante, Edwina duvidou que a mãe realmente acreditasse no que dizia e de repente compreendeu que não queria partir sem ela.

— Oh, mamãe... não...

Edwina agarrou-se a ela, com Teddy nos braços, e então os dois começaram a chorar pela mãe. Braços fortes e masculinos a seguraram, levando-a para o bote com George e Fannie, e ela olhou para a mãe, para o pai e para Charles. Não teve tempo de se despedir dele. Gritou:

— Eu te amo.

Charles atirou um beijo, e com ele as luvas. Edwina as apanhou ao mesmo tempo que sentava no bote, sem tirar os olhos dele. O olhar de Charles parecia prendê-la.

— Coragem, minha querida. Logo estaremos com vocês — disse ele.

O barco desceu para a água, e agora ela mal podia vê-los. Olhou para os três, com as lágrimas descendo pelo rosto, até desaparecerem de vista. Kate ouvia ainda o choro de Teddy quando acenou pela última vez, controlando-se para não chorar, de mãos dadas com o marido. Lightoller ia reclamar quando Bert preparou-se para pôr George no bote, mas o pai, explicando que ele tinha menos de doze anos, não deu oportunidade a outro comentário a respeito, passando o filho rapidamente para o bote. George estava com doze anos e dois meses, mas se admitisse a verdade, o oficial não permitiria que ele embarcasse com as outras crianças. George tinha pedido para ficar com o pai e com Phillip, mas Bert dissera que Edwina ia precisar da sua ajuda com os dois menores.

— Eu amo vocês todos, meus filhos — murmurou Bert quando o bote tocou na água. E então gritou: — Mamãe e eu logo estaremos com vocês — e virou o rosto para que não vissem que estava chorando.

Com um gemido doloroso, Kate viu o bote descer e, enchendo-se de coragem, olhou para baixo, apertando com força a mão de Bertram. Viu Edwina e Teddy no colo, segurando a mão de Fannie, e George ergueu os olhos quando o bote, com um rangido, tocou a superfície da água. Era uma manobra delicada, e Lightoller parecia um cirurgião fazendo uma operação difícil. Um movimento mais apressado, um pequeno descuido, e o bote podia emborcar na descida, atirando os passageiros no mar. Lá de baixo vinham as vozes, uma mistura de palavras desconexas, últimas mensagens de carinho e de amor. Então, Kate ouviu a voz de Edwina e viu a filha acenando freneticamente e apontando. Kate olhou para a proa do bote e a viu. O halo de cabelos dourados estava de costas para ela, mas não havia dúvida, era Alexis, sentada na proa do bote. Com uma sensação de imenso alívio, ela gritou para Edwina:

— É ela!... Eu estou vendo!...

Alexis estava a salvo com os outros... cinco filhos, seus cinco filhos preciosos, todos no mesmo bote. Agora precisava sair do navio com Phillip, Bertram e Charles. Eles e os outros homens, cujas mulheres já tinham embarcado nos botes salva-vidas, trocavam palavras de encorajamento e esperança.

— Oh, Bert, graças a Deus, ela a encontrou. — O alívio era tão grande que a tensão pareceu diminuir no seu corpo. — Por que ela embarcou naquele bote sozinha?

— Provavelmente foi apanhada de surpresa por alguém e estava assustada demais para resistir. De qualquer modo, está a salvo. Agora, é a sua vez. Entendeu? — Bert fingiu severidade, para disfarçar seus temores, mas Kate o conhecia muito bem.

— Não sei por que não posso esperar para ir com você, Phillip e Charles. As crianças estão muito bem com Edwina.

Era apavorante pensar nos filhos naquele barco, sem ela, mas sabia que Alexis estava segura com Edwina. Kate queria ficar com o marido. Estremeceu, pensando o que seria não saber que Alexis estava bem, e mais uma vez agradeceu a Deus por permitir que Edwina a chamasse naquele momento.

Os botes salva-vidas afastavam-se do navio, e quando o número oito se moveu no mar gelado, Edwina apertou Teddy contra o peito, e com dificuldade, devido à falta de espaço, conseguiu ajeitar Fannie no colo também. Queria chegar na proa para que Alexis soubesse que estavam ali, mas qualquer movimento era impossível, e George estava ajudando com os remos, sentindo-se importante porque realmente precisavam dele. Finalmente, Edwina pediu a uma das mulheres que avisasse Alexis. Observou com atenção enquanto passavam a mensagem até a proa do bote. Então Alexis virou a cabeça, e Edwina prendeu a respiração. Era uma criança bonita e chorava por ter deixado a mãe no navio, mas não era Alexis. Edwina compreendeu o erro terrível. Agora seus pais não iam mais procurar Alexis. Um soluço subiu à sua garganta, e Fannie começou a chorar, apertada contra seu peito.

Naquele mesmo momento, Alexis estava sentada, muito quieta, na cabine. Quando a mãe soltara sua mão para correr atrás de Oona, ela aproveitara para escapar e voltar para o camarote. Deixara sua bela boneca na cama e não queria sair do navio sem ela. Voltara para o camarote, e lá estava a boneca, e tudo parecia mais tranqüilo e muito menos assustador do que no convés. Agora, não precisava entrar no bote salva-vidas, nem cair naquela água escura e terrível. Podia esperar até que tudo acabasse e todos voltassem. Ia ficar ali sentada com sua boneca, a Sra. Thomas. A música da banda entrava pelas janelas abertas, e ela ouvia também as vozes e os murmúrios. Ninguém corria mais nos corredores.

Todos estavam no convés, despedindo-se das pessoas

queridas, embarcando apressadamente nos botes, enquanto os sinais luminosos explodiam no céu e o radioperador tentava freneticamente a ajuda dos navios mais próximos. O *Frankfurt* foi o primeiro a responder, às 00:18, depois foi a vez do *Mount Temple*, do *Virginian* e do *Birma*, mas nem uma palavra do *Californian*. Desde as onze horas, quando transmitira o aviso sobre o *iceberg*, e Phillips respondera asperamente que não queria ser interrompido, o *Californian* estava silencioso. Na verdade, estava com o rádio desligado. Mas era o único navio que podia realmente ajudar o *Titanic* naquele momento, por estar mais próximo. Nem os sinais luminosos pareciam alertar o *Californian*. Todos a bordo pensaram que fosse parte das comemorações da viagem inaugural. Ninguém imaginou que o *Titanic* estava naufragando. Quem ia pensar uma coisa dessas?

Às 00:25, o *Carpathia*, a cinqüenta e oito milhas de distância, entrou em contato com Phillips e partiu em socorro do *Titanic*. A essa altura, o *Olympic*, o navio irmão, também fez contato, mas estava a quinhentas milhas, longe demais para poder ajudar.

O capitão Smith entrava a todo momento na cabine de rádio, e depois de ver o operador Phillips enviar o sinal de socorro padrão, CQD, mandou que enviassem também o novo sinal SOS, na esperança de que algum amador o captasse. Precisavam urgentemente de qualquer tipo de ajuda naquele momento difícil. Eram 00:45 quando foi enviado o primeiro SOS, e nesse momento Alexis estava sozinha na cabine silenciosa, brincando com a boneca e cantarolando baixinho. Sabia que iam zangar com ela quando voltassem, mas talvez não zangassem muito, pois era o dia do seu aniversário. Tinha seis anos agora, e sua boneca era muito mais velha. Gostava de dizer que a Sra. Thomas tinha vinte e quatro anos. Era uma mulher adulta.

No convés, Lightoller providenciava o embarque em outro bote, e agora vários homens embarcavam também a estibordo. Mas a bombordo, o oficial continuava a permitir apenas mulheres e crianças. Na segunda classe estavam embarcando também, e os passageiros da terceira classe destruíam barreiras e arrombavam portas para embarcar com eles, ou até mesmo com os da primeira classe, mas não sabiam para onde deviam ir, nem como chegar lá. Alguns tripulantes armados tentavam detê-los, temendo que provocassem mais avarias, aumentando o perigo que corriam. A multidão, em pânico, gritava e empurrava os tripulantes. Uma jovem irlandesa, acompanhada de outra da mesma idade e de uma menina, insistia, dizendo que estava viajando na primeira classe, mas os homens não cediam, certos de que ela estava mentindo.

Kate e Bert caminharam para a sala de ginástica, procurando fugir um pouco do frio e da agonia das despedidas no convés, onde Lightoller começava a descer outro bote. Phillip ficou no convés, com Jack Thayer e Charles, que ajudavam o embarque das mulheres e das crianças. A mulher de Dan Martin acabava de embarcar no bote de Edwina, bem como outra mulher com um bebê. Na sala de ginástica, Kate e Bert viram que os Astors continuavam sentados nos cavalos mecânicos, conversando em voz baixa. Ela não parecia com pressa de deixar o navio. A empregada e o criado do casal estavam no convés, observando o movimento.

— Você acha que as crianças estão bem? — Kate olhou para Bert, e ele fez um gesto afirmativo, aliviado porque Edwina tinha encontrado Alexis e por saber que pelo menos cinco dos seus filhos tinham conseguido sair do navio. Preocupava-se ainda com Phillip e Kate, e esperava que Lightoller, no fim, permitisse o embarque do seu filho mais velho. As esperanças eram menores para Bert e Charles, e os dois sabiam disso.

— Acho que vão ficar bem — garantiu Bert. — Sem dúvida, nunca esquecerão esta experiência. Nem eu — acrescentou, olhando para Kate. — Acho que o navio vai a pique. — Há algum tempo Bert tinha certeza disso, embora ninguém na tripulação quisesse admitir. A banda continuava a tocar, como se tudo não passasse de uma brincadeira numa noite de loucuras. Ele segurou a mão de Kate e beijou as pontas dos dedos dela. — Quero que você vá no próximo barco, Kate. Vou ver se consigo convencê-los a deixar

Phillip ir também. Ele tem apenas dezesseis anos, acho que vão consentir. Não passa de uma criança.

O problema não era convencer Kate, mas Lightoller.

— Não vejo por que não podemos esperar o embarque dos homens. Então eu poderia ir com vocês. Já não tenho como ajudar Edwina. E ela é muito capaz de agir sozinha.

Kate sorriu. Era uma sensação terrível estar longe dos filhos, mas tinha certeza de que eles estavam bem. Precisava acreditar nisso. Edwina era como uma mãe para eles. Agora só precisava se preocupar com a segurança do filho mais velho, do marido e do noivo de Edwina, Charles. Quando estivessem todos no bote salva-vidas, pouco se importaria com o que ia acontecer com o navio, desde que sua família estivesse a salvo, e ela não via razão para pensar que não se salvariam. Tudo parecia correr calmamente, e os botes não estavam descendo completamente lotados, o que significava que ia haver lugar para todos. Estava certa de que tinham ainda muito tempo, se é que alguma coisa mais grave ia realmente acontecer. Uma falsa aura de calma os envolvia, fazendo-a acreditar que não precisavam temer coisa alguma.

Mas na ponte, o capitão Smith sabia a verdade. Passava da uma hora, e a casa de máquinas se achava inundada. O *Titanic* estava naufragando. A única questão era quanto tempo ainda resistiria. O capitão Smith sabia que não ia demorar agora. O radioperador Phillips enviava mensagens desesperadas em todas as faixas, e no *Californian*, com o rádio ainda fora do ar, todos viam os sinais luminosos do *Titanic* sem ter idéia do seu significado. Pensavam que era ainda a comemoração da viagem inaugural. Em certo momento, notaram que havia algo estranho na posição do imenso navio, mas jamais lhes ocorreu que pudesse estar afundando. O *Olympic* chamou pelo rádio, perguntando se o *Titanic* estava indo na direção deles. Ninguém entendia o que estava acontecendo, ninguém sabia que o *Titanic* afundava rapidamente. Não era possível imaginar que o navio que "não podia ser afundado" estivesse realmente naufragando. Na verdade, metade do *Titanic* já estava afundada.

Quando Kate e Bert saíram da sala de ginástica, a atmosfera no convés era outra. Não se ouviam mais as despedidas quase alegres de antes, e os homens imploravam às mulheres para serem corajosas e embarcarem sem eles nos botes salva-vidas. Quando elas recusavam, eles as empurravam para os homens da tripulação, que praticamente as atiravam nos botes. Lightoller, a bombordo, continuava a embarcar apenas mulheres e crianças, mas a estibordo havia esperança para alguns homens, especialmente os que garantiam entender um pouco de navegação. Precisavam de ajuda para conduzir os barcos a remo. Algumas pessoas choravam abertamente agora, e as despedidas eram dramáticas. A maior parte das crianças já havia partido, e Kate sentia-se aliviada sabendo que seus filhos estavam a salvo. Só faltava Phillip. Ele iria com os pais. Então ela viu a pequena Lorraine Allison segurando a mão da mãe e lembrou de Alexis, agora a salvo com os irmãos no bote número oito. A Sra. Allison recusara-se a sair sem o marido e sem a filha, mas o pequeno Trevor fora embarcado, com a ama, num dos botes. Kate viu várias famílias separadas. As mulheres e os filhos saíam na frente, certos de que os maridos os seguiriam em breve em outros botes. Só quase no fim perceberam que a maior parte dos botes salva-vidas já havia partido, e que havia ainda quase duas mil pessoas a bordo, sem nenhum meio de deixar o navio. Começavam a compreender que o capitão, os construtores e o diretor da White Star Line sabiam, desde o princípio, que não havia botes salva-vidas para todos. Se o navio naufragasse, a maior parte dos passageiros afundaria com ele, mas quem ia imaginar que o *Titanic* podia naufragar e que iam precisar de botes salva-vidas para todos os passageiros e toda a tripulação?

O capitão ainda estava na ponte, e Thomas Andrews, o diretor-gerente da firma construtora, ajudava os passageiros a embarcar nos botes, e quando Bruce Ismay, o diretor da White Star Line, levantando a gola do casaco, entrou no bote salva-vidas, ninguém disse nada. Bruce Ismay desceu para o mar e para a segurança do bote, com os poucos escolhidos da sorte, deixando cerca de duas mil pessoas condenadas a afundar com o *Titanic*.

— Kate... — Bert olhou para ela, enquanto outro bote era descido à altura da amurada. — Quero que você vá nesse.

Mas Kate apenas sacudiu a cabeça, mesmo vendo a força e a decisão no olhar do marido. Dessa vez, porém, sabia que não ia obedecer uma ordem de Bert, por mais que ele insistisse.

— Não vou deixá-lo — disse ela, com voz baixa e calma. — Quero que Phillip vá agora. Mas eu fico com você. Iremos juntos, quando for possível. — Sua atitude era decidida, e seus olhos encontraram os dele.

Nada a faria mudar de idéia agora, e Bert sabia disso. Kate o amava e vivia com ele há vinte e dois anos, e não ia abandoná-lo agora, no momento final. Todos os seus filhos, menos um, estavam a salvo, e ela não pretendia abandonar o marido.

— E se não pudermos sair?

Depois que vira os filhos a salvo, seu terror diminuíra, e agora podia falar sobre a realidade da situação. Tudo que desejava era ver Kate e Phillip fora do navio, e Charles, se fosse possível. Estava disposto a desaparecer com o navio, desde que sua família fosse salva. Era um sacrifício que faria voluntariamente por Kate e pelas crianças, mas não queria que ela fosse com ele. Não seria justo para as crianças e nem para Kate. As crianças precisavam dela. E Bert queria que ela saísse enquanto podia.

— Não quero que você fique aqui, Kate.

— Eu te amo. — As palavras diziam tudo.

— Eu também te amo.

Ele a abraçou por um longo momento, pensando em fazer o que os outros haviam feito: empurrá-la para um dos tripulantes, que literalmente a atiraria para dentro de um bote. Mas não podia fazer isso. Ele a amava demais e há muito tempo viviam juntos. Bert respeitava o que Kate queria fazer, mesmo que, nesse caso, pudesse custar sua vida. Significava muito o fato de Kate estar disposta a morrer com ele. Sempre haviam partilhado aquele amor, um misto de ternura e paixão.

— Se você ficar, quero ficar também — disse ela.

Bert abraçou-a com força, desejando que ela fosse, mas sem coragem de obrigá-la a fazer algo que não queria.

— Se você morrer, quero morrer também.

— Não pode fazer isso, Kate. Não vou permitir. Pense nas crianças.

Mas Kate estava pensando nas crianças e tinha tomado sua decisão. Ela os amava de todo coração, mas amava Bert também e pertencia a ele. Bert era seu marido. E Edwina tinha idade suficiente para cuidar dos irmãos, se ela morresse. Além disso, bem no íntimo, pensava ainda que todos estavam dramatizando demais a situação. No fim, todos entrariam nos botes e voltariam para o *Titanic* para o almoço. Disse isso a Bert, mas ele sacudiu a cabeça.

— Acho que não. Acredito que seja muito mais grave do que nos disseram.

E era. Muito mais do que podiam pensar. À 1:40 da manhã, a tripulação da ponte soltou o último sinal luminoso, e agora os últimos botes salva-vidas eram descidos, enquanto na cabine, lá embaixo, sem que ninguém soubesse, Alexis brincava com sua boneca, a Sra. Thomas.

— Acho que você tem uma responsabilidade para com as crianças — continuou Bert. — *Deve* deixar o navio.

Era sua última e fervente tentativa, mas Kate recusou. Ela apertou a mão do marido, e seus olhos se encontraram.

— Bert Winfield, eu *não* vou deixá-lo. Compreendeu?

Ao lado deles, a Sra. Straus acabava de fazer a mesma escolha, mas ela era mais velha do que Kate e não tinha filhos pequenos. A Sra. Allison, porém, mais jovem e com filhos pequenos, resolvera ficar com o marido e a filha e morrer com eles, se o navio afundasse, o que todos agora sabiam que ia acontecer.

— E Phillip? — perguntou Bert, procurando outra forma de convencê-la a partir.

— Você não pode tentar fazer com que o deixem embarcar?

Era o último bote daquele convés e mais um, do convés de passeio, o número quatro, logo abaixo, pendia ainda dos turcos. Mas enquanto Lightoller trabalhava no convés superior, outros tripulantes abriam as janelas do convés de passeio para que as mulheres e crianças pudessem passar. Seria o último bote salva-vidas a deixar o *Titanic*.

Bert aproximou-se do oficial atarefado em embarcar os passageiros no convés perigosamente inclinado e conversou com ele rapidamente. Kate viu Lightoller sacudir a cabeça vigorosamente, olhando para Phillip, que estava ainda ao lado do jovem Thayer e do pai dele.

— Ele disse que não, enquanto houver mulheres e crianças a bordo — disse Bert quando voltou para o lado de Kate.

Estavam embarcando agora algumas pessoas da segunda classe, mas todas as crianças da primeira classe já tinham ido, com exceção da pequena Lorraine Allison, que, ao lado da mãe, segurava a boneca tão parecida com a de Alexis. Kate olhou para a menina, sorriu e desviou os olhos. Era como se tudo que via à sua volta fosse por demais carregado de ternura, de intimidade e privacidade para ser visto por estranhos.

Agora, Phillip, Charles, Bert e Kate procuravam um meio de retirar os dois jovens do navio, e, se possível, Bert e Kate também, a despeito de Lightoller.

— Creio que temos de esperar um pouco mais — disse Charles com calma, um cavalheiro até o fim. Nem por um momento abandonou as boas maneiras ou se mostrou desanimado. — Mas acho que a senhora devia embarcar num desses barcos, agora. Não adianta ficar esperando com os homens. — Sorriu carinhosamente para ela, e pela primeira vez notou o quanto Edwina se parecia com a mãe. — Está tudo bem conosco. Mas a senhora devia embarcar agora, para evitar a confusão do último momento. Sabe como são os homens. E se eu fosse a senhora, daria um jeito de levar também nosso jovem amigo aqui.

Mas como? O último rapaz da idade de Phillip que havia embarcado, vestido de mulher, fora ameaçado pelos tripulantes com suas armas, mas acabara levando a melhor, porque não tinham tempo para retirá-lo à força. Porém, todos estavam mais tensos agora, e Bert não queria insistir novamente com Lightoller, que não estava disposto a fazer concessões. Ninguém sabia que a estibordo as coisas estavam um pouco diferentes. O navio era grande demais para tomarem conhecimento do que se passava no outro bordo. Enquanto Kate mais uma vez se recusava a deixar Bertram, Phillip afastou-se para falar com Jack Thayer. Charles sentou numa cadeira do convés e acendeu um cigarro. Não queria se intrometer na discussão dos pais de Edwina e pensava nela tristemente agora. Sabia que não ia sair do navio.

A tripulação tinha verificado todos os camarotes, e a água já estava no convés C. Brincando com a boneca na sala de estar, Alexis ouvia a banda tocando ainda belas músicas. Uma vez ou outra, ouvia os passos apressados de um tripulante ou de alguém da segunda classe à procura do convés de embarque da primeira. Alexis começava a se perguntar quando eles voltariam. Estava cansada de brincar sozinha e não queria entrar naquele bote salva-vidas, mas sentia muita falta da mãe e dos outros. É claro que ia levar um pito. Eles sempre ficavam zangados quando ela fugia, especialmente Edwina.

Ouviu passos pesados e ergueu os olhos, esperando que fosse o pai, Charles, ou até mesmo Phillip. Mas um rosto estranho apareceu na porta. O homem ficou chocado quando a viu. Era o último comissário a deixar o convés e tinha certeza de que todos os camarotes estavam vazios. Mesmo assim, estava verificando um por um antes que a água subisse do convés C. Ficou horrorizado quando viu a menina ali sentada, brincando com a boneca.

— Ei, você... — Caminhou rapidamente para ela, e Alexis correu para o quarto, tentando fechar a porta, mas o homem forte, de barba vermelha, foi mais rápido. — Espere um pouco, minha jovem, o que está fazendo aqui? — Era estranho que a menina tivesse escapado sem que ninguém percebesse. Precisava levá-la rapidamente para um bote salva-vidas. — Vamos...

O casaco e o chapéu de Alexis estavam na cabine, onde ela os deixara para brincar com a Sra. Thomas.

— Mas eu não quero ir.

Alexis começou a chorar; o homem ergueu-a do chão, apanhou um cobertor e enrolou-a nele, junto com a boneca.

— Quero esperar aqui!... Quero minha mãe!

— Vamos encontrar sua mãe. Mas não temos tempo a perder.

Ele subiu correndo a escada com a menina no colo, e quando passava pelo convés de passeio, alguém o chamou.

— O último está descendo. Não há mais nenhum no convés dos botes. O último do convés de passeio está para descer neste instante... venha, homem... depressa!

O camareiro correu para o convés de passeio e viu Lightoller e outro homem, numa das janelas, manejando os turcos do último bote, que já estava do lado de fora do navio.

— Espere, homem! — gritou ele — Mais uma!

Alexis gritava e esperneava, chamando pela mãe, mas Kate, no convés superior, pensava que a filha estava segura, no bote, com Edwina.

— Espere!

Lightoller estava descendo o bote quando o comissário correu para a janela, com Alexis no colo.

— Tenho mais uma!

O segundo oficial olhou para trás. Era quase tarde demais para deter o bote. Com um aceno da cabeça, indicou o bote salva-vidas, que ainda balançava no ar, com as últimas mulheres dispostas a deixar o navio, entre elas a jovem Sra. Astor e a mãe de Jack Thayer. John Jacob Astor perguntara a Lightoller se podia ir com a mulher, uma vez que seu estado era "delicado", mas o oficial fora inflexível. Madeleine Astor embarcara com a criada e sem o marido.

O comissário olhou para o bote. Não era possível levá-lo para cima agora, e ele não queria deixar Alexis no navio. Olhou para a menina por um instante, plantou-lhe um beijo na testa, como faria com sua própria filha, e atirou-a pela janela, rezando para que alguém a segurasse no bote, do contrário certamente poderia quebrar um braço ou uma perna. Eram muitos os casos de distensões e fraturas quando as pessoas eram puxadas para dentro dos botes, mas quando Alexis caiu, um dos marinheiros que estava nos remos estendeu os braços e a apanhou. Alexis gritava e esperneava dentro do cobertor, e no convés superior sua mãe conversava calmamente com o marido.

O camareiro viu Alexis ao lado de uma mulher com um bebê e então Lightoller e os outros fizeram o barco descer os quatro metros de altura, até o mar escuro e gelado. Os marinheiros e as mulheres começaram a remar imediatamente, e Alexis, sentindo que algo terrível estava para acontecer, olhou para o navio enorme. À 1:55 da manhã, aquele era o último bote salva-vidas a deixar o *Titanic.*

Às 2:00, Lightoller ainda lutava para soltar os quatro botes infláveis. Conseguiram soltar apenas o bote D. Não havia dúvida. Aquela era a última oportunidade para deixar o navio, se ainda tivessem tempo, o que não parecia provável. Os tripulantes formaram um círculo em volta do bote D, que devia levar apenas mulheres e crianças. Dois bebês desacompanhados foram embarcados, além de algumas mulheres com outras crianças. No último instante, Bert conseguiu convencer Lightoller a deixar Phillip ir também. Afinal, ele só tinha dezesseis anos. Então, Kate e Bert viram o bote inflável D descer e juntar-se aos outros. Depois disso, terminou a operação de salvamento. Não tinham para onde ir, por onde escapar, os que ainda estavam no navio. Bert continuava sem acreditar que Kate não fora com Phillip. Ele tentara empurrá-la para o bote antes que fosse tarde, mas Kate agarrara-se nele. Agora estavam abraçados, para seus momentos finais.

Os Straus caminhavam tranqüilos, de braços dados, e Benjamin Guggenheim estava de pé no convés, vestido a rigor, ao lado do seu empregado. Bert e Kate beijaram-se e começaram a conversar em voz baixa, de mãos dadas, falando sobre o dia em que se conheceram... o dia do casamento... os nascimentos dos filhos.

— Hoje é aniversário de Alexis — disse Kate, suavemente, olhando para Bert, lembrando a manhã ensolarada de domingo em que ela tinha nascido, na sua casa, em São Francisco. Quem teria pensado então que tudo isso ia acontecer? Era um alívio saber que todos os seus filhos iam sobreviver, que seriam amados e bem cuidados pela irmã mais velha. Ao mesmo tempo, seu coração se apertava, pensando que nunca mais ia vê-los, e os olhos de Bert estavam cheios de lágrimas quando ele a abraçou outra vez.

— Eu queria que tivesse ido com eles, Kate. Precisam tanto de você. — Com imensa tristeza, Bert via se aproximar o fim, tão diferente do que tinham sonhado. Se tivessem embarcado em outro navio... se o *Titanic* não tivesse batido no *iceberg*... se... se...

— Eu não suportaria viver sem você, Bert.

Abraçou-o com força e ergueu os lábios para o longo beijo, enquanto as pessoas começavam a saltar do navio. Viram Charles saltar. O convés dos botes salva-vidas estava a três metros da água, e alguns alcançavam os botes a salvo, mas Kate não sabia nadar e não adiantava saltar agora. Fariam isso quando fossem obrigados, não antes. E esperavam ainda que talvez, de algum modo, quando o navio afundasse, fosse possível alcançar os botes e sobreviver.

A tripulação tentava soltar mais dois botes infláveis, mas mesmo depois que conseguiram livrar o bote B, não foi possível tirá-lo do convés por causa da grande inclinação do navio. Finalmente, Jack Thayer saltou também, e quase por milagre alcançou o bote inflável D, onde estava Phillip. Tinham de ficar de pé no bote, que fazia muita água.

Lá em cima, Kate e Bert continuavam abraçados, vendo a água invadir o navio. Kate deixou escapar uma exclamação quando a água gelada a atingiu. Abraçados, eles afundaram. Bert tentou mantê-la com a cabeça fora d'água pelo maior tempo possível, mas a sucção era forte demais, e as últimas palavras dela foram: "Eu te amo." Com um sorriso, Kate soltou-se das mãos de Bert e desapareceu. Bert foi atingido na cabeça pelo cesto da gávea; ao seu lado, Charles foi também tragado pela água.

A cabine de rádio estava completamente inundada, e a ponte de comando desaparecera. O bote inflável A flutuou sozinho como uma jangada na praia, e centenas de pessoas mergulharam quando a proa imensa afundou.

A banda estava calada há muito tempo, depois de tocar os sombrios compassos de *Outono*, que chegaram aos ouvidos das mulheres e crianças nos botes e dos homens de estibordo, não controlados pela vigilância severa de Lightoller a bombordo. A música pareceu parar, congelada no ar frio, um som que os perseguiria pelo resto da vida.

Agora, os passageiros dos botes salva-vidas viam a proa mergulhar e a popa se erguer no ar, apontando para o céu, como uma montanha negra e gigantesca. Estranhamente, as luzes continuaram acesas por muito tempo. Finalmente piscaram e se apagaram, para se acender novamente, e depois desapareceram para sempre na sinistra escuridão. Mas a popa apontava ainda para o céu como uma montanha maldita. Ouviu-se então um rugido tremendo, como se tudo dentro do navio estivesse se soltando e partindo, misturado com gritos de agonia. A chaminé da proa quebrou e bateu na água com uma chuva de fagulhas e um ruído trovejante. Alexis gritou de medo, enrolada no cobertor, ao lado de uma completa estranha.

Então, quando Edwina observava os três hélices da popa erguidos para o céu, houve um estrondo terrível. Mais tarde, muitos disseram que foi como se o *Titanic* estivesse se partindo pelo meio, mas ficou-se sabendo que isso não era possível. Tudo que Edwina sabia, olhando o espetáculo hediondo, era que não tinha idéia de onde estavam Charles ou Phillip, Alexis e seus pais. Não sabia se tinham ou não conseguido se salvar. Segurou com força a mão de George, incapaz de explicar o que acabavam de ver; apertando-o contra o peito, cobriu os olhos dele com a mão, e os dois começaram a chorar, ali no bote salva-vidas número oito, assistindo à tragédia do *Titanic*, o navio que não podia ser afundado.

Quando o imenso navio desceu finalmente para o fundo do oceano, quando a popa desapareceu por completo, ninguém parecia acreditar. Tudo acabado. O navio não existia mais. Era o dia 15 de abril de 1912, 2:20 da manhã, exatamente duas horas e quarenta minutos depois de abalroar o *iceberg*. E Edwina olhava, abraçada a Teddy e Fannie, sentada ao lado de George, rezando por aqueles que não conseguiram sobreviver.

Capítulo 4

À 1:50 DA MANHÃ, o *Carpathia* recebeu o último rádio do *Titanic*. Nesse momento, a água, na sala de máquinas, já chegava às caldeiras. Depois disso, nada mais. Dirigiramse a toda velocidade para o ponto em que o *Titanic* devia estar, temendo encontrar o navio com problemas sérios, mas nem por um momento imaginaram que ele podia desaparecer antes da sua chegada.

Às 4:00 chegaram à posição indicada pelo rádio, e o capitão Rostron, do *Carpathia*, olhou em volta, incrédulo. O *Titanic* tinha desaparecido. Completamente.

Começaram a se mover com cautela, à procura do navio, mas só depois de dez minutos viram as luzes verdes ao longe. Podia ser o *Titanic*, já no horizonte, distanciado daquela posição, mas logo o capitão e seus homens compreenderam o que significavam os sinais. Estavam sendo lançados do bote salva-vidas número dois, e não estavam no horizonte, mas muito perto deles. Quando o *Carpathia* aproximou-se do bote mais próximo, Rostron compreendeu que o *Titanic* tinha realmente naufragado.

Um pouco depois das quatro horas, a Srta. Elizabeth Allen foi a primeira a subir a bordo do *Carpathia*, cujos passageiros, reunidos nos conveses e nos corredores, observavam o trabalho de recolhimento dos náufragos. Durante a noite, quando o *Carpathia* mudara o curso e os tripulantes se preparavam para o salvamento, os passageiros perceberam que alguma coisa séria estava acontecendo. A princípio, temeram que fosse alguma avaria no *Carpathia,* mas depois perguntaram aos tripulantes, e a notícia correra de boca em boca... o *Titanic* estava afundando... o navio que não podia ser afundado estava em perigo... um *iceberg*... afundando rapidamente... Agora, olhando para o mar, viam os botes, num raio de quatro milhas. Alguns gritavam e acenavam, mas sobre outros botes pesava um silêncio atônito, e rostos pálidos erguiam-se para os passageiros do *Carpathia.* Era impossível descrever o que tinham visto, dizer o que tinham sentido, vendo a popa imensa erguida para o céu noturno, para as estrelas, e depois mergulhando, levando maridos e irmãos e amigos, para sempre.

Quando o *Carpathia* se aproximou deles, Edwina passou Teddy para George e pôs Fannie entre os dois. George estava com as mãos geladas demais para continuar remando. Ainda com as luvas de Charles, Edwina segurou os remos e, com a condessa de Rothes, que remava sem parar há duas horas, começou a levar o bote para o navio. George fizera a sua parte, mas Edwina, com o bebê no colo o tempo todo, tentava consolar Fannie, que chorava pela mãe desde que deixaram o navio e perguntava constantemente por Alexis. Edwina garantira que iam encontrá-las outra vez o mais breve possível.

Edwina queria acreditar que a mãe encontrara Alexis, mesmo depois de ter pensado que ela estava no bote salva-vidas. Era possível que Alexis tivesse aparecido. Queria acreditar também que o resto da família estava em outro barco, não muito longe dela. Precisava acreditar nisso. Os náufragos chamavam amigos e parentes, de um bote para outro, enquanto o *Carpathia* se aproximava, perguntando quem estava a bordo, ou se tinham visto quem procuravam. Agora, vários botes salva-vidas estavam amarrados uns aos outros, mas o número oito e uns poucos mais estavam isolados, movendo-se lentamente na água salpicada de gelo. Finalmente, às sete horas da manhã, chegou a vez deles; aproximaram-se da escada e da rede de corda lançadas pelo *Carpathia* para recolhê-los. Vinte e quatro mulheres e crianças estavam a bordo do barco número oito, mais quatro tripulantes. O marinheiro Jones, segurando os remos, explicou que havia várias crianças pequenas com eles. A tripulação do *Carpathia* desceu uma pequena sacola de lona; com mãos trêmulas, Edwina ajudou o marinheiro a pôr Fannie dentro dela, Fannie chorava, pedindo a Edwina para não deixar que a levassem daquele jeito.

— Está tudo bem, queridinha. Vamos para o navio grande agora, e vamos encontrar mamãe e papai.

Disse isso tanto para si mesma quanto para a menina. Agora, vendo a cabecinha que aparecia na abertura da sacola, seus olhos se encheram de lágrimas, pensando em tudo que tinham passado. George apertou sua mão, e Edwina correspondeu, sem olhar para ele. Sabia que, se olhasse, ia começar a chorar. Não podia se dar ao luxo de fraquejar agora. Não antes de saber que os outros estavam a salvo, e agora precisava cuidar de Fannie, de Teddy e de George. Não podia pensar em nada mais.

Edwina estava com os sapatos de caminhada, o vestido de noite de cetim azul-claro e o casaco pesado que Kate a fizera vestir. Sentia a cabeça gelada, como se estivesse cheia de pregos, e as mãos pareciam blocos de mármore. Esperou a sacola descer outra vez, e, com a ajuda do comissário Hart, pôs Teddy dentro dela. O rostinho do menino estava tão azul que Edwina teve medo que ele fosse morrer de frio, apesar de todo o seu esforço para mantê-lo aquecido, segurando-o contra seu corpo e esfregando seu rosto, as mãos e os pés. Teddy ficou entre ela e George, mas o frio cortante era demais para ele e para Fannie, e Edwina estava preocupada com eles. George foi posto na rede de cordas e parecia um bebê enquanto era içado para o convés. Edwina nunca o vira tão quieto. Então, abaixaram a rede outra vez para ela, e o comissário Hart a ajudou a subir. Primeiro ela fechou os olhos, mas logo os abriu, olhando para os outros botes iluminados pela luz rosada do nascer do sol. Era um mar de gelo, pontilhado de pequenos *icebergs*, e aqui e ali um bote, com os náufragos ansiosos, esperando a sua vez. Nenhum estava completamente lotado, e ela esperava que em algum deles estivessem todos que ela deixara no *Titanic*. Não podia pensar nisso agora, e seus olhos se encheram de lágrimas quando ela pôs os pés no convés do *Carpathia*.

— Seu nome? — perguntou a comissária do *Carpathia* com um sorriso amável, enquanto um marinheiro ajeitava um cobertor nos seus ombros.

Conhaque, café e chá os esperava no navio, e o médico de bordo, com seus assistentes, examinava os que iam chegando. Havia macas no convés para os que não podiam andar, e alguém já dera a George uma xícara de chocolate quente. Mas Edwina não via a mãe e o pai em lugar nenhum. Phillip... Alexis... Charles... De repente, o cansaço a venceu, e ela mal podia falar.

— Edwina Winfield — conseguiu dizer, olhando para os sobreviventes que iam sendo içados lentamente para bordo. Havia ainda botes no mar, e ela rezava para que os outros estivessem neles.

— E seus filhos, Sra. Winfield?

— Meus... eu... oh... — Só então compreendeu a pergunta. — São meus irmãos. George, Frances e Theodore Winfield.

— Estava viajando com mais alguém?

Apanhou a xícara de chá escaldante que lhe estenderam; sentindo os olhos que se fixavam nela e no seu vestido de noite azul, aqueceu as mãos geladas na xícara quente.

— Estava... estou viajando com meus pais, Sr. e Sra. Bertram Winfield, de São Francisco, meu irmão Phillip e minha irmã Alexis. E meu noivo, o Sr. Charles Fitzgerald.

— Tem alguma idéia de onde eles podem estar? — perguntou a comissária, conduzindo Edwina para o salão, transformado em hospital e sala de repouso para os sobreviventes do *Titanic*.

— Eu não sei... — Seus olhos encheram-se de lágrimas. — Acho que estão em outro bote. Minha mãe estava procurando minha irmã quando saímos... e... eu pensei... havia uma menina no nosso barco, e eu pensei... — Não continuou; a comissária, com lágrimas nos olhos, bateu levemente no seu ombro e esperou.

Havia muitas mulheres no salão, algumas vomitando, tremendo de frio, ou simplesmente chorando, com as mãos feridas pelos remos e pelo frio. As crianças estavam todas juntas num canto, com olhos imensos e assustados, algumas chorando, olhando para as mães e lamentando a morte dos pais.

— Será que podia me ajudar a procurá-los? — Edwina voltou os enormes olhos azuis para a comissária, desviando-os a todo momento, para olhar para George. Mas, pela primeira vez na vida, George não estava criando nenhum problema. Uma enfermeira cuidava de Teddy, ainda transido de frio. Mas agora ele começou a chorar, e seu rosto não estava tão azul. A pequena Fannie não largava a saia de Edwina, num silêncio apavorado.

— Quero a minha mãe... — disse ela, em voz baixa, quando a comissária se afastou, prometendo voltar logo que fosse possível com notícias dos seus pais.

Agora, um depois do outro, os barcos salva-vidas chegavam ao navio, até os quatro amarrados uns aos outros. Quando o bote inflável B virou e começou a afundar rapidamente, os homens haviam sido resgatados pelo bote número doze. Quando foi retirado da água, Jack Thayer estava cansado demais para notar os outros passageiros do B. Sua mãe estava no número 4 amarrado ao que o salvara, mas eles não se viram. Todos estavam exaustos, enregelados de frio e procurando salvar a própria vida.

Edwina deixou os dois irmãos menores com George, que tomava ainda seu chocolate quente, e saiu para ver o salvamento no convés, onde já estavam outras mulheres do *Titanic*, entre elas Madeleine Astor. Mesmo sem muita esperança de que o marido estivesse num dos botes, ela precisava assistir até o fim à chegada dos náufragos. Tudo era possível... Madeleine não suportava a idéia de perdê-lo. Edwina também rezava para encontrar um rosto conhecido entre os que subiam a bordo. Encostada na amurada, via os homens subindo a escada de corda, as mulheres na rede, as crianças na sacola de lona. Alguns homens estavam tão cansados, com as mãos tão geladas, que mal conseguiam segurar a escada. O que mais a impressionou, porém, foi o silêncio sinistro. Ninguém falava, não se ouvia nenhum som. Estavam todos chocados demais com o que acabavam de ver, gelados demais e muito assustados. Até as crianças estavam em silêncio, a não ser pelo choro intermitente de um ou outro bebê com fome.

Havia vários bebês não identificados no salão, à espera das mães. Uma mulher do bote doze contou que apanhara um bebê atirado não sabia por quem. Acreditava que fosse de alguma mulher da terceira classe que tinha conseguido chegar até o convés dos botes salva-vidas. O bebê estava no salão, chorando, ao lado dos outros.

Era uma cena tocante e caótica. As mulheres, reunidas num canto, choravam baixinho pelos maridos e eram assistidas pelas comissárias, enfermeiras e médicos. Havia também alguns homens, muito poucos, graças à intransigência do segundo oficial Lightoller, a bombordo. Alguns, porém, conseguiram sobreviver, aproveitando a seleção menos rigorosa de estibordo ou conseguindo burlar a vigilância. Outros foram tragados pela água quando saltaram do navio e tentaram alcançar os botes. Outros ainda, a maioria dos que saltaram, morreram por falta de ajuda dos passageiros dos barcos salva-vidas, que temiam virar o bote em que estavam. No começo, o barulho era impressionante, mas agora tudo estava em silêncio.

Edwina viu Jack Thayer entrar na sala, e logo depois o grito de alegria da mãe, que correu para ele, perguntando: "Onde está seu pai?" Jack cumprimentou Edwina com uma inclinação da cabeça, e ela se aproximou, com medo do que ia ouvir, e ao mesmo tempo esperando uma boa notícia, mas ele apenas sacudiu a cabeça.

— Alguém da minha família estava no seu barco?

— Infelizmente não, Srta. Winfield. Seu irmão estava no primeiro, mas caiu na água quando batemos e eu não sei se foi apanhado por outro barco. O Sr. Fitzgerald saltou comigo, mas não o vi mais. Seus pais ainda estavam no convés quando eu saltei. — Não disse que achava que estavam resolvidos a afundar com o navio, se fosse preciso. — Sinto muito. Não sei o que aconteceu com eles. — Apanhou um copo de conhaque oferecido por alguém e disse, com a voz entrecortada: — Eu sinto muito.

Edwina fez um gesto afirmativo, com as lágrimas descendo pelo rosto. Tudo que podia fazer era chorar.

— Obrigada.

Ela não queria que fosse verdade. Queria pedir a ele para dizer que estavam vivos, que estavam salvos, que estavam na sala ao lado. Não que tinham se afogado, ou que não sabia. Não Phillip, não Charles, Alexis e seus pais. Não podia ser... ela não podia permitir. Uma das enfermeiras aproximou-se dela. O médico queria conversar a respeito de Teddy. O menino estava deitado, enrolado no cobertor, os olhos imensos, as mãos frias, o corpo todo tremendo. Edwina tomou-o nos braços, apertando-o contra o peito, e o médico disse que as próximas horas seriam decisivas.

— Não! — exclamou ela, tremendo mais do que a criança. — Não! Ele está bem... está ótimo. — Não podia deixar que nada lhe acontecesse, não agora, não se... não! Não podia suportar. Tudo fora sempre tão perfeito. Amavam-se tanto, e agora, de repente, quase todos tinham desaparecido e o médico estava dizendo que Teddy podia não sobreviver. Abraçou o corpo pequenino, tentando passar seu calor para ele, procurando fazer com que tomasse o caldo quente que ele mal podia engolir. Ele sacudia a cabeça, agarrado a Edwina.

— Ele vai ficar bom? — perguntou George, com os olhos arregalados. Agora ele chorava também, começando a compreender o significado de tudo que tinha acontecido naquelas últimas horas. — Edwina, ele vai ficar bom?

— Oh, meu Deus, por favor... espero que sim... — Abraçou George e Fannie, ainda enrolada no cobertor.

— Quando a mamãe vai chegar? — perguntou Fannie.

— Logo, meu bem... logo.

Os sobreviventes continuavam a chegar ao salão do *Carpathia*, atordoados e exaustos.

Então, procurando não pensar em tudo que tinham perdido, abraçou os irmãos menores e chorou dolorosamente pelos outros.

Capítulo 5

ELE SUBIU A ESCADA de corda com as mãos geladas, quase inúteis, mas recusou-se a ser içado na rede, como uma criança. Fora apanhado pelo bote número doze, quando o bote inflável D afundara, e ficara deitado no fundo, quase inconsciente. Mas agora, em alguma parte da sua mente, o sentimento era quase de alegria por estar vivo. Foi o último bote a ser recolhido. Eram oito e meia da manhã. Depois dele só faltavam os tripulantes. Um momento depois estava no convés do *Carpathia* chorando abertamente, sem poder acreditar no que tinha acontecido. Mas estava vivo. Conseguira-o sem ajuda dos pais ou dos irmãos, e rezava agora para que eles também estivessem a salvo. Com as pernas bambas, tremendo dc frio, entrou no salão e viu um mar de rostos desconhecidos. Eram setecentos e cinco sobreviventes, mais de mil e quinhentos mortos, mas naquele momento, Phillip teve a impressão de estar vendo milhares de pessoas. Não sabia por onde começar a busca, e só depois de uma hora viu Jack Thayer.

— Você viu alguém da minha família?

Ele era a imagem do desespero, com o cabelo ainda molhado, os olhos esgazeados, olheiras profundas de exaustão. Era a pior coisa que já acontecera aos dois, e provavelmente sempre seria. Por toda parte viam pessoas semivestidas, enroladas em cobertores, toalhas, vestidas a rigor ou com roupa de dormir. Ninguém queria sair dali, ninguém queria trocar de roupa, ninguém queria falar. Só queriam encontrar as pessoas que tinham perdido. Olhavam desesperadamente, à procura de um rosto familiar.

Jack Thayer fez um sinal afirmativo, sem olhar para Phillip, atento à procura do pai.

— Sua irmã está aqui. Eu a vi há pouco. — Então, ele sorriu tristemente. — Estou feliz por você ter conseguido.

Os dois jovens se abraçaram demoradamente, quase sufocados pelas lágrimas contidas, agora que estavam salvos, no *Carpathia*, e que o pesadelo estava quase terminado.

Separaram-se, e o medo voltou aos olhos de Phillip. Era assustadora aquela procura. O medo de não encontrar ninguém era terrível.

— Tinha mais alguém com ela?

— Não sei... — disse Jack vagamente. — Acho que um bebê.

Teddy. E os outros? Phillip caminhou entre a multidão, saiu para o convés, voltou para o salão e finalmente viu a cabeça dela, os cabelos escuros, os ombros frágeis, e George sentado, com a cabeça inclinada. Oh, Deus. Phillip começou a chorar, abrindo caminho apressadamente. Quando a alcançou, sem uma palavra segurou-a pelos ombros e abraçou-a. Com uma exclamação de surpresa e um soluço, Edwina olhou para ele e começou a chorar.

— Oh, meu Deus... Oh, Phillip... Oh, Phillip... — Era tudo que ela podia dizer. Não teve coragem de perguntar pelos outros. Ao lado deles, pessoas que não tinham tido a mesma sorte choravam também. Só depois de muito tempo, Phillip perguntou:

— Quem está aqui com você? — Tinha visto George, agora via Fannie, enrolada no cobertor, ao lado de Edwina. Teddy estava deitado no chão, num ninho improvisado de cobertores. — Ele está bem?

Com os olhos cheios de lágrimas, Edwina sacudiu a cabeça. Teddy estava vivo ainda, mas com os lábios azuis, quase negros. Phillip tirou o sobretudo, enrolou Teddy nele e segurou com força a mão de Edwina. Pelo menos cinco deles estavam vivos. E até o fim do dia não encontraram mais ninguém.

Naquela noite, Teddy e Fannie foram levados para a enfermaria do navio, onde ficaram em observação. Havia suspeita de congelamento de dois dedos da mão de Fannie. George dormia profundamente num colchão, no corredor. Tarde da noite, Edwina e Phillip, de pé no convés, olhavam silenciosamente para o mar e o céu escuros. Não podiam e nem queriam dormir. Edwina não queria dormir nunca mais, nem pensar, nem sonhar, nem permitir que sua mente voltasse aos momentos terríveis. Era mais difícil acreditar em tudo aquilo agora. Durante o dia, quando começou a diminuir o número das pessoas no salão, estava certa de que ia ver os pais conversando num canto, e Charles ao lado deles. Era impossível acreditar que estivessem mortos, que seus pais tinham desaparecido... e Alexis... e Charles com eles, e que não ia haver casamento em agosto. Era impossível acreditar ou compreender. A fazenda do seu vestido de noiva tinha afundado com o navio e... Imaginava se sua mãe estava segurando a mão de Alexis... se tinha sido horrível... ou rápido... ou doloroso. Eram pensamentos sinistros, que não podia partilhar com Phillip agora, ali no convés, os dois em silêncio. Edwina passou o dia com Teddy e Fannie, e Phillip tomou conta de George, e durante o tempo todo eles esperavam. Esperavam aqueles que jamais iam aparecer, que jamais voltariam, todos que tinham amado tanto... O *Carpathia* fez uma busca completa na área antes de rumar para Nova York, mas não encontraram mais ninguém.

— Phillip? — Sua voz era suave e triste, na noite escura.

— Humm? — Voltou para ela olhos muito mais velhos do que seus dezesseis anos. Era como se tivesse passado uma vida inteira naquele bote.

— O que vamos fazer agora? — O que iam fazer sem eles? Era uma idéia terrível. Tinham perdido tantas pessoas queridas, e agora ela era responsável pelos sobreviventes. — Acho que devemos voltar para casa — continuou ela, em voz baixa.

Não podiam fazer mais nada, a não ser levar Teddy a um médico, em Nova York... se ele vivesse até lá. Os médicos de bordo disseram que aquela primeira noite seria decisiva. Ela não suportaria outra perda. Não podiam deixar Teddy morrer. Não podiam. Era tudo que podia pensar agora, salvar a vida de Teddy, o último filho de Kate. E mais tarde naquela noite, ela o tomou nos braços, ouvindo a respiração difícil, pensando nos filhos que jamais teria... os filhos de Charles... em todos os sonhos que tinham morrido com ele. E silenciosamente, com os ombros frágeis tremendo, chorou por ele.

Phillip e George dormiram em colchões no corredor, e, tarde da noite, o irmão mais velho, cansado e abatido, foi ver como estava Edwina. Ele imaginava se os pais teriam saltado no navio, se tinham sobrevivido por algum tempo. Talvez tivessem tentado nadar para um bote, mas sem a ajuda dos passageiros provavelmente acabaram morrendo na água gelada. Phillip vira centenas de pessoas morrerem desse modo. Ninguém queria ajudá-las a subir a bordo, e depois de gritarem por socorro durante um longo tempo, desapareciam. Phillip ficou acordado, pensando nessa possibilidade terrível, e finalmente desistiu de dormir e foi procurar Edwina. Ficaram sentados lado a lado, em silêncio. Os sobreviventes quase não falavam. Alguns estavam sozinhos, olhando para o mar. Outros, em pequenos grupos, apenas olhavam, sem dizer palavra.

— Não posso deixar de pensar se... — Era difícil encontrar as palavras, ali sentados, na enfermaria escura, com outras pessoas em volta. Na sala ao lado estavam várias crianças não identificadas. — Fico pensando no fim... — Sua voz se embargou, e Edwina tocou o braço dele.

— Não pense nisso... não vai mudar nada. — Mas tinha pensado a mesma coisa a noite toda... nos pais, por que a mãe resolvera ficar... em Charles... em Alexis. O que teria acontecido a ela, no fim? Eles a teriam encontrado?

Phillip ficou chocado quando soube que ela não estava com Edwina. Seus pais estavam certos de que Alexis saíra do navio no bote número oito.

Com um suspiro, ele olhou para Teddy, que dormia

profundamente. Estava com uma palidez de morte e com uma tosse constante e seca. Phillip também estava terrivelmente resfriado, mas nem parecia sentir. Afirmou que estava assim desde a véspera. E então lembrou de Kate dizendo que ele tinha se resfriado ao ficar esperando no convés para ver a menina da segunda classe. E agora Kate tinha desaparecido, como tantos outros.

— Como vai ele? — perguntou, olhando para Teddy.

— Não piorou... — Sorrindo, Edwina acariciou os cabelos do irmão mais novo e inclinou-se para beijá-lo. — Acho que está um pouco melhor. — Desde que não apanhe uma pneumonia, pensou.

— Fico com ele, para você dormir um pouco — ofereceu-se Phillip.

— Eu não poderia dormir — disse ela, sacudindo a cabeça.

Edwina lembrou então a busca cuidadosa feita pelo *Carpathia* naquela manhã. O capitão Rostron queria ter certeza de não deixar nenhum sobrevivente no local do naufrágio, mas só viram cadeiras de convés, pedaços de madeira, alguns coletes salva-vidas, um tapete igual ao do seu camarote e o corpo de um marinheiro. Edwina estremeceu. Era impossível acreditar em tudo aquilo. Na noite anterior, os Wideners tinham oferecido um jantar para o capitão Smith, e agora, vinte e quatro horas depois, o navio tinha desaparecido, e com ele o capitão, o Sr. Widener, seu filho Harry e mais de mil e quinhentos outros. Era difícil compreender. E mais uma vez ela pensou em Charles, e no quanto o amava. Ele elogiara o vestido de cetim azul que ela usava naquela noite... dissera que era da cor dos olhos dela. Edwina estava com um penteado alto, parecido com o da Sra. Astor. Continuava com o mesmo vestido, mas todo rasgado. Naquela tarde, quando lhe ofereceram um vestido preto de lã, estava muito ocupada com as crianças para trocar de roupa. Que importância tinha isso agora? Charles estava morto, e ela e os irmãos, órfãos.

Ficaram sentados lado a lado naquela noite, em silêncio, pensando no passado, tentando imaginar o futuro. Finalmente, Edwina mandou Phillip voltar para seu colchão. George ia ficar preocupado se acordasse e não o visse.

— Pobre George, ele também passou por tudo isso.

Mas George enfrentara valentemente a situação, e nas últimas vinte e quatro horas fora um conforto e uma grande ajuda para Edwina. Se não fosse o cansaço, ela talvez ficasse preocupada com a docilidade dele. A pequena Fannie dormiu a noite toda ao lado dela. Quando Phillip voltou para o corredor, Edwina ficou observando Fannie e Teddy, tocando seus rostos, acariciando seus cabelos. Deu água a Teddy quando ele acordou com sede, e abraçou Fannie quando ela chorou, sem acordar. Ali sentada, Edwina rezou, como tinha rezado no serviço religioso daquela manhã, oficiado pelo capitão Rostron. Nem todos os sobreviventes compareceram, mas ela e Phillip estavam lá. Alguns estavam muito cansados ou doentes, ou achavam que seria muito doloroso. Um único golpe brutal deixara viúvas mais de trinta e sete mulheres. Mil e quinhentos e vinte e três homens, mulheres e crianças estavam mortos. Os sobreviventes eram apenas setecentos e cinco.

Finalmente Edwina cochilou um pouco, e só acordou quando Teddy se mexeu e voltou para ela os olhos tão parecido com os de Kate.

— Onde está mamãe? — perguntou ele, fazendo muxoxo, parecendo agora como o Teddy que ela conhecia.

Quando Edwina se inclinou para beijá-lo, Teddy sorriu, depois choramingou outra vez, chamando a mãe.

— Mamãe não está aqui, meu bem.

Não sabia o que dizer. Teddy era muito pequeno para entender, mas não queria mentir para ele, prometendo que a mãe chegaria mais tarde.

— Eu também quero a mamãe — exclamou Fannie, assim que ouviu a pergunta do irmão.

— Seja boazinha — disse Edwina, com um beijo e um abraço apertado.

Levantou e lavou o rosto de Teddy. Depois, deixou-o protestando, aos cuidados de uma enfermeira, e levou Fannie ao banheiro. Quando olhou no espelho, compreendeu toda a extensão da tragédia. Num dia, tinha envelhecido mil anos. Parecia uma velha, e sentia-se velha. Mas um pente emprestado e um pouco de água morna ajudaram muito.

Mesmo assim, não havia nada de belo em sua aparência, e quando entrou no salão de jantar para se encontrar com os meninos, percebeu que não havia nenhum rosto bonito ou alegre. Às roupas variadas e estranhas do naufrágio juntavam-se agora as peças emprestadas, descombinadas, aumentando o ar de confusão. Havia gente por toda parte, e muitos estavam amontoados nas cabines, ou em camas de lona nos corredores. Era grande o número dos que dormiam em colchões no Salão de Festas, nos alojamentos da tripulação, nos sofás, e até mesmo no chão. Mas para eles, isso não importava. Estavam vivos, embora muitos desejassem estar mortos, quando lembravam os entes amados perdidos.

— Como vai Teddy? — perguntou George, logo que viu a irmã, e ficou aliviado quando ela sorriu. Nenhum deles poderia suportar outra perda.

— Acho que está melhor. Prometi voltar logo.

Fannie estava com ela, e Edwina queria que ela comesse alguma coisa, antes de voltar para Teddy.

— Eu fico com ele se você quiser — disse George, e de repente o sorriso desapareceu dos seus lábios e ele olhou para alguma coisa atrás dela. Parecia estar vendo um fantasma; Edwina inclinou-se e tocou-lhe o braço.

— George, o que foi?

Ele continuou a olhar fixamente, e depois de um minuto apontou para o chão, ao lado do colchão. Sem uma palavra, correu para o objeto, apanhou-o e levou-o para Edwina. Era a Sra. Thomas, a boneca de Alexis, sem dúvida nenhuma. Perguntaram às pessoas mais próximas, sem resultado. Ninguém se lembrava de ter visto a boneca, nem a criança que a havia deixado ali.

— Ela tem de estar aqui. — Edwina olhou em volta. Viu várias crianças, mas não Alexis.

Segurando a boneca, e procurando, ansiosa, de repente sentiu um aperto no coração. A filha dos Allisons tinha uma boneca igual. Disse isso para Phillip, mas ele sacudiu a cabeça. Ele reconheceria essa boneca em qualquer lugar, e George e Fannie disseram o mesmo.

— Você não lembra, Edwina, do vestido que fez com a mesma fazenda do seu?

Os olhos de Edwina encheram-se de lágrimas. Seria muito cruel se a boneca tivesse sobrevivido, e Alexis não.

— Onde está Alexis? — Fannie ergueu para ela os olhos grandes, dos quais Bert tanto gostava, por serem iguais aos seus. Ele próprio reconhecia a semelhança.

— Eu não sei — disse Edwina, com a boneca na mão trêmula, continuando a procurar pelo salão.

— Ela está se escondendo? — Fannie a conhecia bem, mas dessa vez Edwina não sorriu.

— Eu não sei, Fannie. Espero que não.

— Mamãe e papai também estão se escondendo? Fannie estava confusa. Edwina sacudiu a cabeça, com os olhos marejados de lágrimas.

Uma hora mais tarde, ainda não tinham encontrado Alexis; Edwina voltou para a enfermaria e para Teddy. Levou com ela a boneca e deixou Fannie com Phillip e George. Quando Teddy viu a boneca, olhou desconfiado para a irmã.

— Lexie? — perguntou ele. — Lexie?

Ele também reconheceu a boneca. Alexis estava quase sempre com ela. Uma das enfermeiras passou por eles e sorriu. Teddy era uma bela criança, e era tocante ver os dois juntos. Edwina ergueu os olhos e perguntou à enfermeira:

— Será que eu poderia... eu estava procurando... — Não sabia como dizer. — Ainda não conseguimos encontrar nossa irmã de seis anos... eu pensei... que ela estava com minha mãe... — Era impossível dizer as palavras, mas ela precisava encontrar Alexis, e a enfermeira compreendeu. Tocou carinhosamente no braço de Edwina e entregou uma lista.

— Todas as pessoas que recolhemos estão nesta lista, incluindo as crianças. É possível que, na confusão de ontem, vocês não a tenham visto. Você a viu embarcar num bote salva-vidas?

— Não. — Edwina sacudiu a cabeça e mostrou a boneca. — É por causa disto... ela nunca a largava.

Tristemente, Edwina examinou a lista e não encontrou o nome de Alexis.

— Tem certeza de que é dela?

— Tenho. Eu mesma fiz o vestido.

— Outra criança poderia ter apanhado a boneca?

— Acho que sim. — Edwina não tinha pensado nisso. — Mas não há algumas crianças sem os pais?

Havia muitos bebês não identificados, mas Alexis tinha idade para se identificar, se quisesse... se não estivesse muito traumatizada... Edwina imaginou se ela estaria vagando pelo navio agora, perdida, não identificada, sem saber que os irmãos também estavam ali. Disse isso para a enfermeira, que sacudiu a cabeça, respondendo que era pouco provável.

No fim da tarde, Edwina saiu para andar no convés, procurando não pensar na silhueta sinistra do *Titanic* contra o céu noturno, um pouco antes de afundar, com a popa erguida desenhada sobre a linha do horizonte. Nesse momento, viu a empregada da Sra. Carter, a Srta. Serepeca, passeando com as crianças. Lucille e William Carter pareciam tão assustados quanto todas as outras crianças, e uma terceira caminhava um pouco atrás, segurando a mão da criada, aparentemente com medo de andar no convés. Então, quando a criança virou o rosto, Edwina, com uma exclamação de espanto, correu para ela e ergueu-a nos braços, abraçando-a com toda a força do seu amor, chorando como se seu coração fosse se fazer em pedaços. Tinha encontrado! Era Alexis!

Enquanto Edwina, com Alexis no colo, acariciava os cabelos da menina, a Srta. Serepeca explicou, do melhor modo possível, o que tinha acontecido. Quando Alexis fora atirada para o bote número quatro, a Sra. Carter compreendera logo que ela estava sozinha. Quando chegaram ao *Carpathia*, ela resolvera se responsabilizar por Alexis, até chegarem a Nova York. E a criada acrescentou, em voz mais baixa, que, desde que vira o navio desaparecer no mar, há quase dois dias, a menina não tinha dito uma palavra. Não sabiam o nome dela, nem o sobrenome. Ela se recusava a falar com qualquer pessoa, a dizer quem era ou de onde vinha, e a Sra. Carter esperava que alguém da família a reclamasse em Nova York. Ia ser um grande alívio para a Sra. Carter, acrescentou a Srta. Serepeca, saber que a mãe da menina estava no navio afinal. Quando ouviu isso, Alexis virou a cabeça rapidamente, procurando por Kate, e Edwina sacudiu a cabeça, apertando-a mais contra o peito.

— Não, meu bem, ela não está conosco.

Foram as palavras mais duras que Edwina jamais diria para a irmã, e Alexis tentou escapar do colo dela, abaixando a cabeça para não ouvir o que a irmã estava dizendo. Mas Edwina não a soltou. Quase a tinham perdido uma vez. Agradeceu profusamente à Srta. Serepeca e prometeu procurar a Sra. Carter para agradecer também. Mas quando voltaram para o abrigo do Salão de Festas, Alexis apenas olhava para ela tristemente, sem dizer uma palavra.

— Eu te amo, minha querida... oh, eu te amo muito... estávamos tão preocupados com você... — As lágrimas desciam por seu rosto. Era uma dádiva tê-la encontrado, e Edwina desejou poder encontrar todos os outros, seus pais e Charles, em algum canto do navio. Não podiam ter desaparecido. Não podia acontecer, mas acontecera... e só Alexis estava de volta, como um pequeno fantasma do passado. Um passado que existia até pouco tempo e agora estava acabado, como um sonho do qual ela sempre se lembraria.

Quando Edwina deu a boneca para Alexis, ela a arrebatou da mão da irmã e a encostou no rosto, mas sem dizer palavra. Phillip chorou quando a viu, mas ela voltou-se para George, que olhava para ela, atônito.

— Pensei que você tinha ido embora, Lexie — disse ele, em voz baixa. — Procuramos você por toda parte.

Ela não respondeu, mas não tirou os olhos de George. Naquela noite, dormiu segurando a mão dele e a boneca, com Phillip tomando conta deles. Edwina dormiu outra vez na enfermaria, embora Fannie estivesse muito bem, e Teddy bastante melhor. Era o lugar mais seguro para as duas crianças, e Teddy ainda tossia muito durante a noite. Ela convidara Alexis para dormir com eles, mas, sacudindo a cabeça, ela acompanhou George até o Salão de Festas e deitou ao lado dele no colchão. George, deitado de lado, ficou olhando para ela até os dois adormecerem. Encontrar Alexis era como ver a mãe outra vez, porque as duas estavam quase sempre juntas, e nessa noite George sonhou com os pais. Ainda sonhava quando o choro de Alexis o despertou. George procurou acalmá-la, abraçando-a carinhosamente, mas ela não parava de chorar.

— O que é, Lexie? — perguntou ele, imaginando se ela ia contar ou se, como todos os outros, estava tão triste que só tinha vontade de chorar o tempo todo. — Sente alguma dor?... está doente? Quer Edwina?

Ela sacudiu a cabeça e, olhando para ele, sentou no colchão, com a boneca nos braços.

— Eu quero mamãe... — murmurou em voz baixa, fixando no rosto dele os imensos olhos azuis.

As lágrimas subiram aos olhos dele, e ele abraçou-a com força.

— Eu também, Lexie... eu também.

Dormiram de mãos dadas depois disso, dois dos filhos de Kate, o legado deixado por ela quando escolhera morrer com o marido. Todos lembravam o grande amor que ela sentia por eles, e o amor cheio de ternura entre Kate e Bert, mas agora tudo isso tinha partido, para outro lugar, para outro tempo. E o que ficou foi a família que eles criaram, seis pessoas, seis vidas, seis almas, seis dos poucos preciosos sobreviventes do *Titanic*. Kate e Bert, Charles e os outros tinham partido para o resto dos tempos. Perdidos para sempre.

Capítulo 6

NA NOITE TRISTONHA E CHUVOSA de quinta-feira, Edwina e Phillip, no convés do *Carpathia*, passaram pela Estátua da Liberdade e entraram no porto de Nova York. Estavam em casa outra vez, ou pelo menos, de volta aos Estados Unidos. Mas era como se não houvesse mais nada para eles agora. Tinham perdido tudo, ou quase tudo, e Edwina esforçava-se para encontrar consolo na idéia de que tinham ainda uns aos outros. Mas a vida jamais seria a mesma. Os pais não existiam, nem seu futuro marido. Ela e Charles iam casar dentro de quatro meses, e agora ele se fora... seu espírito gentil, sua mente privilegiada, seu belo rosto, a bondade que ela tanto amava, o gesto da cabeça quando ria para ela... e com tudo isso, desaparecia também um futuro feliz e brilhante.

Phillip olhou para ela e viu as lágrimas que desciam por seu rosto, quando o *Carpathia* entrou lentamente no porto, ajudado pelos rebocadores. Não se ouviam as sereias, as cornetas, nenhuma fanfarra. Tudo estava envolto no silêncio da dor.

Na noite anterior, o capitão Rostron prometera que procuraria manter a imprensa longe deles e faria o possível para que sua chegada a Nova York fosse tranqüila. Dissera que o rádio de bordo vinha sendo assediado por mensagens desde a manhã do dia 15, mensagens estas que não foram respondidas. Nenhum jornalista seria admitido a bordo. Os sobreviventes do *Titanic* tinham o direito de lamentar em paz suas perdas, e era sua responsabilidade fazer com que chegassem em casa a salvo e em silêncio.

Mas Edwina pensava apenas em tudo que tinham deixado para trás, nas profundezas do oceano. Phillip segurou a mão dela, chorando silenciosamente também, pensando em como tudo seria diferente agora se o destino não fosse tão cruel.

— Win? — Ele não a chamava assim desde pequeno, e Edwina sorriu, entre as lágrimas.

— O que é?

— O que vamos fazer agora?

Uma vez ou outra haviam falado vagamente a respeito, mas Edwina não tivera tempo para fazer planos concretos, ocupada com a doença de Teddy e o cuidado com os outros. George quase não tinha falado nos dois últimos dias, e Edwina sentia falta das travessuras e traquinices do irmão. Fannie chorava sempre que Edwina se afastava dela, nem que fosse por um instante. Era difícil pensar, com toda aquela nova responsabilidade. Ela só sabia que tinha de tomar conta deles, e Phillip também. Era tudo que eles sabiam.

— Não sei, Phillip. Vamos para casa, eu acho, logo que Teddy ficar bom. — Teddy tossia muito ainda, e na véspera tinha acordado com febre. Naquele momento, nenhum deles estava preparado para a longa viagem de trem de volta à Califórnia. — Temos de ficar algum tempo em Nova York, depois vamos para casa.

Mas e a casa? E o jornal? Não podia pensar em tudo isso agora. Só queria olhar para trás... por um momento... por alguns dias... rever a última vez que tinha dançado com Charles. Tudo era tão simples então, os dois rodopiando pelo salão, primeiro ao som do *ragtime*, depois das valsas que Edwina tanto amava. Dançaram tanto naqueles quatro dias a bordo que seus sapatos prateados estavam quase gastos. Agora, Edwina sentia que nunca mais ia dançar na vida, nunca mais ia querer dançar.

— Win? — Phillip percebeu que ela estava vivendo no passado outra vez. Todos eles estavam fazendo isso.

— Hmm?... Desculpe.

Edwina olhou para o porto de Nova York, para a chuva, procurando conter as lágrimas e desejando que as coisas fossem diferentes. Todos no *Carpathia* sentiam o mesmo, todas as viúvas de pé no convés, com as lágrimas descendo pelas faces, lamentando a perda dos seus homens e de todas as vidas perdidas menos de quatro dias atrás. Quatro dias que pareciam uma vida inteira.

Muitos eram esperados por parentes e amigos, mas os Winfields não conheciam ninguém em Nova York. Antes de partirem, Bert tinha feito reservas no Ritz-Carlton, e eles ficariam no hotel até voltarem para a Califórnia. Porém, detalhes simples pareciam agora muito complicados. Não tinham dinheiro, nem roupas. Alexis perdera os sapatos, e Edwina tinha apenas o vestido de cetim azul rasgado e o vestido negro dado por alguém no dia em que foram recolhidos pelo *Carpathia*. Era um problema para todos, e Edwina imaginava como iam pagar o hotel. Teria de telegrafar para o escritório do pai, em São Francisco. De repente, tinha de resolver problemas que para ela não existiam até quatro dias atrás.

Tinham passado um rádio de bordo para o escritório da White Star Line, em Londres, pedindo para informar ao tio Rupert e à tia Liz que todas as crianças estavam vivas, mas Edwina tinha certeza de que a perda da única irmã ia ser um choque doloroso para Elizabeth. Mandara também um rádio para o escritório do pai, com a mesma informação. Tinha de pensar em tanta coisa, de repente. Então, uma frota de rebocadores surgiu da neblina, ouviram um apito estridente, e todas as embarcações no porto saudaram os sobreviventes. O silêncio mágico dentro do qual tinham vivido durante quatro dias ia ser quebrado. Jamais ocorrera a Edwina ou a Phillip que a sua tragédia era notícia, e agora, vendo os rebocadores, iates e balsas repletos de repórteres, compreenderam que não ia ser fácil.

Mas o capitão Rostron cumpriu sua palavra, e ninguém subiu a bordo do *Carpathia*, além do piloto do porto, antes de chegarem ao cais. Os fotógrafos tiveram de se contentar com o que podiam ver à distância. O único que conseguiu subir a bordo foi apanhado e retido na ponte pelo capitão.

Chegaram ao píer 54 às 21:35, e por um momento fez-se completo silêncio a bordo. A terrível jornada estava no fim. Os botes salva-vidas do *Titanic* foram retirados, erguidos pelos turcos e depois baixados como quatro dias antes, só que desta vez havia apenas um marinheiro em cada um. No convés, os sobreviventes viam os relâmpagos cortando o céu escuro e ouviam os trovões. Era como se o céu estivesse chorando sobre os barcos vazios, deixados na água, observados pelos sobreviventes e pela multidão no cais, silenciosa também agora. Dentro de poucas horas, os botes seriam saqueados por curiosos.

Alexis e George estavam com Edwina e Phillip quando os barcos foram baixados, e Alexis começou a chorar, agarrada à saia da irmã. A tempestade a assustava, e seus olhos arregalados e cheios de medo seguiam a descida dos botes. Edwina abraçou-a protetoramente, como Kate sempre fazia. Naqueles últimos dias, porém, Edwina percebera que nunca poderia substituir a mãe junto aos irmãos.

— Nós vamos... entrar neles outra vez? — Apavorada, Alexis mal podia falar, e Edwina procurou acalmá-la. Mas só conseguiu sacudir a cabeça. Estava chorando demais para responder com palavras... aqueles botes... aquelas cascas de ovo... tão preciosas algumas delas... se fossem em maior número, os outros estariam vivos...

— Não chore, Lexie... por favor, não chore... — conseguiu dizer afinal, apertando a mãozinha da irmã. Não podia prometer que tudo ficaria bem outra vez. Não acreditava mais nisso, e não podia fazer promessas vazias para as crianças. Só havia tristeza no seu coração.

Edwina viu centenas, talvez milhares de pessoas no píer. A princípio parecia um mar de rostos. Então, um relâmpago cortou o céu, e ela percebeu que havia muito mais do que isso. Mais tarde, os jornais garantiram que havia trinta mil pessoas no cais, e dez mil nas margens do rio. Mas para Edwina não significavam nada. As pessoas que ela amava não estavam ali, seus pais e Charles. Ninguém esperava por eles. Ninguém no mundo se importava com eles agora. A responsabilidade era toda sua e de Phillip. Com dezesseis anos, ele não era mais uma criança e tinha de se tornar um homem agora, uma responsabilidade que ele assumiu voluntariamente desde o momento em que foram salvos; mas não era justo, pensava ela, olhando para ele, e ao mesmo tempo mandando George vestir o casaco e ficar perto de Alexis. Via com imensa tristeza as roupas rasgadas e os rostos cansados. Pareciam exatamente o que eram agora, órfãos.

Os passageiros do *Carpathia* desembarcaram primeiro. Depois houve uma longa espera, enquanto o capitão reunia todos no salão onde tinham dormido três noites, para uma prece pelos que tinham morrido no mar, por seus filhos e por suas vidas. Fez-se silêncio, quebrado apenas por soluços discretos. Despediram-se então, um toque na mão, um abraço, um último olhar, um aceno de cabeça, e depois apertaram a mão do capitão Rostron. Pouco tinham a dizer quando se separaram pela última vez. Jamais se encontrariam, mas a lembrança ficaria para sempre.

Duas mulheres chegaram à prancha de desembarque, hesitaram, ameaçaram voltar, depois desceram, chorando em silêncio. Eram amigas de Filadélfia e tinham perdido os maridos. Pararam no meio da prancha quando um rugido se ergueu da multidão no píer. Era um lamento, um brado de dor e de simpatia e de fascinação, mas era um som aterrorizador, e Alexis mergulhou outra vez na saia de Edwina, cobrindo os ouvidos com as mãos, com os olhos fechados, e Fannie, no colo de Phillip, começou a chorar em altos brados.

— Está tudo bem... tudo bem, crianças...

Edwina tentou acalmá-las, mas sua voz não podia vencer o brado da multidão. E com horror, ela viu os repórteres avançando para os sobreviventes exaustos. Os *flashes* explodiam por toda parte, a chuva caía, e os relâmpagos iluminavam o céu. Uma noite terrível, mas não pior do que aquela que os levara a esse final doloroso. A pior noite de todas as suas vidas, e esta... era apenas mais uma. Nada mais podia acontecer a eles agora, pensou Edwina, levando os irmãos para a prancha de desembarque. Estava sem chapéu e molhada até os ossos. Levava Alexis no colo, agarrada a ela com trêmulo desespero. Phillip carregava os dois menores, um em cada braço, e George ia atrás, muito abatido e assustado. Ninguém podia adivinhar do que aquela multidão era capaz. Quando chegaram ao fim da prancha, Edwina ouviu os gritos angustiados.

— Chandler!... Harrison!... Gates? Gates!... Vocês os viram?

Eram parentes e amigos à procura de sobreviventes, mas ela apenas sacudia a cabeça. Não conhecia nenhum deles... e ao longe viu Thayer sendo abraçado por amigos de Filadélfia. Havia ambulâncias e automóveis por toda parte, e os *flashes* explodiam sem parar. Soluços e lamentos partiam da multidão cada vez que os sobreviventes sacudiam a cabeça ao ouvir os nomes. Até aquele momento não tinham ainda uma lista completa dos sobreviventes, e havia sempre a esperança de algum erro, de que alguém dado como morto tivesse na verdade sobrevivido ao naufrágio. O *Carpathia* recusara qualquer comunicação com a imprensa, mantendo uma barreira de silêncio para proteção dos sobreviventes. Mas, agora, o capitão Rostron não podia fazer mais nada para protegê-los.

— Senhora... senhora! — Um repórter atirou-se para ela, quase derrubando Alexis dos seus braços, e gritou muito junto do rosto de Edwina: — São todos seus filhos? Estavam no *Titanic*?

O homem era ousado e atrevido, e na confusão Edwina não via como se livrar dele.

— Não... sim... eu... por favor... por favor.

Edwina começou a chorar, desejando que Charles e seus pais estivessem com ela. O *flash* relampejou no seu rosto. Phillip tentou ficar na frente dela, mas, com as duas crianças nos braços, pouco podia fazer, e logo um bando de repórteres os rodeou, empurrando George para o lado, enquanto Edwina gritava para ele não se afastar.

— Por favor... por favor... parem!...

Tinham feito o mesmo com Madeleine Astor quando

ela desembarcara com a empregada, mas Vincent Astor e o pai dela, o Sr. Force, levaram-na rapidamente para a ambulância que tinham trazido. Edwina e Phillip não tiveram essa sorte, mas se livraram o mais depressa possível, entrando num dos carros enviados pelo Ritz-Carlton. Chegaram à Quinta Avenida e entraram no hotel, um grupo de maltrapilhos, sem bagagem. Mais repórteres os esperavam, e o recepcionista solícito levou-os para os quartos reservados, onde Edwina pensou que ia ter uma crise de nervos. Era como se nunca tivessem saído dali. Os quartos belos e luxuosos eram os mesmos que tinham ocupado há um mês e meio, e agora estavam de volta, e tudo era diferente. Tinham ficado naqueles mesmos quartos quando chegaram de São Francisco, antes de embarcar no *Mauretania* rumo à Europa, para conhecer os Fitzgeralds e comemorar o noivado de Edwina.

— Win... você está bem?

Muito pálida, Edwina balançou a cabeça afirmativamente. Estava ainda com o vestido de cetim azul rasgado, o casaco encharcado de chuva e os sapatos de caminhada, exatamente o que usava quando deixara o *Titanic*.

— Estou bem — murmurou, pensando na última vez que estivera naqueles quartos com Charles e com os pais.

— Você quer que eu peça outros quartos?

Phillip estava preocupado. Se Edwina se abatesse agora, o que iam fazer? A quem poderiam pedir ajuda? Ela era tudo que tinham. Edwina, porém, sacudiu a cabeça, enxugou os olhos e procurou tranqüilizar as crianças. Sabia que, por enquanto, toda a responsabilidade estava nos seus ombros.

— George, procure os cardápios. Precisamos comer alguma coisa. Phillip, ajude Fannie e Alexis a vestirem as camisolas. — Lembrou então que não tinham camisolas.

Passaram para o outro quarto, e uma surpresa os esperava. O hotel havia providenciado uma variedade de roupas infantis: para os meninos, suéteres, calças, meias, sapatos; para as meninas, duas pequenas camisolas, duas bonecas novas, um camisolão. Havia ainda um urso de pelúcia para Teddy. Edwina começou a chorar outra vez, comovida com tanta bondade, e quando entrou no quarto principal, conteve a respiração. Sobre a cama estavam as roupas para seus pais e uma garrafa de champanhe, e ela teve certeza de que no último quarto encontraria o mesmo para Charles. Com um soluço abafado, apagou a luz, fechou a porta e voltou para as crianças, que a esperavam.

Estava mais calma, e depois que os menores deitaram, sentou no sofá com Phillip e George e os viu comer um prato de galinha grelhada e, depois, alguns doces, mas, para ela, até o ato de comer parecia exaustivo demais. Um pouco antes de ir para a cama, Alexis estava outra vez com aquele olhar distante e apavorado, e Edwina sugeriu que ela dormisse abraçada com sua velha boneca, a Sra. Thomas. Fannie adormeceu logo na cama larga, ao lado dela, e Teddy no berço grande e bonito, com o camisolão novo.

— Amanhã precisamos passar um telegrama para o tio Rupert e a tia Liz — disse Edwina para os meninos.

Precisava comunicar que tinham chegado bem. Havia tanta coisa para fazer, tanta coisa para pensar. Não podia contar com nenhuma certeza agora. Precisava comprar roupas para as crianças, precisava ir ao banco e levar os menores ao médico. Acima de tudo, queria levar Teddy a um especialista e ter certeza de que Fannie não ia perder os dedinhos congelados. Eles pareciam melhor agora, e a despeito da confusão da chegada, Teddy não estava com febre. Na verdade, Alexis parecia a mais afetada. O trauma da perda da mãe parecia tê-la desligado completamente do mundo que a rodeava. Estava rabugenta e cheia de medo, e ficava histérica se Edwina se afastava nem que fosse por um instante. Mas não era de admirar, depois de tudo que tinham passado. O choque ficaria com todos por muito tempo, e as mãos de Edwina tremiam sempre que ela tentava escrever, mesmo que fosse só seu nome, ou quando abotoava a roupa das crianças. Porém, precisava continuar firme. Sabia que precisava.

Desceu para a recepção e pediu um carro com chofer para o dia seguinte, ou pelo menos uma carruagem, se todos os carros estivessem ocupados. Garantiram que o carro e o chofer estariam à sua disposição. Agradeceu pelas roupas cedidas pelo hotel e os presentes para as crianças. O gerente apertou-lhe a mão, dizendo o quanto sentia a morte dos seus pais. Eram hóspedes antigos, e fora um choque para ele saber que não tinham sobrevivido ao naufrágio.

Edwina agradeceu e voltou para o quarto. Viu umas duas ou três pessoas do navio, mas todos estavam exaustos e muito ocupados com o processo de sobrevivência.

Era quase uma hora da manhã quando ela encontrou os dois irmãos jogando cartas na sala da suíte, tomando soda e comendo os doces que tinham sobrado do jantar; por um instante, ficou parada na porta, sorrindo para eles. Era triste admitir que a vida continuava como se nada tivesse acontecido, mas ao mesmo tempo reconhecia que era sua única salvação. Eles precisavam continuar, tinham uma vida inteira pela frente. Não passavam de crianças. Para ela, no entanto, sem Charles nunca mais seria a mesma coisa. Nunca haveria outro homem igual a ele. Sua vida consistiria agora em cuidar dos irmãos e nada mais.

— Os cavalheiros não pretendem ir para a cama hoje? — perguntou, contendo as lágrimas.

Eles sorriram, e então, notando como Edwina estava vestida, George abriu um largo sorriso. Era a primeira vez que ele parecia o menino irrequieto e levado de antes da tragédia.

— Você está horrível, Edwina. — Ele riu e Phillip sorriu.

Então, naquele momento, nos quartos elegantes e luxuosos do hotel, ela sentiu que suas roupas nada tinham de heróico, eram apenas ridículas.

— Muito obrigada, George — respondeu com um sorriso. — Vou procurar me vestir melhor amanhã, para não embaraçá-lo.

— Faça isso — disse ele empertigadamente, voltando ao jogo de cartas.

— E vocês tratem de ir para a cama, por favor.

Deixando-os na sala, Edwina foi se preparar para um mergulho na luxuosa banheira do hotel. Tirou o vestido e, segurando-o na frente do corpo, olhou para ele por um longo tempo. Seu primeiro pensamento foi jogá-lo fora. Não queria ver aquele vestido nunca mais; outra parte dela, porém, queria guardá-lo para sempre. Era o vestido que tinha usado na última vez que estivera com Charles... na última noite com os pais... era a relíquia de uma vida perdida, de um momento no tempo em que tudo tinha mudado, tudo fora perdido para sempre. Dobrou o vestido e guardou-o numa gaveta. Não sabia o que ia fazer com ele, mas de certo modo era tudo que tinha realmente, um vestido de noite rasgado, que parecia pertencer a outra pessoa, a pessoa que ela fora e que nunca mais seria, a pessoa da qual mal lembrava agora.

Capítulo 7

NA MANHÃ SEGUINTE, Edwina, com o vestido negro de lã recebido no *Carpathia*, levou Teddy, Fannie e Alexis ao médico recomendado pelo gerente do hotel. O exame revelou que os dois haviam sobrevivido excepcionalmente bem à tragédia do *Titanic*. Os dois dedos da mão de Fannie talvez nunca mais tivessem a mesma sensibilidade e podiam ficar um pouco rígidos, mas era quase certo que ela não ia perdê-los. Teddy também estava reagindo muito bem à doença. O médico achou extraordinária a recuperação dos dois, depois de uma experiência tão trágica e espantosa. Fez algumas perguntas sobre a noite do naufrágio, mas Edwina não queria falar no assunto, especialmente na frente das crianças.

Quanto a Alexis, a não ser por algumas contusões recebidas quando fora atirada para o bote salva-vidas, parecia surpreendentemente ilesa e saudável. O problema era que seu espírito estava mais danificado do que o corpo. Desde o encontro no *Carpathia*, Edwina sentia que Alexis não era a mesma. Era como se não pudesse enfrentar o fato da morte da mãe, e por isso não queria enfrentar mais nada. Ela quase não falava, e sempre parecia ensimesmada e distante.

— Talvez ela fique assim por algum tempo — disse o médico, a sós com Edwina, enquanto a enfermeira vestia as crianças. — Pode nunca mais ser a mesma. O choque foi muito grande.

Mas Edwina não queria acreditar nisso. Com o tempo, Alexis voltaria a ser o que era antes, embora sempre tivesse sido muito tímida e dependente demais da mãe. Mas Edwina prometeu a si mesma não permitir que a tragédia destruísse suas vidas, pelo menos não as das crianças. Enquanto estivesse ocupada com o irmãos, não teria tempo para pensar, o que era uma bênção. O médico disse também que dentro de uma semana podiam voltar para São Francisco. As crianças precisavam de algum tempo para retomar o fôlego, e, na verdade, Edwina também.

Voltaram para o hotel e encontraram Phillip e George lendo a reportagem do naufrágio nos jornais. O *New York Times* tinha quinze páginas com o relato da tragédia e entrevistas com os sobreviventes. George queria ler tudo para Edwina, mas ela não quis ouvir. Já havia recebido três pedidos de entrevista do *New York Times,* mas não respondera a nenhuma. Não pretendia perder tempo com repórteres. Sabia que o jornal de Bert publicaria a notícia da morte dele, relatando as circunstâncias do naufrágio do gigantesco navio, e se quisessem falar com ela quando voltasse para casa, não poderia recusar. Mas não queria nenhum sensacionalismo nos jornais de Nova York. E foi com irritação que viu uma fotografia sua, desembarcando do *Carpathia* com os irmãos.

Naquela manhã, quando voltou para o hotel, tinha recebido outra mensagem. Uma comissão do Senado ia começar uma série de reuniões no dia seguinte, no Waldorf Astoria Hotel, e a convidaram para falar sobre o naufrágio do *Titanic.* Queriam ouvir os detalhes contados por todos os sobreviventes que estivessem dispostos a falar. Era importante para o comitê saber exatamente o que tinha acontecido, se alguém tinha culpa, para poder evitar casos semelhantes no futuro. Edwina disse a Phillip que a idéia de falar perante o comitê a deixava nervosa, mas achava que devia ir. Ele concordou.

Almoçaram no quarto, e depois Edwina disse que tinha muito que fazer. Não podiam passar o resto da vida com roupas emprestadas, e ela ia sair para fazer compras.

— Nós temos de ir também? — perguntou George, de má vontade, enquanto Phillip escondia o rosto atrás do jornal.

Edwina sorriu. Por um instante, George tinha falado igualzinho ao pai.

— Não, não precisam, desde que você fique aqui ajudando Phillip a tomar conta das crianças.

Edwina pensou então que quando chegasse em casa ia ter de arranjar alguém para ajudá-la. Com isso, lembrou de Oona. Tudo que ela pensava agora levava-a de volta a lembranças dolorosas do naufrágio.

Foi ao banco, depois ao Altman's, na esquina da Quinta Avenida com a Rua Trinta e Quatro, e comprou quase tudo para todos. Depois, no Oppenheim Collins, comprou o resto. O escritório do seu pai tinha mandado uma ordem de pagamento generosa, mais do que Edwina precisava, para ela e para os irmãos.

Passava das quatro quando voltou para o hotel com um vestido de luto, comprado no Altman's. George e Phillip estavam jogando cartas outra vez.

— Onde estão os outros? — perguntou, deixando alguns pacotes no chão da sala, enquanto o chofer entrava com o resto. Muita coisa era necessária para vestir adequadamente cinco crianças, mais os cinco vestidos negros discretos que sem dúvida ia usar por um longo tempo. Quando os experimentara, na loja, vira, com surpresa, que aqueles vestidos escuros a faziam parecer com a mãe.

Olhou em volta. Não viu nenhuma das crianças. Phillip e George continuavam absortos no jogo de cartas.

— Onde estão eles?

Com um largo sorriso, Phillip apontou para o quarto. Edwina atravessou a sala rapidamente e parou na porta, atônita. As duas meninas e o irmão de dois anos estavam brincando com uma das empregadas do hotel, no meio de umas duas dúzias de bonecas, mais um cavalo de balanço e um trem, só para Teddy.

— Nossa! — exclamou Edwina, olhando em volta. Havia ainda caixas fechadas empilhadas quase até o teto. — De onde veio tudo isso?

George deu de ombros, jogou uma carta que irritou o irmão, e então Phillip disse:

— Não tenho certeza. Todos os presentes tinham cartões. Acho que a maior parte é dos hóspedes do hotel... tem alguma coisa do *New York Times*... da White Star Line também. Eu não sei, são apenas presentes, eu acho.

As crianças divertiam-se a valer, abrindo os presentes. Até Alexis parecia feliz, e sorriu para Edwina. Era a festa de aniversário que o naufrágio tinha roubado, e muito mais. Eram dez aniversários e o Natal num dia só.

Edwina andou pelo quarto, no meio da desordem. Teddy, montado no cavalo de balanço, acenou sorridente para ela.

— O que vamos fazer com tudo isso?

— Temos de levar para casa, é claro — disse George, calmamente.

— Você comprou tudo que precisava? — perguntou Phillip, enquanto ela tentava arrumar um pouco a desordem e dividir suas compras pelos irmãos. — Não gosto muito desse vestido — continuou ele —, é para gente mais velha, não é?

— Acho que sim — respondeu Edwina em voz baixa. Mas, na sua opinião, era muito apropriado. Não se sentia jovem agora, e imaginava se voltaria a ser algum dia. — Não havia muita coisa em preto nas duas lojas que eu visitei.

Edwina era tão alta e esbelta que era difícil encontrar exatamente o que ela queria. Kate tinha o mesmo problema, e às vezes uma usava o vestido da outra. Nunca mais. Nunca mais partilhariam coisa alguma... nem a amizade, nem a ternura, nem o riso. Como a infância de Edwina, tudo isso tinha acabado para sempre.

Então Phillip compreendeu por que ela estava de preto. Não tinha pensado nisso e imaginou se ele e George iam ter de usar gravatas e braçadeiras negras. Usaram quando os avós morreram. Kate dissera que era uma demonstração de respeito, mas Bert garantira que era bobagem. E Phillip lembrou de algo que tinha esquecido.

— Chegou um marconigrama hoje, do tio Rupert e da tia Liz.

— Oh, meu Deus — disse Edwina. — Eu ia telegrafar para eles esta manhã e esqueci, com a visita ao médico e tudo mais. Onde está?

Phillip apontou para a mesa. Edwina apanhou o papel, e, com um suspiro, sentou para ler. Não era o que ela queria naquele momento, mas tinha de reconhecer a boa intenção dos tios. Dentro de dois dias, a tia Liz ia embarcar para Nova York, no *Olympia*, e depois iriam todos com ela para a Inglaterra. O coração de Edwina se apertou, e ela teve pena da tia. Liz enjoava desesperadamente a bordo. Além disso, só a idéia de atravessar o oceano outra vez deixava Edwina doente. Sabia que jamais entraria num navio, por mais que vivesse. Jamais esqueceria a popa do *Titanic* saindo em linha reta da água, desenhada contra o céu noturno, vista do bote salva-vidas.

Naquela noite, telegrafou dizendo que a tia Liz não deveria ir a Nova York, informando que iam voltar para São Francisco. Mas na manhã seguinte chegou a resposta.

"Nada de discussão. Vocês vêm para a Inglaterra com sua tia Elizabeth. Sinto muito as circunstâncias para vocês todos. Devem procurar fazer o melhor aqui. Vejo todos em breve. Rupert Hickham."

Edwina estremeceu só de pensar em morar em Havermoor Manor.

— Temos de ir, Edwina? — perguntou George, mal disfarçando o terror, e Fannie começou a chorar, dizendo que sempre sentia frio na casa dos tios e que a comida era horrível.

— Eu também sentia frio, agora pare de chorar, sua bobinha. O único lugar aonde vamos agora é a nossa casa. Está claro?

Cinco cabeças fizeram um gesto afirmativo, e cinco rostos muito sérios esperavam que fosse verdade. Mas não ia ser fácil convencer o tio Rupert. Edwina mandou outro telegrama imediatamente. E depois de uma batalha de dois dias, a tia Liz apanhou um tremendo resfriado e foi obrigada a adiar a viagem. Durante a troca de mensagens, Edwina deixou bem claro o que pretendia. "Não precisa vir a Nova York. Vamos para casa, em São Francisco. Muita coisa para acertar, para resolver. Estaremos bem em casa. Por favor, venham nos visitar. Estaremos em casa a partir do dia primeiro de maio. Todo o nosso amor para o senhor e para a tia Liz. Edwina." A última coisa que queriam agora era morar na Inglaterra com a tia Liz e o tio Rupert. Edwina não queria nem pensar.

— Tem certeza de que eles não vão a São Francisco para pegar a gente? — perguntou George, com os olhos arregalados.

Edwina sorriu.

— É claro que tenho. Eles não são seqüestradores, são nossos tios, e suas intenções são boas. Só que eu acho que podemos viver muito bem em São Francisco.

Era uma declaração corajosa, que ainda precisava ser provada, mas Edwina estava resolvida a conseguir o que queria. O jornal era dirigido por uma boa equipe, escolhida por seu pai, e fora sempre muito bem orientado por ele. Não havia motivo para mudar as coisas, mesmo sem Bert Winfield. Ele sempre dizia que se lhe acontecesse alguma coisa, ninguém chegaria a perceber. Isso ia ser provado agora, porque Edwina não tinha intenção de vender o jornal. Eles precisavam daquela renda, e embora ele não fosse tão lucrativo quanto o *New York Times*, ou outros grandes jornais, propiciava algum dinheiro, do qual ela e os irmãos iriam precisar para viver em São Francisco. Não ia deixar que Rupert, Liz ou qualquer outra pessoa a convencessem a vender o jornal, nem a casa, nem qualquer outra coisa que tivesse pertencido aos pais. Estava ansiosa para voltar para casa, para resolver tudo, antes que alguém tomasse uma decisão contrária à sua vontade. Tinha resolvido que ia voltar para casa. O que ela não sabia era que Rupert já fizera planos para fechar a casa em São Francisco e pôr o jornal a venda. Se dependesse dele, os Winfields não voltariam a São Francisco, e se voltassem, não seria por muito tempo. Mas Rupert não estava contando com Edwina e com sua decisão de manter a família unida, no lugar ao qual pertenciam. Juntos, em casa, em São Francisco.

Os Winfields passaram aquela semana em Nova York. Deram longos passeios no parque, voltaram ao médico e ficaram satisfeitos com a notícia da recuperação de Teddy e dos dedos de Fannie. Almoçaram no Plaza e foram fazer compras, porque George informara que nem morto vestiria o paletó comprado por Edwina. Libertaram-se da tensão, descansaram e se recuperaram em parte, mas à noite ficavam em silêncio, com seus pensamentos e seus temores, com a lembrança da tragédia. Alexis ainda tinha pesadelos e dormia na cama com Edwina, com Fannie na cama ao lado e Teddy no berço, bem perto delas.

Na última noite, jantaram no quarto do hotel e depois jogaram cartas e conversaram, e George os fez rir com uma imitação perfeita do tio Rupert.

— Isso não é justo — disse Edwina, tentando censurá-lo, mas rindo também. — O pobrezinho tem gota e é bem intencionado.

Mas era engraçado também e presa fácil para o humor maroto de George. Só Alexis não riu com eles. Há dias ela nem sorria, e aos poucos parecia se isolar de todos, lamentando a morte dos pais.

— Eu não quero voltar para casa — murmurou ela bem tarde, naquela noite, na cama, ao lado de Edwina, enquanto os outros dois dormiam.

— Por quê? — perguntou Edwina. Mas Alexis apenas sacudiu a cabeça, com os olhos cheios de lágrimas, e escondeu o rosto no ombro da irmã. — Do que você tem medo, querida? Não há nada que possa fazer mal a você...

Nada podia magoá-los mais do que aquelas horas no *Titanic*, e em certos momentos a própria Edwina desejava ter morrido também. Momentos em que não queria continuar a viver sem os pais e sem Charles. Quase não tinha tempo para pensar nele, para chorar sua morte, para deixar que sua mente lembrasse os momentos felizes. Mesmo assim, pensar em Charles era doloroso demais, quase insuportável. Mas com os irmãos precisando dela, tinha de continuar. Procurava só pensar neles, em nada mais.

— Você vai estar segura no seu quarto outra vez — disse, em voz baixa —, e vai ver seus amigos na escola...

Mas Alexis sacudiu a cabeça, e olhou com tristeza para Edwina.

— Mamãe não vai estar em casa quando chegarmos.

Todos sabiam disso, e Edwina sabia também que às vezes, infantilmente, deixava-se embalar pela esperança de que eles estariam lá, e Charles com eles, e que tudo não passava de uma brincadeira cruel, que nada daquilo tinha acontecido. Mas Alexis sabia a verdade e não queria enfrentar a ausência dos pais quando chegassem a São Francisco.

— Não, ela não vai estar lá. Mas vai estar nos nossos corações para sempre. Os três: mamãe, papai e Charles. E quando estivermos em casa, vamos nos sentir mais perto de mamãe. — A casa, na Califórnia, era parte de Kate, com tanta coisa bonita feita por ela, para eles, e o jardim, uma verdadeira obra de arte das suas mãos mágicas. — Você não quer ver as roseiras no jardim secreto da mamãe? — Alexis sacudiu a cabeça e abraçou o pescoço de Edwina, num gesto desesperado. — Não tenha medo, meu bem... não tenha medo... eu estou aqui... e sempre estarei...

Abraçando a irmã, Edwina compreendeu que jamais os deixaria. Lembrou do quanto a mãe os amava e adormeceu, ouvindo as palavras de Kate... era verdade... lembrava-se do quanto a mãe a amava... e nenhum amor seria maior agora do que o seu pelos irmãos. E abraçada a Alexis, lembrou de Charles e do pai, do rosto da mãe, e as lágrimas molharam seu travesseiro.

Capítulo 8

OS WINFIELDS DEIXARAM Nova York no dia 26 de abril, numa chuvosa manhã de sexta-feira, onze dias depois do naufrágio do *Titanic*. O automóvel do Ritz-Carlton levou-os à estação, e o chofer ajudou Edwina a despachar as malas. Eram poucas agora, apenas com o que tinham comprado em Nova York. Os brinquedos e outros presentes foram despachados antes, de trem. Agora, nada mais tinham a fazer senão voltar para casa e começar a vida sem os pais. Para os dois menores, pouca coisa tinha mudado, porém Phillip sentia-se responsável por eles agora. Para um jovem de quase dezessete anos, era uma carga bastante pesada. George sentiu a diferença. Com Edwina, ele não era tão difícil, porque a irmã os conduzia com maior firmeza do que os pais, mas também porque tinha pena dela. Era um trabalho insano cuidar dos irmãos menores. Edwina parecia estar sempre com uma criança no colo. Fannie chorava o tempo todo. Edwina estava constantemente trocando a roupa de Teddy. Alexis, quando não se agarrava à saia da irmã, escondia-se num canto qualquer ou atrás das cortinas. Era como se Edwina precisasse de oito braços agora, e embora George ainda gostasse de fazer brincadeiras, nunca as fazia à custa da irmã mais velha.

Na verdade, os dois, George e Phillip, pareciam anjos, ajudando-a a entrar no trem e acomodar as crianças. Tinham duas cabines no trem, e depois de dormir três noites nos colchões do *Carpathia*, ninguém ia reclamar do conforto. Agradeciam pelo fato de estarem a salvo e agasalhados, de volta para casa, e quando o trem saiu da estação, Edwina sentiu um alívio imenso. Estavam a caminho de casa, onde estariam seguros, onde nenhuma coisa terrível jamais podia acontecer, pelo menos era o que esperava. A mente de Edwina funcionava agora em dois planos. Quando estava preocupada com as crianças, não tinha tempo para pensar em outras coisas, nem para lembrar. Mas à noite, na cama, com Alexis ou Fannie, só pensava em Charles, nos seus últimos beijos, o toque da sua mão... a última dança... e sua atitude otimista quando o vira pela última vez, no *Titanic*. Charles era um jovem elegante, bondoso, e teria sido um marido maravilhoso. Não que isso tivesse importância agora. Mesmo assim, Edwina torturava-se com esses pensamentos, e agora, no trem, as rodas nos trilhos pareciam repetir seu nome sem cessar... Charles... Charles... Charles... eu te amo... eu te amo... eu te amo... ela queria gritar, e ouvia a voz dele chamando-a. Finalmente, fechou os olhos para não ver o rosto que parecia tão real ainda. Nunca o esqueceria, e invejava os pais, juntos até o fim. Às vezes, desejava ter morrido com Charles, e só com esforço pensava nas crianças.

Edwina e os irmãos leram os jornais enquanto atravessavam os Estados Unidos, e em todos estava a história do *Titanic*. Continuavam as audiências da comissão. Edwina fizera uma breve exposição sobre o naufrágio, ainda em Nova York. Fora doloroso e emocionante, mas ela achava que era seu dever. Por enquanto, a única conclusão alcançada pela comissão era de que um rombo de noventa metros a estibordo do *Titanic* fora responsável pelo naufrágio. Não importava mais agora, mas todos queriam descobrir uma razão, uma causa, como se com isso pudessem justificar o acidente. Mas Edwina sabia que nada o justificava. O mais importante era que todos lamentavam as vidas perdidas e censuravam o fato de não haver botes salva-vidas suficientes a bordo. A comissão perguntara qual tinha sido a atitude dos oficiais e o que ela achava da conduta das pessoas nos botes salva-vidas. A opinião pública reclamava também o fato de não ter havido nenhum exercício de salvamento. Nem a tripulação sabia onde devia estar em caso de perigo. A descoberta mais chocante fora o fato de os botes terem deixado o navio com menos da metade de passageiros que podiam transportar, e dos sobreviventes de metade desses botes recusarem ajuda aos que estavam na água, com medo de virar o bote. O episódio passaria para a história como uma tragédia dolorosa de proporções monumentais. O testemunho perante a comissão deixou-a exausta e desolada, como se tivesse perdido a esperança de que podia mudar alguma coisa. Nada podia trazer de volta as pessoas amadas. De certo modo, falar sobre o naufrágio era extremamente doloroso. Como foi doloroso ler nos jornais que haviam sido recuperados três mil e vinte e oito corpos. Antes de sair de Nova York, Edwina sabia que nenhum deles era dos seus pais ou de Charles.

Os Fitzgeralds mandaram um telegrama comovente de pêsames, dizendo que, nos seus corações, Edwina seria sempre a filha querida. E por algum motivo, ela pensou no belo véu de noiva que estava sendo feito e que *lady* Fitzgerald deveria levar para os Estados Unidos em agosto. O que ia acontecer com o véu agora? Quem iria usá-lo? E por que estava se preocupando com isso? Não tinha o direito de lamentar ninharias, nem de pensar em coisas tão sem importância. O véu de noiva não era importante. À noite, acordada, no trem, olhando pela janela, Edwina tentou não pensar naquelas pequenas coisas. As luvas de Charles, atiradas para ela quando deixara o navio, estavam na valise. Mas não podia olhar para elas agora. Era doloroso demais. Porém, saber que estavam ao seu lado era um conforto.

Edwina estava acordada quando as Montanhas Rochosas apareceram iluminadas pelas primeiras pinceladas da manhã, no último dia da viagem, e pela primeira vez naquelas duas semanas ela sentiu-se melhor. Quase nunca tinha tempo para analisar o que estava sentindo, o que era uma bênção, mas naquela manhã acordou os irmãos para que vissem as majestosas montanhas recortadas contra o céu.

— Já chegamos em casa? — perguntou Fannie, arregalando os olhos.

Fannie não via a hora de chegar. Várias vezes dissera que nunca mais ia sair de casa, e que assim que chegassem ia fazer um bolo de chocolate, como a mamãe fazia, e Edwina prometera ajudá-la. George dissera que não ia voltar para a escola, tentando convencer Edwina de que estava traumatizado demais e que seria melhor descansar em casa, por algum tempo, antes de recomeçar os estudos. Mas Edwina, é claro, não acreditou. Phillip preocupava-se com a escola. Dentro de um ano iria para Harvard, no Leste, seguindo os passos do pai. Pelo menos esse era o plano, mas agora era difícil saber se poderia executá-lo. Talvez eu nem possa ir para a universidade, pensava ele, tristemente, enquanto o trem os levava para casa. Mas não tinha direito de lamentar nada, a não ser a grande perda sofrida.

— Weenie — disse Fannie, usando o apelido que sempre provocava o riso da irmã.

— Sim, Frances? — respondeu Edwina, com fingida arrogância.

— Por favor, não me chame de Frances. — Olhou para ela com ar de censura, e continuou: — Você vai dormir no quarto da mamãe agora?

Foi uma pergunta simples e ingênua, mas Edwina teve a impressão de ter levado um soco no estômago.

— Não, não vou. — Não poderia dormir naquele quarto. Não era o seu. Era deles e só deles. — Vou dormir no meu quarto mesmo.

— Mas você não é nossa mãe agora? — Fannie parecia intrigada, e Edwina viu as lágrimas nos olhos de Phillip quando ele virou o rosto para a janela.

— Não, não sou. — Sacudiu a cabeça, tristemente. — Sou Weenie, sua irmã mais velha. — Sorriu.

— Mas então, quem vai ser nossa mãe?

O que podia dizer? Como explicar? Até George desviou os olhos. Era uma pergunta dolorosa demais.

— Mamãe ainda é a nossa mãe e sempre será. — Era tudo que podia dizer, e tinha certeza de que os maiores compreendiam.

— Mas ela não está aqui agora. E você disse que vai cuidar de nós. — Fannie parecia a ponto de chorar, e Edwina procurou tranqüilizá-la.

— Vou tomar conta de vocês. — Pôs Fannie no colo e olhou para Alexis, encolhida num canto do banco, de olhos baixos, procurando não ouvir a conversa. — Vou fazer o que mamãe fazia, do melhor modo possível. Mas ela continua sendo a nossa mãe. Eu não poderia ser a mamãe, por mais que me esforçasse. — E jamais ia querer tomar o lugar dela.

— Oh. — Fannie balançou a cabeça afirmativamente, satisfeita, e lembrou de uma outra coisa que precisava esclarecer, antes de chegar em casa. — Então, você pode dormir na minha cama todas as noites?

Edwina apenas sorriu.

— Sua cama pode despencar, sabe? Não acha que sou grande demais para ela? — Ela tinha uma cama muito bonita, feita por Bert, há muitos anos. — Vamos fazer uma coisa. Você pode visitar a minha cama, às vezes. Que tal? — Alexis olhou para ela com toda a sua tristeza. Ela não gostava de ouvir dizer que a mãe não ia voltar. — Você também, Alexis. Pode dormir comigo uma vez ou outra.

— E eu? — perguntou George com ar maroto, fingindo que torcia o nariz de Fannie e dando um doce para Alexis.

Edwina pensou no quanto George tinha mudado nas últimas semanas. Estava muito mais comportado. A perspectiva de voltar para casa preocupava todos eles. Ver a casa, saber que os pais não voltariam nunca mais, ia ser doloroso.

Pensavam nisso naquela última noite no trem, acordados por um longo tempo, em silêncio. Edwina dormiu menos de duas horas. Às seis, levantou, lavou o rosto e vestiu um dos seus melhores vestidos negros. Deviam chegar um pouco depois das oito, e os campos familiares pelos quais passavam agora eram um conforto. Acordou os menores e bateu na porta da cabine de Phillip e George. Às sete horas, estavam todos tomando café no vagão-restaurante. Os meninos comeram bem. Alexis apenas brincou com os ovos mexidos, e Edwina cortou os *waffles* para Fannie e Teddy. Voltaram para a cabine, e quando ela terminou de lavar os rostos das crianças e arrumou suas roupas, o trem entrou vagarosamente na estação. Edwina fez questão de que todos estivessem bem-vestidos, penteados, e caprichou nos laços de fita de Fannie e Alexis. Não sabia quem os estaria esperando na estação, mas tinha certeza de que ia ser observada e talvez fotografada pelos repórteres do jornal do pai. Queria que ele pudesse se orgulhar de todos eles. Devia isso aos pais. O trem parou com um pequeno tranco. Edwina conteve uma exclamação e olhou para os outros. Ninguém disse nada, mas todos sentiam a dor aguda, agridoce, de voltar para casa. Estavam de volta, tão diferentes de quando partiram, tão completamente mudados, tão sozinhos, mas extremamente unidos.

Capítulo 9

AS ÁRVORES E OS ARBUSTOS estavam floridos quando Edwina e os irmãos desceram do trem para o primeiro sol daquele dia de maio. No íntimo, ela esperava encontrar tudo como havia deixado. Mas não encontrou. Como a sua vida, tudo parecia diferente. Saíra de casa como uma jovem feliz e despreocupada, com os irmãos e os pais. Charles estava com eles, e os dois conversaram o tempo todo no trem, atravessando os Estados Unidos. Falaram sobre o que desejavam, sobre as coisas em que acreditavam, e até sobre quantos filhos queriam ter. E agora nada era igual, muito menos Edwina. Voltava para casa cheia de dor e sem os pais. Usava um vestido negro que a fazia parecer mais alta, mais magra e muito mais velha, e um chapéu negro, com véu, comprado em Nova York. Viu os repórteres do jornal do pai e de outros jornais. Por um momento, teve a impressão de que metade da cidade estava ali. Um repórter aproximou-se e, com uma explosão de luz, fotografou-a. A fotografia apareceria na primeira página, no dia seguinte, mas naquele momento Edwina afastou-se dele e procurou ignorar a imprensa e o povo curioso. Ajudou as crianças a descer do trem. Phillip carregava Fannie e Alexis, e Edwina apanhou Teddy no colo, enquanto George ia procurar um carregador. Estavam em casa agora. Apesar da multidão curiosa, sentiam-se seguros, e ao mesmo tempo com medo do que não iam encontrar quando chegassem.

Quando Edwina procurava juntar as poucas malas, um homem correu para ela. Era Ben Jones, advogado do seu pai. Eram velhos amigos, da mesma idade, e vinte e cinco anos atrás tinham sido companheiros de quarto em Harvard. Ben era um homem alto, atraente, com um sorriso bondoso e cabelos grisalhos, antes louros, e conhecia Edwina desde pequena. Mas não via agora a criança, e sim uma mulher jovem muito triste, procurando levar os irmãos para casa Ben caminhou para ela, entre a multidão que abria espaço para ele, em silêncio.

— Como vai, Edwina? — Seus olhos estavam cheios de dor, quase tanto quanto os dela. — Eu senti tanto.

Ben falou depressa, para não chorar. Bert Winfield era seu melhor amigo, e a tragédia do *Titanic* fora um choque doloroso para ele. Procurara se informar no jornal imediatamente e ficara sabendo, por uma mensagem de Edwina, do *Carpathia*, que ela estava com os irmãos, mas sem os pais e o noivo. Ben chorara a perda do amigo e da mulher dele, e chorara a terrível perda sofrida pelas crianças.

Todos ficaram contentes por vê-lo, e George sorriu como não sorria há duas semanas. Até Phillip parecia aliviado. Era o primeiro amigo que viam desde o desastre. Mas ninguém queria falar a respeito. Ben tentou manter os repórteres à distância. George disse então:

— Eu aprendi dois novos truques com cartas na viagem de volta.

Ben notou que o menino parecia cansado, triste, e estava muito pálido. Não era o mesmo, mas tentava valentemente iniciar uma conversa.

— Vai me mostrar quando chegarmos em casa. Você ainda rouba no jogo de cartas?

George riu, e Ben olhou para os outros. O rosto de Alexis estava completamente inexpressivo. Ele notou também que os mais novos estavam pálidos e pareciam cansados, e o quanto Edwina tinha emagrecido desde que saíra da Califórnia. Na verdade, Edwina só começara a perder peso depois do naufrágio.

— Mamãe está morta — anunciou Fannie, enquanto esperavam as malas, e Edwina teve a impressão de ter levado um murro no estômago.

— Eu sei — disse Ben, em voz baixa, e todos esperaram o que ele ia dizer. — Eu senti muito quando soube. — Olhou para Edwina, muito pálida sob o véu. Na verdade, todos estavam pálidos. Com o coração apertado, Ben viu em todos os rostos a tragédia por que tinham passado. — Mas estou satisfeito por ver que vocês estão bem, Fannie. Estávamos todos muito preocupados com vocês.

Ela fez um gesto afirmativo, satisfeita, e então contou uma parte do perigo enfrentado.

— O Sr. Gelado mordeu meus dedos. — Ergueu a mão mostrando os dedos, e Ben fez um gesto afirmativo, feliz por ver que estavam quase perfeitos. — E Teddy pegou uma tosse, mas agora está bom.

Edwina sorriu para o repórter e entraram no carro enviado pelo jornal do seu pai. Era usado às vezes para viagens, e tinham mandado também a carruagem para as malas, embora fossem poucas agora. Eles não sabiam que bagagem trariam.

— Foi muita bondade sua nos apanhar na estação — disse ela.

Ben sabia o que estavam sentindo, pois perdera a mulher e o filho no terremoto de 1906. Fora um sofrimento terrível, e ele nunca mais se casara. O menino teria a idade de George. Por isso, George tinha um lugar especial no seu coração.

Ben e George conversaram o tempo todo, mas os outros ficaram em silêncio, todos pensando a mesma coisa. A casa ia parecer vazia sem os pais. E foi pior ainda do que Edwina tinha imaginado. As flores plantadas por Kate antes de partir, com suas cores variadas, eram como um tapete de boas-vindas.

— Venham, vamos entrar — disse Edwina, vendo que eles hesitavam, no jardim.

Todos pareciam querer evitar o momento de entrar na casa, e Ben tentou conversar, para facilitar as coisas, mas ninguém estava disposto a falar. Entraram e olharam em volta, como se estivessem numa casa estranha. Edwina percebeu que esperava ouvir os sons que jamais ouviria na vida... o farfalhar da saia da mãe... o tilintar das suas pulseiras. A voz do pai, descendo a escada... Mas só ouvia o silêncio. Alexis parecia apurar os ouvidos para ouvir as vozes que desejava. Mas não havia nada para ouvir. A tensão era quase insuportável, todos olhando em volta, como que à espera de alguma coisa. Teddy puxou a manga de Edwina, com uma expressão curiosa no rosto.

— Mamãe? — perguntou, como se esperasse uma explicação razoável para aquela ausência. Mesmo tendo visto a mãe pela última vez no navio, na sua cabecinha o lugar dela era ali, em casa.

— Ela não está aqui, Teddy. — Edwina ajoelhou ao lado dele.

— Adeusinho?

— Isso mesmo.

Edwina tirou o chapéu e o jogou na mesa do *hall*. Sem ele, parecia jovem outra vez, e ficou de pé, incapaz de dar maiores explicações. Segurou a mão de Teddy e olhou tristemente para os outros.

— É duro estar aqui outra vez, não é? — perguntou, com voz rouca.

Os dois meninos assentiram com a cabeça, e Alexis caminhou vagarosamente para a escada. Edwina sabia para onde ela estava indo e desejou que não fosse. Alexis ia para o quarto da mãe. Talvez fosse melhor assim. Talvez desse modo ela conseguisse aceitar a realidade. Phillip olhou interrogativamente para Edwina, mas ela sacudiu a cabeça.

— Pode deixar... ela está bem.

Estavam todos tristes, mas pelo menos estavam em casa.

O chofer do jornal levou as poucas malas para dentro, e a Sra. Barnes, a idosa governanta, apareceu, enxugando as mãos no avental branco engomado. Era uma mulher carinhosa e adorava Kate. Abraçou Edwina e as crianças, chorando desconsoladamente. Edwina compreendeu que não ia ser fácil. Muitas pessoas iam apresentar condolências, muitas iam fazer perguntas e mais perguntas. Sentiu-se exausta só em pensar.

Meia hora depois, Ben despediu-se. Ela o acompanhou até a porta. Ben pediu para Edwina avisá-lo quando estivesse disposta a tratar de negócios.

— É muito urgente? — perguntou ela, preocupada.

— Logo que estiver pronta — disse ele, em voz baixa, procurando não alarmar Edwina nem as crianças.

Mas não estavam mais por perto. George estava no segundo andar, destruindo seu quarto, Phillip examinava a correspondência e seus livros, Fannie fora para a cozinha com a Sra. Barnes, para comer biscoitos, com Teddy atrás dela, mas olhando constantemente sobre os ombros para ver se o papai ou a mamãe apareciam.

— Você vai ter de resolver muita coisa — disse Ben, de pé, no corredor, ao lado de Edwina.

— Que tipo de coisa? — Ela precisava saber. Há uma semana preocupava-se com isso. E se não tivessem dinheiro suficiente para sobreviver? Sempre pensara que tinham. Mas, se não tivessem?

— Tem de resolver o que vai fazer com o jornal, com esta casa, com alguns investimentos do seu pai. Acho que devo dizer também que seu tio é de opinião que devem vender tudo e ir morar na Inglaterra. Mas podemos falar sobre isso mais tarde. — Não queria aborrecê-la. Edwina já estava corada, e seus olhos brilhavam de raiva.

— O que o meu tio tem a ver com tudo isso? Por acaso ele é meu guardião? — Era a primeira vez que pensava nessa possibilidade assustadora, mas Ben sacudiu a cabeça, tranqüilizando-a.

— Não, sua tia sim, de acordo com o testamento da sua mãe. Mas só até você completar vinte e um anos.

— Graças a Deus. — Edwina sorriu. — Faltam só três semanas. Posso esperar.

Ben sorriu também. Ela era uma moça inteligente e ia se sair bem. Era uma pena que tivesse de passar por tudo isso.

— Teremos de vender o jornal? — Estava preocupada outra vez, e Ben sacudiu a cabeça.

— Algum dia você pode querer vender, mas no momento está sendo dirigido por pessoas muito capazes e vai lhe dar a renda de que precisa para viver. Porém, se dentro de alguns anos Phillip não se interessar por ele, talvez tenham de vender. A não ser que você queira experimentar, Edwina.

Os dois sorriram. Era a última coisa que ela desejava.

— Podemos falar sobre tudo isso na próxima semana, mas vou dizendo logo, Ben, que não pretendo ir a lugar nenhum. E não vou vender nada. Vou conservar tudo exatamente como está agora... para as crianças.

— É uma grande responsabilidade para você.

— Talvez. — Muito séria, Edwina caminhou para a porta. — Mas neste momento só eu posso assumi-la. Vou fazer todo o possível para continuar como se meus pais estivessem vivos.

Ben compreendeu que ela falava sério.

Ele a admirava por querer tentar, mas ao mesmo tempo duvidava que conseguisse. Criar cinco crianças era uma tarefa pesada demais para uma jovem de vinte anos. Mas ele sabia também que Edwina tinha a cabeça do pai e o calor e a coragem da mãe, e que estava realmente resolvida a fazer com que tudo desse certo, por mais difícil que fosse. Sim, talvez tivesse razão. Talvez conseguisse.

Quando ele saiu, Edwina fechou a porta com um suspiro e olhou em volta. A casa parecia não ter sido usada por muito tempo. Não havia flores nos vasos, nem os cheiros agradáveis e frescos, nenhum som de felicidade, nenhum sinal de que alguém se importava com ela, e Edwina compreendeu que tinha muito a fazer. Mas, antes, devia ver onde estavam as crianças. Ouvia os dois menores brincando com a Sra. Barnes, na cozinha, e no segundo andar Phillip e George discutiam para resolver de quem era a raquete quebrada por George, e no quarto de Alexis não tinha ninguém. Era fácil adivinhar por quê. Passando por seu quarto, Edwina subiu lentamente para o apartamento claro e ensolarado dos pais.

Era doloroso subir aquela escada sabendo que eles não estariam lá. E o lugar estava quente e abafado como se as janelas estivessem fechadas há meses. Mas estava cheio de sol e oferecia uma bonita vista para a East Bay.

— Alexis? — chamou em voz baixa. Sabia que ela estava ali, podia sentir sua presença. — Querida... onde você está?... Volte para baixo... nós todos sentimos sua falta.

Mas ela sentia mais falta da mãe, e Edwina sabia disso. Tinha certeza de que Alexis estava ali, e foi com o coração apertado que entrou no belo quarto de vestir da mãe, todo cor-de-rosa, com os perfumes alinhados na penteadeira, os chapéus e os sapatos em perfeita ordem nas prateleiras... os sapatos que ela nunca mais calçaria. Edwina tentou não olhar para eles, e as lágrimas inundaram seus olhos. Não tinha intenção de entrar ali tão cedo, mas precisava encontrar Alexis.

— Lexie?... Venha, meu bem... venha para baixo comigo. — Mas tudo era silêncio, tudo era a luz feliz do sol e o perfume da sua mãe. — Alex...

Lá estava ela, no *closet* de Kate, segurando a boneca e chorando silenciosamente. Segurava os vestidos da mãe, sentindo o perfume, sentada sozinha iluminada pelo sol de maio. Edwina ajoelhou perto dela, segurou o rostinho com as duas mãos, suas lágrimas juntando-se às da irmã.

— Eu te amo, minha querida... Eu te amo muito... talvez não exatamente como mamãe amava... mas estou aqui para você, Alexis... confie em mim.

Ela mal podia falar. A fragrância das roupas de Kate torturava sua lembrança e seu coração. Era quase insuportável estar ali sem ela. E no outro lado do corredor, ela via os ternos do pai no seu quarto de vestir. Pela primeira vez na vida, Edwina sentiu que nem ela nem Alexis tinham direito de estar ali.

— Eu quero mamãe — disse a menina, encostando-se em Edwina.

— Eu também — disse Edwina, chorando e beijando-a —, mas ela se foi, meu bem... ela se foi... e eu estou aqui... e prometo que nunca a deixarei...

— Mas ela me deixou... ela foi embora...

— Ela não queria nos deixar... não foi por vontade dela. Apenas aconteceu.

Não era verdade. Há dias Edwina vinha tentando afastar aquele pensamento, desde que deixara o *Titanic* sem Kate. Por que ela não embarcara no bote salva-vidas com Edwina e as crianças? Ou mais tarde, quando pensara que Alexis estava no barco? Foram descidos outros depois... ela podia ter descido num deles. Mas preferira ficar no navio com o marido. Phillip lhe contara a decisão da mãe de ficar com Bert. Como pudera fazer isso com eles?... com Alexis... Teddy... Fanny... com os meninos... e em algum lugar do seu íntimo, Edwina sentiu que estava zangada com Kate. Mas não podia admitir isso para Alexis, agora.

— Eu não sei por que aconteceu, Lexie, mas aconteceu. E agora temos de cuidar uns dos outros. Nós todos sentimos falta dela, mas temos de continuar... era isso que ela queria.

Alexis hesitou por um longo tempo. Edwina ficou de pé, e ela continuou sentada no *closet*.

— Não quero descer...

Resistiu quando Edwina tentou tirá-la do quarto, olhando em volta, com expressão de pânico, como se temesse nunca mais ver aquele quarto, nem tocar as roupas da mãe, ou sentir o perfume delicado.

— Não podemos mais ficar aqui em cima, Lexie... só serve para nos deixar mais tristes. Sei que ela está aqui, e você sabe também, ela está em toda parte. Eu sempre vou senti-la comigo, e você também. Basta pensar nela.

Alexis hesitou. Edwina pegou-a no colo carinhosamente e levou-a para baixo, para seu quarto. A menina agora não parecia tão assustada nem tão triste. Finalmente estava em casa, a coisa que todos mais tinham desejado e temido, e descobriram que era verdade. Sua mãe e seu pai tinham partido para sempre. Mas as lembranças continuavam vivas, como as flores no seu jardim. Sem dizer mais nada, Edwina deixou um pequeno frasco de perfume de Kate na penteadeira de Alexis naquela noite. A partir desse dia, sempre sentia o perfume na Sra. Thomas. Era uma leve lembrança da mulher que todos amavam tanto e que escolhera morrer com o marido.

Capítulo 10

— NÃO ME IMPORTO A MÍNIMA. — Edwina olhou furiosa para Ben Jones. — Não vou vender o jornal.

— Seu tio acha que deve. Recebi uma longa carta dele, ontem, Edwina. Pelo menos pense no que ele diz. Ele acha que o jornal não vai continuar como antes, sem uma pessoa da família na direção. E está convencido também de que você e as crianças devem ir para a Inglaterra. — Ben repetiu as opiniões do tio em tom de desculpa, mas firme.

— Isso é bobagem. E com o tempo, vai ter alguém na direção do jornal. Daqui a cinco anos, Phillip estará pronto.

Ben suspirou. Sabia o que ela queria, e talvez tivesse razão, mas o tio também podia estar certo.

— Um homem de vinte e um anos não pode dirigir um jornal.

Era a idade que Phillip teria dentro de cinco anos. Além disso, Ben não tinha certeza de que uma mulher de vinte e um anos podia ser responsável por cinco crianças pequenas. Era uma carga injusta para ela, e talvez a mudança para a Inglaterra resolvesse muitos problemas.

— O jornal está sendo dirigido por gente muito capaz, você mesmo disse — insistiu Edwina. — E algum dia, Phillip se encarregará disso.

— E se ele não quiser? O que acontece?

A pergunta parecia absurda para Edwina naquele momento.

— Nesse caso, procurarei resolver a situação. Por enquanto, preciso fazer outras coisas. Tenho de pensar nas crianças, e não há nenhum motivo para me preocupar com negócios.

Edwina parecia cansada e irritada, e tinha de aprender muita coisa nova. Seu pai tinha algumas ações, e sua mãe também. Havia também um pequeno terreno no sul da Califórnia que ela resolvera vender. Ia ficar com a casa. E mais o jornal. Era tudo tão complicado, e as crianças ainda estavam perturbadas. George não ia bem na escola, e de repente começou a brigar a todo instante. Phillip estava com medo de não passar nos exames, e ela estudava com ele, à noite. E havia os gritos... e as lágrimas no meio da noite... e os pesadelos constantes. Edwina tinha a impressão de estar presa num carrossel do qual jamais poderia sair. Tinha de continuar girando e girando, cuidando de tudo que eles precisavam, aprendendo coisas novas e tomando decisões. Não havia lugar para ela nem para o que ela queria... nenhum lugar para as lembranças dolorosas de Charles... Ninguém para tomar conta dela agora; sua impressão era de que jamais haveria.

— Edwina, não seria mais fácil para você ir para a Inglaterra e passar um tempo com os Hickhams? Deixe que eles a ajudem.

Edwina ficou ofendida.

— Não preciso de ajuda. Estamos muito bem.

— Sei que estão — desculpou-se ele —, mas não é justo você assumir toda essa responsabilidade, e eles querem ajudar.

Mas Edwina pensava diferente.

— Eles não querem me ajudar. Querem nos tirar tudo. — Continuou, com os olhos cheios de lágrimas: — Nossa casa, nossos amigos, as escolas das crianças, nosso modo de vida. Você não compreende? — Ergueu para ele os olhos tristes. — É tudo que temos agora.

— Não. — Ben sacudiu a cabeça, procurando se comunicar com ela. — Vocês têm uns aos outros.

Ele não mencionou mais os Hickhans, e ela examinou os papéis com ele, certa do que queria, não importava o que os outros pudessem dizer ou pensar. Ia conservar o jornal para os irmãos, e a casa para todos eles.

— Tenho meios para manter tudo, Ben?

Aparentemente todos os problemas se resumiam nisso. Tinha de perguntar, porque nunca pensara nesse assunto, e felizmente sabia que Ben daria uma resposta honesta.

— Sim, tem. Por enquanto, não precisa mudar nada. Depois de algum tempo, pode ser improdutivo. Mas no momento o jornal lhe dará uma renda muito boa, e a casa não é problema.

— Então fico com os dois. O que mais?

Às vezes ela parecia tão realista e tão capaz que Ben ficava surpreso. Talvez estivesse certa em querer conservar tudo. No momento, era sem dúvida a melhor dádiva que podia conceder aos irmãos.

Finalmente, Edwina explicou tudo pela milésima vez ao tio Rupert, e ele compreendeu. Na verdade, ficou aliviado. Era Liz quem insistia para que eles os convencesse a ir para a Inglaterra, e ele achava que estava cumprindo um dever. Edwina disse o quanto eles agradeciam, mas que as crianças ainda estavam muito abaladas, e ela também. O que precisavam agora era ficar em casa, recuperar o fôlego, viver tranqüilamente num ambiente conhecido. Disse que, embora amassem muito o tio Rupert e a tia Liz, não podiam sair da Califórnia no momento. Ele respondeu dizendo que seriam sempre bem-vindos, se mudassem de opinião, e começaram a chover cartas da tia Liz, prometendo visitá-los logo que pudesse deixar o tio Rupert sozinho por algum tempo. Para Edwina, porém, aquelas cartas eram por demais deprimentes, coisa que nunca disse aos irmãos.

— Nós não vamos — disse afinal para Ben. — Na verdade — continuou muito séria, olhando para ele, do outro lado da mesa, na firma de advocacia da qual ele era sócio —, duvido muito que qualquer um de nós torne a entrar num navio. Eu não poderia. Você não imagina o que foi aquilo — disse, em voz baixa.

Edwina ainda tinha pesadelos com a popa do gigantesco navio erguendo-se para o céu noturno, a água pingando dos hélices. Estava certa de que os irmãos também. Por nada no mundo ela os obrigaria a uma viagem por mar, não importando o que Rupert Hickham achava melhor para eles, nem o que ele pensava ser seu dever.

— Eu compreendo — disse Ben, achando que ela era muito corajosa por tentar a luta sozinha. Mas, para sua surpresa, Edwina estava se saindo muito bem.

Havia momentos em que ele se perguntava como Edwina ia conseguir. Mas ela estava resolvida a continuar tudo do ponto deixado pelos pais, e ele a admirava por isso. Outra jovem da sua idade estaria no quarto chorando a perda do noivo, mas não Edwina; ela estava fazendo o melhor possível, sem uma queixa, apenas com uma grande tristeza nos olhos azuis, que sempre o comovia.

— A propósito, eu nem queria falar nisso — disse ele, certo dia. — Mas recebi outra carta da White Star Line. Perguntam se você vai apresentar queixa pela morte dos seus pais, e preciso saber o que quer que eu faça. De certo modo, acho que devia processar a companhia, porque terá de arcar com todas as despesas na ausência do seu pai, mas, na verdade, isso não os trará de volta. Nem gosto de falar nisso, mas quero saber o que você quer. Farei o que você mandar, Edwina... — Seus olhos se encontraram, e ele não terminou a frase. Era uma bela mulher, e a cada dia Ben gostava mais dela. Edwina tinha crescido rapidamente, e do modo mais difícil. Não era mais uma criança. Era uma jovem e encantadora mulher.

— Deixe como está — disse ela, em voz baixa, caminhando até a janela.

Pensava em todo o horror, e como alguém podia pagar por tudo aquilo. Lembrava que quase tinham perdido Alexis quando ela fugira... e Teddy, pela longa exposição ao frio, e os dedos de Fanny... e seus pais... e Charles... e todos os pesadelos e terrores e toda a dor... o véu de noiva que jamais usaria, as luvas que eram dele, guardadas na caixa de couro no seu *closet*. Ela mal podia olhar para a baía agora, e sentia-se mal só de ver um navio... como alguém poderia pagar isso? Quanto por uma mãe perdida?...

por um pai?... um marido?... por uma vida destruída?... Qual o preço dessas coisas?

— Nunca poderiam pagar o valor de tudo que perdemos.

Ben concordou, balançando tristemente a cabeça.

— Aparentemente, os outros também pensaram assim. Os Astors, os Wideners, os Straus não entraram com processo contra a companhia. Acho que alguns a estão processando pela perda da bagagem. Se você quiser, posso fazer isso. Basta entrar com uma ação.

Mas Edwina sacudiu a cabeça outra vez e voltou para perto da mesa, imaginando se algum dia poderiam esquecer, se a lembrança iria se apagar, se a vida poderia ser pelo menos um pouco como era antes do *Titanic*.

— Quando isso vai acabar, Ben? — perguntou ela, com tristeza. — Quando vamos deixar de pensar nisso noite e dia, apenas fingindo que não estamos pensando? Quando Alexis vai parar de fugir para o andar superior a fim de sentir a maciez dos casacos de pele de mamãe e das suas camisolas de cetim... quando Phillip vai deixar de parecer que está carregando o mundo nos ombros... e o pequeno Teddy vai deixar de perguntar por mamãe?...

Edwina estava chorando; Ben levantou-se e abraçou-a carinhosamente. Ela ergueu os olhos, como se ele fosse o pai que tinha perdido, e encostou a cabeça no seu ombro.

— Quando vou deixar de vê-los cada vez que fecho os olhos? Quando vou deixar de pensar que Charles vai voltar da Inglaterra?... Oh, meu Deus...

Ele a abraçou durante um longo tempo, enquanto ela chorava, desejando ter as respostas.

Finalmente, Edwina afastou-se e tirou da bolsa o lenço que fora da mãe. Nada do que ele dissesse poderia mudar o que todos tinham passado ou o que tinham perdido, nem o que eles sentiam.

— Dê tempo ao tempo, Edwina. Não faz nem dois meses.

Ela assentiu, com um suspiro.

— Desculpe.

Sorriu tristemente, beijou o rosto dele com naturalidade e arrumou o chapéu. Um belo chapéu comprado por Kate em Paris. Ben acompanhou-a até a carruagem que a esperava. E quando Edwina voltou-se e acenou um adeus, Ben não pôde deixar de pensar que ela era uma menina notável. E então, em silêncio, corrigiu. Não era uma menina. Era uma mulher. Uma jovem e notável mulher.

Capítulo 11

O VERÃO PASSOU TRANQÜILAMENTE, todos eles fazendo coisas simples, apenas ficando juntos. E em julho, como faziam quando os pais estavam vivos, foram para um acampamento na margem do lago, emprestado por amigos de Bert. Sempre passavam o verão no Lago Tahoe, e Edwina queria que a vida deles continuasse como antes, na medida do possível. Ocuparam um grupo de cabanas bonitas e rústicas, e os meninos pescaram e deram longas caminhadas. Edwina fazia o jantar e nadava com Teddy e as meninas. Naquela vida simples, ela finalmente percebeu que os irmãos começavam a se recuperar do trauma. Era exatamente o que precisavam, e no fim da temporada não tinham mais os horrendos pesadelos sobre a terrível noite de abril. À noite, na cama, Edwina pensava em tudo que tinham feito durante o dia, e uma vez ou outra lembrava o verão passado, com Charles. Por mais que procurasse evitar, sua mente sempre voltava para ele, e as lembranças eram ternas e dolorosas.

Tudo era diferente antes. O pai organizava aventuras com os meninos, e ela e a mãe davam longas caminhadas, apanhando flores silvestres na margem do lago. Elas falavam sobre a vida, sobre os homens, falavam em ter filhos, casamento, e fora ali que ela admitira, pela primeira vez, sua paixão por Charles. Já não era segredo para ninguém, e George não a poupava com suas brincadeiras, mas Edwina não se importava, disposta a anunciar o fato para o mundo todo. E ficara extasiada quando Charles, que estava em São Francisco, fora visitá-los no acampamento. Levara presentes para as meninas, um novo monociclo para George e uma coleção de livros lindamente encadernados para Phillip. Ele e Edwina davam longos passeios no bosque. Ela pensava nisso agora, às vezes, e era difícil não chorar; só com esforço voltava para o presente. Fora um desafio para ela, pensou, tentar tomar o lugar da mãe, e quase sempre sentindo-se pequena demais à sombra dela. Ensinou Alexis a boiar na água, enquanto Fannie brincava na margem com suas bonecas. Teddy agora ia a todo lugar com ela, e Phillip falava durante horas sobre seus planos de ir para Harvard. Edwina tinha de ser tudo para eles agora: mãe, pai, amiga, mentora, professora e conselheira.

No fim da primeira semana, Ben apareceu de surpresa, como costumava fazer nos anos anteriores, trazendo presentes para todos e alguns livros novos para Edwina. Era um homem interessante, como um tio favorito para as crianças, e todos ficaram felizes com a sua presença.

Até Alexis correu para ele, rindo, feliz, com os cabelos louros soltos ao vento e os pés descalços, como um potrinho muito novo. Teddy parecia um ursinho no colo de Edwina, e Ben conteve-se para não chorar quando os viu. Pensou no quanto seu amigo os amava, no quanto a família significava para ele e sentiu outra vez a dor daquela perda.

— Vocês estão ótimos — disse ele, com um largo sorriso.

Edwina pôs Teddy no chão, e ele correu para Ben, atrás de Alexis.

Edwina sorriu, satisfeita, afastando do rosto o cabelo escuro e brilhante.

— As crianças estão se divertindo.

— Parece que foi muito bom para você também.

Era bom vê-la com aparência tão saudável e calma, bronzeada de sol. Logo as crianças o rodearam.

Brincaram juntos durante horas, e no fim do dia Edwina e Ben sentaram lado a lado, tranqüilamente.

— É maravilhoso estar aqui.

Não disse que tudo a fazia lembrar dos pais, mas os dois sabiam. Edwina sentia que podia dizer a Ben coisas que não diria a ninguém mais, porque ele fora um grande amigo de Bert e Kate. Era estranho ir aos lugares aonde costumava ir com eles. Era como se esperasse encontrá-los, mas cada visita aos lugares favoritos dos pais os ajudava a se convencerem finalmente de que eles jamais voltariam. O mesmo acontecia com a lembrança de Charles. Era difícil acreditar que ele nunca mais ia voltar da Inglaterra... que não tinha viajado por pouco tempo e que não ia chegar logo para estar com ela. Nenhum deles voltaria jamais. Estavam todos em outro lugar. Mas ela e as crianças tinham de viver com as lembranças, e pela primeira vez em muito tempo estavam se divertindo e aliviando a tensão. Ali sentada na luz do fim do dia, Edwina começou a falar sobre os pais, lembrando até mesmo algumas aventuras engraçadas. Ben ria com ela, lembrando o dia em que Bert entrara na cabana coberto com uma imensa pele de urso e quase matara de medo Kate, Ben e Edwina.

Falaram sobre as expedições de pesca nos regatos escondidos, nos dias inteiros passados no lago, no pequeno barco alugado. Falaram de coisas sem importância, momentos partilhados por todos, lembranças queridas para os dois. E pela primeira vez em muitos meses, era reconfortante recordar, e não doloroso. Com Ben, ela podia rir lembrando deles, tornando-os humanos outra vez e não deuses distantes. Sentiu que queria partilhar aquelas lembranças alegres com as crianças.

— Você está fazendo um ótimo trabalho — disse Ben, e Edwina ficou comovida. Às vezes não tinha muita certeza de estar fazendo a coisa certa.

— Estou tentando — disse, com um suspiro. Mas Alexis ainda tinha medo, Phillip continuava quieto demais, e os dois menores uma vez ou outra ainda tinham pesadelos. — Nem sempre é fácil.

— Nunca é fácil criar filhos. Mas é uma coisa maravilhosa. — E então ele ousou dizer o que vinha pensando há meses, esperando a ocasião mais apropriada. — Você precisa sair mais. Seus pais saíam. Não se limitavam a cuidar de vocês. Eles viajavam, visitavam amigos, sua mãe tinha várias atividades fora de casa, e seu pai estava sempre ocupado com o jornal.

— Está sugerindo que devo arranjar um emprego? — Edwina sorriu, e ele sacudiu a cabeça.

Ben era um homem bonito, mas ela sempre havia pensado nele como um amigo do seu pai e um tio adotivo.

— Não, estou dizendo que deve sair, estar com amigos.

Durante o noivado, ela e Charles saíam constantemente. Ben gostava de vê-la com os belos vestidos, os olhos dançando de felicidade, saindo de casa de braço com Charles, quando ele ia jantar com Bert e Kate. Edwina fora feita para isso, não para viver como uma reclusa ou uma viúva com muitos filhos. Tinha a vida toda pela frente, alterada talvez, mas não acabada.

— O que aconteceu a todas aquelas festas a que você... costumava ir? — Ben evitou mencionar Charles, com medo de magoá-la.

Edwina abaixou os olhos e disse:

— Não é o momento certo para essas coisas. — Era cedo demais, e ia fazer com que pensasse mais em Charles, tornar sua ausência muito mais insuportável. Naquele momento, Edwina estava certa de que nunca mais iria a lugar nenhum. Continuava de luto e não tinha vontade de sair, a não ser com as crianças.

— Edwina — disse Ben, com voz firme. — Você precisa sair mais.

— Vou sair, algum dia.

Mas não havia convicção na sua voz. Ben desejou que esse "algum dia" fosse logo. Ela estava com vinte e um anos, vivendo como uma velha. Naquele ano, o aniversário de Edwina passou quase despercebido, apenas com a diferença de que agora ela era maior e podia assinar papéis importantes.

Ben dormiu na cabana dos meninos, e eles gostaram da companhia. Às cinco da manhã, os três saíram para pescar e voltaram vitoriosos e cheirando a peixe quando Edwina estava preparando o café. Sheilagh, a nova empregada irlandesa, estava com eles. Era uma jovem agradável, mas ninguém tinha ainda se acostumado a ela. Todos sentiam falta de Oona. Sheilagh, porém, conquistou o coração dos pescadores limpando o peixe que Edwina, com relutância, fritou para o café. Todos ficaram muito impressionados com o resultado da pescaria. Dessa vez tinham trazido peixe e não apenas desculpas.

Passaram alguns dias felizes na companhia de Ben, e todos sentiram sua partida. Depois do almoço, ele se despediu, e Edwina se deu conta de que naquele dia só tinha visto os meninos um pouco antes do almoço. Saíram cedo, dizendo que iam caminhar, depois nadar; então, quando ela estava conversando com Ben, Phillip apareceu correndo na clareira.

— Sabe o que aquele traidor fez? — gritou Phillip. Estava furioso, ofegante e muito assustado. O coração de Edwina disparou. — Ele saiu enquanto eu dormia, perto de onde estávamos pescando, lá atrás, no regato. Eu acordei e vi os sapatos, a camisa e o chapéu dele boiando na água... comecei a procurar por todo o rio com uma vara... mergulhei até o fundo... — Edwina notou que os braços dele estavam arranhados, as roupas molhadas e rasgadas, as mãos cheias de lama, as unhas partidas. — Pensei que ele tinha *se afogado!* — gritou ele, engasgado com as lágrimas e a fúria. — Pensei... — Virou de costas para que não o vissem chorar, e todo seu corpo tremia. Quando George apareceu, Phillip lançou-se sobre ele, deu-lhe um tapa na orelha e depois segurou-o pelos ombros, sacudindo-o violentamente. — Nunca mais faça isso... na próxima vez, me avise quando for sair de onde estamos! — Phillip estava gritando, e George esforçava-se para não chorar, esquivando-se dos golpes do irmão.

— Eu teria avisado se você estivesse acordado. Você está sempre dormindo ou lendo... nem sabe pescar! — Foi a primeira coisa que lhe veio à mente, e Phillip continuou a sacudi-lo.

— Sabe o que papai disse no ano passado! *Ninguém* vai a lugar nenhum sem avisar. Está ouvindo?

Mas era muito mais do que isso agora. Era a agonia

da perda dos pais e o fato de que só tinham uns aos outros. Mas George olhou desafiadoramente para o irmão.

— Não tenho de dizer *nada* para você! Você *não é* meu pai!

— Responda *agora mesmo*!

Os dois exaltavam-se cada vez mais. George tentou atingir Phillip com a mão fechada, mas o irmão desviou o golpe.

— Não tenho de dar satisfações a *ninguém*! — gritou George, com as lágrimas descendo pelo rosto. — Você não é meu pai e nunca será, e eu o odeio!

Os dois estavam chorando quando Ben resolveu intervir, separando-os. Edwina chorava também, com o coração apertado.

— Tudo bem, meninos, agora chega!

Ben segurou o braço de George e afastou-o de Phillip, que estava mais calmo agora. Phillip olhou furioso para Edwina, entrou na cabana e bateu a porta. Então, deitou na cama e chorou, soluçando, porque pensou que George tinha se afogado e porque sentia uma falta tremenda do pai.

O incidente mostrou o quanto ainda estavam abalados e sujeitos a grande pressão emocional. Os dois acalmaram-se finalmente, e Ben se despediu de todos. A briga entre os irmãos provava o que ele havia pensado no começo. A responsabilidade era demais para Edwina, e por um momento ele imaginou se não devia tê-la obrigado a ir para a Inglaterra, para a casa dos tios. Mas bastava olhar para ela para perceber que teria sido horrível. Edwina queria a família onde sempre tinham vivido, mesmo que não fosse fácil.

— Eles estão bem agora — disse ela quando se despediu de Ben. — Faz bem a Phillip descarregar a tensão uma vez ou outra, e é bom para George saber que não pode fazer certas brincadeiras. Da próxima vez ele vai pensar duas vezes.

— E você? — perguntou Ben.

Como ia controlar tudo sozinha? Dois meninos, quase homens, e mais três crianças. Na verdade, ninguém podia ajudá-la. Mas ele tinha de admitir que Edwina parecia perfeitamente capaz.

— Eu gosto disto, sabe? — disse ela, calmamente e com sinceridade. — Eu os amo.

— Eu também. Mas me preocupo com você. Se precisar qualquer coisa, Edwina, é só me chamar que venho correndo.

Agradecida, ela o beijou no rosto; no carro, a caminho da estação, ele a viu acenar um adeus.

Capítulo 12

FOI COM TRISTEZA que deixaram o lago. Mas Edwina tinha muito que fazer em São Francisco. Agora ela comparecia às reuniões mensais do jornal, acompanhada por Ben, para demonstrar seu interesse e para aprovar certas decisões. Em parte gostava disso, mas por outro lado sentia-se ainda pouco à vontade no lugar do pai, e tinha tanto que aprender, mesmo para essa pequena intervenção. Edwina não queria dirigir o jornal, mas apenas preservá-lo durante alguns anos, para Phillip. Ben a ajudava muito nessas reuniões.

Porém, o dia seguinte ao da reunião de agosto foi difícil para ela. Estava tirando as ervas daninhas do jardim quando o carteiro chegou com um pacote enorme da Inglaterra. Imaginou que devia ser uma encomenda da tia Liz. Pediu à Sra. Barnes que deixasse o pacote no *hall*; quando, um pouco mais tarde, entrou em casa, com as mãos sujas de terra, e grama e folhas no vestido, olhou para a encomenda e seu coração disparou. O nome do remetente não era Hickham, mas Fitzgerald. E o endereço estava escrito com a letra clara e redonda da mãe de Charles, que ela conhecia tão bem.

Lavou as mãos na cozinha, depois apanhou o pacote e o levou para o quarto. Suas mãos estavam trêmulas. Não podia imaginar o que *lady* Fitzgerald podia ter mandado para ela, mas devia ser alguma coisa de Charles, e Edwina teve medo de abrir.

A casa estava silenciosa. Os dois maiores tinham saído com amigos, e os outros três, muito animados, foram com Sheilagh conhecer o novo carrossel no Golden Gate Park. Edwina subiu para o quarto e abriu cuidadosamente o embrulho enviado por navio e por trem, e que havia levado mais de um mês para ir da Inglaterra até São Francisco. Notou que o embrulho era muito leve, quase como se não houvesse nada dentro.

Retirou o papel. Sobre a caixa branca e macia estava um envelope azul com o brasão dos Fitzgeralds no canto superior esquerdo. Edwina não abriu a carta imediatamente. Estava curiosa para ver o que havia dentro da caixa. Desatou a fita, e quando ergueu a tampa, prendeu a respiração. Eram metros e metros de tule branco e uma delicada coroa de cetim bordada com pérolas minúsculas. Seu véu de noiva, que *lady* Fitzgerald devia levar a São Francisco, para o casamento. Edwina fez os cálculos rapidamente. O dia seguinte seria o do seu casamento. Com esforço conseguira esquecer. Segurou com mãos trêmulas o véu, tudo que restava agora, e as braçadas de tule flutuaram pelo quarto como um sonho distante. Sentindo todo o corpo dolorido, Edwina colocou-o na cabeça e olhou-se no espelho, as lágrimas descendo pelo rosto. Era exatamente o que tinha imaginado, e ela se perguntava agora como teria sido o vestido. Certamente maravilhoso também, mas nunca iam saber. A fazenda comprada em Londres afundara com o *Titanic*. Edwina raramente permitia a si mesma pensar nisso. Parecia tão sem importância. Mas agora, de repente, ali estava o véu, e tudo que ele representava tinha desaparecido para sempre.

Sentou na cama, chorando baixinho, ainda com o véu na cabeça, e abriu a carta de *lady* Fitzgerald. Pela primeira vez naqueles meses, sentiu-se desamparada e sozinha, ali sentada com o vestido negro e o véu branco de noiva flutuando à sua volta.

"Edwina, minha querida", começava a carta, e era como ouvir a voz de *lady* Fitzgerald. Charles era tão parecido com a mãe, alto, aristocrático e muito inglês. "Pensamos muito em você e falamos a seu respeito o tempo todo. É difícil acreditar que você saiu de Londres apenas há quatro meses... difícil acreditar em tudo que aconteceu nesse tempo.

"Estou mandando isto agora, com certo temor e muito pesar. Temo que você fique muito abalada quando receber o véu, mas está pronto há algum tempo, e o pai de Charles e eu achamos que devíamos mandá-lo. É o símbolo de um tempo maravilhosso, e do amor que Charles dedicou a você até sua morte Você foi a pessoa mais preciosa da vida dele, e teriam sido muito felizes. Guarde o véu ninha filha querida, não pense muito nele... olhe talvez apenas uma vez ou outra e lembre-se do nosso amado Charles, que tanto a amava.

"Esperamos vê-la na Inglaterra algum dia. Até então, nosso grande amor para seus irmãos e especialmente para você, Edwina querida... nossos pensamentos agora e para sempre." Estava assinada "Margaret Fitzgerald", mas Edwina, cega pelas lágrimas, mal conseguiu ler a assinatura. Ficou sentada na cama, com o véu de noiva, até ouvir a porta da frente bater e as vozes das crianças na escada, procurando por ela. Já estavam de volta, e ela havia passado a tarde toda com o véu branco de tule, pensando em Charles e no casamento que deveria se realizar no dia seguinte.

Tirou o véu cuidadosamente e guardou-o na caixa. Acabava de dar o laço na fita quando Fannie entrou no quarto; com um sorriso largo e feliz, lançou-se nos braços da irmã mais velha, sem perceber as lágrimas nem a tristeza no seu rosto. Era nova demais para entender. Edwina guardou a caixa no armário e ouviu a história do carrossel e do parque. Havia cavalos, argolas de metal e estrelas douradas, e muita música, e até trenós pintados para quem não quisesse montar nos cavalos, mas montar era *muito* melhor.

— Tinha barcos também! — continuou ela, e então franziu a testa. — Mas não gostamos de barcos, Teddy, gostamos?

Teddy, que acabava de entrar no quarto, com Alexis

logo atrás, sacudiu a cabeça. Alexis olhou para Edwina com uma expressão estranha, como se percebesse que alguma coisa estava errada, mas não podia dizer o que era. Mais tarde, quando as crianças estavam deitadas e Edwina e Phillip subiam a escada, ele perguntou:

— Alguma coisa errada? — Estava sempre preocupado com ela, sempre ansioso para desempenhar o papel de pai com os outros. — Você está bem, Win?

Ela balançou a cabeça afirmativamente, pensando em falar sobre o véu, mas sem encontrar as palavras certas. Imaginou se Phillip lembrava a data do seu casamento.

— Estou bem. Recebi uma carta de *lady* Fitzgerald hoje, a mãe de Charles.

— Oh. — Ao contrário de George, que era muito jovem e não teria compreendido a implicação, Phillip compreendeu muito bem. — E como vai ela?

— Bem, eu acho. — Ergueu os olhos tristes para o irmão. Precisava falar com alguém, nem que fosse apenas seu irmão de dezessete anos. Disse, com voz baixa e rouca: — Amanhã seria... teria sido... — Era quase impossível dizer as palavras, e Edwina virou o rosto quando chegaram ao segundo andar. Mas Phillip pôs a mão no seu braço e ela virou para ele, com os olhos rasos de lágrimas. — Não importa... desculpe...

— Oh, Winnie. — Também com lágrimas nos olhos, ele a abraçou carinhosamente.

— Por que tinha de acontecer? — murmurou ela. — Por quê?... por que não podiam ter botes salva-vidas suficientes? — Uma coisa de nada... botes salva-vidas para todos no navio... teria feito toda a diferença. Mas havia outras questões... como, por que o *Californian* tinha desligado o rádio e não ouvira o frenético CQD, ouvido por todos os outros navios que estavam no Atlântico! O *Californian* estava a poucas milhas e podia ter salvado todos... havia tantas interrogações, tantos "se", tantos "se ao menos", mas nada mais importava agora. E Edwina chorou nos braços do irmão na noite que deveria ter sido a véspera do seu casamento.

Capítulo 13

COMO ERA DE ESPERAR, o Natal foi difícil para eles. Pelo menos para os mais velhos. Edwina manteve os menores tão ocupados, ajudando na cozinha e em outras coisas, que eles nem tiveram tempo para pensar na diferença. Ben levou os meninos a uma exposição de automóveis, e depois levou todos para ver a iluminação da árvore de Natal no Fairmont Hotel, para ajudá-los a passar aqueles feriados. Outros amigos dos pais os convidaram também, porém alguns dos convites eram dolorosos demais e faziam com que se sentissem mais órfãos do que nunca.

Alexis era ainda a mais distante de todos, mas Edwina fazia o possível para ajudá-la a voltar ao normal. Quando a encontrava no quarto de vestir da mãe, não aparentava dar grande importância, apenas sentava na banqueta cor-de-rosa, ou na cama, e conversava, até Alexis resolver voltar para a companhia dos outros.

Aquele quarto era como um lugar sagrado agora, uma espécie de santuário dos pais para todos eles. As roupas de Bert e de Kate ainda estavam nos *closets*, e Edwina não tinha coragem de se desfazer delas. As escovas de cabelo de ouro maciço e os outros objetos de toalete continuavam na penteadeira, como Kate os havia deixado. A Sra. Barnes limpava o quarto cuidadosamente, mas não gostava de entrar lá. Dizia que sempre ficava com vontade de chorar. Sheilagh se recusava a entrar no quarto, nem que fosse só para apanhar Alexis.

E embora não contasse para ninguém, Edwina também subia até lá às vezes. Era um modo de estar perto deles, de lembrar como eles eram. Mal podia acreditar que estavam mortos há oito meses. Em certos momentos, parecia que tudo acontecera ontem. Mas em outros, era como se séculos tivessem passado. Na noite de Natal, quando as crianças foram para a cama, Edwina comentou isso com Phillip.

Tinham sobrevivido aos feriados de Natal, sozinhos, e Edwina estava exausta. Mas conduzira tudo calmamente, e os menores penduraram as meias na lareira, como sempre faziam, todos cantaram canções de Natal, fizeram bolos e biscoitos e foram à igreja. Exatamente como faziam com a mãe. Edwina passara dias embrulhando os presentes. E naquela noite, Phillip agradecera por todo esse trabalho, como Bert agradecia a Kate, com um bocejo sonolento. E Edwina, lembrando, ficara comovida.

Ben visitou-os no dia de Natal. Levou presentes para todos, um maravilhoso cavalo de balanço para Teddy, bonecas para as meninas, um conjunto de mágica que George adorou, um belo relógio de bolso para Phillip, e para Edwina um finíssimo xale de *cashmere* num azul suave. Edwina estava ansiosa para usá-lo em abril, quando tirasse o luto. Ben tinha pensado em comprar um xale preto, para ser usado logo, mas achara muito deprimente.

— Mal posso esperar para vê-la com roupas coloridas outra vez — disse ele quando Edwina abriu o presente e agradeceu.

As crianças tinham feito presentes para Ben. O de George era um retrato a óleo do cão de Ben, e o de Phillip, um belo porta-canetas de madeira. Edwina, depois de pedir permissão a George e Phillip, deu-lhe as abotoaduras de safira favoritas de Bert. Sabia que significariam muito para Ben. Ela não queria dar nada sem consultar os irmãos, mas eles gostaram da idéia. Ben era o melhor amigo de Bert, e sempre fora muito bom para todos eles, especialmente depois da morte dos pais.

Foi um dia cheio de carinho para todos. O Natal sempre era difícil para Ben. Trazia lembranças penosas da família que perdera no terremoto. Juntos, porém, alegraram-se com a data, e terminaram o dia com risos e com muitos momentos de ternura. No fim, Teddy dormiu no colo de Ben, que o levou para cima, para a cama, acompanhado por Edwina. Na verdade, Ben era maravilhoso com todos, e tanto as meninas quanto os meninos o adoravam. Fannie pediu-lhe que a levasse para a cama também. E antes de sair, Ben levou até Alexis, toda sorridente.

Tomou um último copo de vinho do Porto com os mais velhos e foi para casa satisfeito. Para um Natal potencialmente difícil, fora, na verdade, repleto de bênçãos.

Muito diferente do Ano-Novo, cheio de lágrimas e angústia. A tia Liz chegou no dia primeiro e chorou o tempo todo, sem parar um momento. Usava um vestido negro tão sombrio e severo que, quando a viu, Edwina pensou que o tio Rupert tinha morrido. Mas Liz logo informou que Rupert estava péssimo de saúde e mais rabugento do que nunca. Desde o outono a gota o atormentava terrivelmente, e Liz disse que ele estava quase louco de dor e de irritação.

— Ele manda seu amor para todos, é claro — acrescentou ela, rapidamente, enxugando os olhos e chorando com cada objeto e cada retrato que via no passeio pela casa, de braço com Edwina. Chorava mais ainda cada vez que via as crianças, deixando-as nervosas. Mas Liz não se conformava com a idéia da morte da irmã querida e com a orfandade dos filhos dela. Era difícil para Edwina porque, nos últimos oito meses, todos haviam lutado não apenas para sobreviver, mas para crescer na vida, e a tia Liz não queria reconhecer isso. Disse que as crianças estavam horríveis e pálidas, e perguntou quem cozinhava para eles, se é que tinham uma cozinheira.

— É a mesma de sempre, tia Liz, deve estar lembrada, a Sra. Barnes.

Mas Liz chorou mais ainda, dizendo como era terrível, até mesmo *perigoso* para Phillip e George, serem criados só pela irmã mais velha, sem especificar a natureza do perigo. Mas fazia oito meses que a tia Liz lutava com uma terrível depressão. Quase desmaiou quando entrou no quarto de vestir da irmã e viu tudo como era antes, e gritou quando passou para o quarto do casal.

— Eu não agüento isto... não posso suportar... oh, Edwina, como *pôde* fazer uma coisa dessas! — Edwina não sabia ao certo o que tinha feito, mas a tia apressou-se a esclarecer. — Como pôde conservar tudo assim, como se eles tivessem saído esta manhã — soluçou ela, histérica, sacudindo a cabeça e olhando acusadoramente para Edwina.

De certo modo era um consolo para eles conservar tudo aquilo, os ternos do pai, as roupas da mãe, a escova de cabelos tão familiar, rosa e ouro.

— Você deve empacotar tudo *imediatamente*! — choramingou Liz.

Mas Edwina sacudiu a cabeça. Não ia ser fácil.

— Não estamos prontos para fazer isso — disse ela, em voz baixa, dando para a tia o copo com água que Phillip acabava de trazer, discretamente. — Tia Liz, procure se acalmar, isso não é bom para as crianças.

— Oh, como pode dizer isso, criança insensível!

Os soluços de Liz redobraram de força, ecoando pela casa toda, e Edwina mandou as crianças darem um passeio com Sheilagh.

— Se você soubesse o quanto tenho chorado por ela todos estes meses! — disse Liz. — Se soubesse o que sua morte significou para mim... minha única irmã.

Mas Kate era também a única mãe dos seus filhos. Para não falar de Bert... de Charles... e até da pobre Oona... e todos os outros... Porém, Liz parecia disposta a considerar apenas a própria dor, ignorando qualquer outra.

— Vocês deviam ter ido para a Inglaterra, quando Rupert os chamou — continuou ela, com voz lamentosa. — Eu teria tomado conta de vocês todos. — Mas Edwina, egoisticamente, roubara sua última chance de fazer o papel de mãe, não atendendo ao convite e ficando em São Francisco. Agora o advogado tinha escrito, dizendo que todos estavam muito bem, e Rupert já não estava em condição de ficar com eles. A teimosia de Edwina estragara tudo. Ela era igualzinha ao pai. — Foi maldade sua não ter ido quando ele mandou — disse ela, e Phillip começou a ficar zangado.

— Minha irmã não tem maldade nenhuma, senhora — disse ele, com os dentes cerrados, e Edwina o convenceu a ir ver o que George estava aprontando.

Liz passou vinte e seis dias com eles, e em certos momentos Edwina pensava que ia enlouquecer. Ela irritava as crianças e chorou durante toda a visita. No fim, praticamente obrigou Edwina a empacotar pelo menos a metade das coisas, no quarto dos pais. Guardaram quase todas as roupas, mas Edwina não quis se desfazer delas. Liz resolveu levar com ela alguns objetos de Kate, a maior parte lembranças da juventude das duas, que pouco significavam para os filhos.

Finalmente, depois de quase quatro semanas, eles a acompanharam à balsa que a levaria à estação em Oakland. Liz não parou de chorar e ficou zangada com Edwina até o fim. Estava furiosa com o mundo e com o destino, que tinham desfechado aquele golpe tão cruel. Estava zangada com a perda da irmã, zangada com Edwina e com os irmãos, que não quiseram ir para a Inglaterra, zangada porque sua vida parecia ter acabado. E, finalmente, zangada com Rupert pela vida infeliz que levava com ele. Era como se, durante aqueles nove meses, Liz tivesse desistido de tudo, e Edwina perguntava-se às vezes se a tia estava chorando a morte da irmã ou o próprio desapontamento. Até Ben procurou evitá-la. De volta para casa, com as crianças, depois de deixarem a tia na balsa, Edwina recostou no banco do carro, exausta. As crianças estavam caladas. Não compreendiam a tia, mas desta vez tinham certeza de que não gostavam dela. Liz passara o tempo todo censurando Edwina, queixando-se de tudo e chorando.

— Eu a odeio! — disse Alexis, e Edwina censurou-a gentilmente.

— Não, não odeia.

— Odeio sim. — Seus olhos diziam que era verdade. — Ela fez você jogar fora as roupas de mamãe, e não tinha direito de fazer isso.

— Não joguei fora — disse Edwina, com calma. Talvez nesse ponto a tia estivesse certa. Talvez tivesse chegado o momento de fazer aquilo. Mas não foi fácil. — Não faz mal — disse Edwina. — Não podem nos fazer esquecer de mamãe. Você sabe que ela está sempre conosco.

Voltaram para casa em silêncio, pensando no que Edwina acabava de dizer, pensando que sentiam a mãe muito perto deles e pensando no quanto ela era diferente da irmã.

Capítulo 14

O ANIVERSÁRIO DA MORTE dos pais foi um dia difícil para eles. Mas as palavras do pastor na igreja, na cerimônia encomendada por Edwina, foram cheias de ternura, de carinho e de calor humano. Lembrou a bondade dos pais, o interesse que tinham por todos, a vida construtiva que levavam servindo à comunidade; e a bênção que eram para os filhos. Os Winfields estavam juntos, na primeira fila, ouvindo e, uma vez ou outra, enxugando os olhos. Eram um digno legado, uma lembrança maravilhosa de Kate e Bertram Winfield.

Edwina convidou alguns amigos dos pais para almoçar no jardim, depois da cerimônia. Era a primeira vez que recebiam desde a trágica viagem no *Titanic*. Naquele belo dia de abril, comemoravam também o sétimo aniversário de Alexis. A Sra. Barnes fez um bolo, e o dia foi festivo e caloroso. Pessoas que Edwina não via há um ano estavam felizes por estar com ela outra vez, e choviam os convites, agora que não estava mais de luto. Alguns notaram que ela ainda usava o anel de noivado, e o pastor havia mencionado Charles também, mas Edwina era muito bonita, estava quase com vinte e dois anos, e sem dúvida era um bom partido. Ben notou o interesse dos rapazes e surpreendeu-se com a própria atitude protetora.

— Foi uma bela tarde — disse ele, quando encontrou Edwina sentada no balanço do jardim, com os irmãos perto dela.

— Não foi mesmo? — Estava satisfeita. Um digno tributo à memória dos pais. Sorriu para ele. — Eles teriam gostado.

Ben retribuiu o sorriso.

— Sim, teriam. Teriam ficado orgulhosos de vocês todos. — Especialmente da filha mais velha. Que mulher surpreendente. Não uma criança, não uma menina, mas uma mulher. — Você realizou um trabalho incrível neste último ano.

Edwina sorriu, lisonjeada, mas sabia que tinha muito mais para fazer. Cada um precisava de um tipo diferente de ajuda, e Phillip estava ansioso para ir para Harvard.

— Às vezes eu desejo poder fazer mais por cada um deles — confessou ela. — Especialmente por Alexis.

— Não sei como seria possível — disse Ben.

Algumas pessoas aproximaram-se para agradecer pelo almoço. Lembravam fatos que tinham partilhado com Bert e Kate, especialmente com ele, e quando o último convidado saiu, ela sentia-se exausta. As crianças estavam jantando na cozinha, com a Sra. Barnes e Sheilagh. Edwina, na biblioteca, comentava com Ben o sucesso da reunião.

— Vi que você recebeu muitos convites. — Estava feliz por ela, mas, com surpresa, percebeu que sentia ciúmes. Era como se, na verdade, quisesse que ela continuasse de luto, recebendo apenas a sua visita.

— É verdade — disse Edwina, com um sorriso. — Todos foram muito bons. Mas nada vai mudar agora. Tenho muito que fazer. A maioria das pessoas não entende isso.

Alívio? Estaria aliviado?, perguntou Ben a si mesmo, sem poder acreditar no que estava sentindo. Ela era uma criança, não era? A filha do seu melhor amigo... pouco mais do que um bebê. Mas ele sabia que nada disso era verdade, e foi com extrema preocupação que aceitou o *sherry* que ela ofereceu.

— Não fique tão preocupado. — Ela o conhecia bem, pelo menos era o que os dois pensavam.

— Não estou preocupado — mentiu Ben.

— Oh, está sim. Parece a tia Liz. Do que tem medo? Que eu envergonhe o nome dos Winfields? — perguntou, em tom de brincadeira.

— Seria difícil. — Tomou um gole da bebida e pôs o copo na mesa, olhando atentamente para ela. — Edwina, o que você pretende fazer com sua vida agora? — Olhou para o anel de noivado na mão dela, imaginando se Edwina ia pensar que ele estava louco. Começava quase a acreditar nisso. — Falo sério. — Era como se exigisse uma resposta, e ela ficou surpresa. — Agora, que terminou o primeiro ano... o que você pretende fazer?

Edwina pensou por um momento, mas sabia a resposta desde abril do ano anterior.

— Nada diferente do que fiz até agora. Quero tomar conta das crianças. — Parecia perfeitamente claro para ela. Não havia mais escolhas, somente o dever e o amor que sentia por eles, mais a promessa feita aos pais quando deixara o *Titanic*. — Não preciso mais do que isso, Ben.

Mas para ele parecia loucura. Edwina tinha apenas vinte e um anos.

— Edwina, algum dia vai se arrepender. É muito jovem para dedicar a vida toda aos seus irmãos.

— É isso que estou fazendo? — Ela sorriu, comovida com o interesse de Ben. — Será mesmo tão errado?

— Errado, não — disse ele, em voz baixa, olhando para ela —, mas um terrível desperdício. Você precisa mais do que isso na vida. Seus pais tinham muito mais. Tinham um ao outro — os dois pensaram nas palavras do pastor naquela manhã. E Edwina pensou também na vida que teria com Charles, perdida agora para sempre. Não queria ninguém... só Charles. Ben olhou intensamente para ela. — Você não sabe do que está falando, sabe, Edwina? — perguntou, com um sorriso, e ela pareceu confusa por um breve momento.

— Sim, eu sei — respondeu, finalmente —, você quer que eu seja feliz, e eu sou. Sou feliz vivendo aqui com as crianças.

— E é tudo que você quer, Edwina... — Depois de pequena hesitação, continuou: — Eu quero oferecer muito mais do que isso.

Edwina arregalou os olhos, sobressaltada.

— Você? Ben...

Nunca, nem por um momento, Edwina suspeitara que ele a amava. Ben também não, a princípio, mas acabara compreendendo o que sentia, e desde o Natal só pensava nela. Prometera a si mesmo esperar até abril... até completar um ano, mas agora tinha a impressão de que devia ter esperado mais.

— Eu nunca pensei... — Edwina corou e desviou os olhos, como se o amor de Ben fosse algo embaraçoso, quase doloroso.

— Desculpe. — Ele adiantou-se rapidamente e segurou as mãos dela. — Eu não devia ter dito nada, certo, Edwina? Eu a amo... eu a amo há muito tempo... porém, mais do que tudo na vida, não quero perder sua amizade. Você é tudo para mim... as crianças também... por favor, Edwina... não quero perdê-la nunca.

— Não vai perder — murmurou ela, erguendo os olhos para ele. Devia isso a Ben. E ela o amava, mas como o amigo mais querido do seu pai, e nada mais. Era impossível. Nunca seria capaz de usar o véu de noiva para ele... ainda amava Charles. No seu coração, era ainda a noiva de Charles, e sempre seria. — Eu não posso, Ben... eu o amo... mas não posso. — Não queria magoá-lo, mas não podia mentir para ele.

— Porque é cedo demais? — ele completou, esperançoso, mas ela sacudiu a cabeça. — Por causa das crianças? — Ben amava as crianças.

Mas Edwina sacudiu a cabeça outra vez, e o coração de Ben se apertou, com medo de perdê-la. E se ela nunca mais falasse com ele? Agira como um tolo, confessando seu amor.

— Não, não é por causa das crianças, Ben, e não é você... — Ela sorriu, com os olhos marejados de lágrimas, resolvida a ser sincera. — Acho que é Charles... eu me sentiria tão infiel a ele se... — Não podia dizer as palavras.

Vendo as lágrimas sentidas, mais uma vez Ben censurou-se por ter sido precipitado. Talvez com o tempo... mas agora ele sabia. Tinha arriscado tudo e perdera, para o noivo perdido com o *Titanic*.

— Até as viúvas casam outra vez. Você tem direito à felicidade, Edwina.

— Talvez — disse ela, sem muita convicção. — Talvez seja muito cedo. — No seu coração, entretanto, sabia que jamais se casaria. — Mas, para ser sincera, acho que nunca vou casar.

— Isso é absurdo.

— Talvez seja. — Sorriu para ele. — Mas parece mais fácil assim, por causa das crianças. Não posso dar a homem nenhum tudo que ele merece, Ben. Estarei sempre muito ocupada com eles, e mais cedo ou mais tarde, qualquer homem sentiria isso.

— Acha que eu sentiria? — Parecia ofendido, e ela sorriu.

— Talvez. Você merece a atenção total de alguém. A minha não estará disponível antes de pelo menos quinze anos, até Teddy ir para a universidade. É uma longa espera. — Sorriu outra vez, comovida com as intenções de Ben.

Ele sacudiu a cabeça, com um largo sorriso. Reconhecia a derrota. Edwina era teimosa e faria o que estava dizendo. Era uma das coisas que amava nela. Amava tudo que ela representava, sua coragem, a força indomável e a capacidade para rir... amava os cabelos dela, os olhos, e seu delicioso senso de humor. Sabia que ela o amava também, mas não como ele queria.

— Quinze anos pode ser um pouco demais para mim, Edwina. Terei sessenta e um, e você não irá me querer.

— Você provavelmente vai estar muito mais bem-disposto do que eu. Daqui a quinze anos, as crianças terão me esgotado ao máximo. — Ficou séria e estendeu a mão para ele. — Isso é parte de tudo, Ben. Minha vida agora pertence a eles. — Tinha prometido à mãe que tomaria conta deles, em qualquer circunstância. Não podia pensar em si mesma. As crianças vinham em primeiro lugar. E por mais que gostasse de Ben, não o queria, e a ninguém mais, para marido.

Terrivelmente preocupado, com medo de perdê-la para sempre, Ben franziu a testa.

— Podemos ser amigos?

Com um sorriso e os olhos cheios de lágrimas, ela assentiu.

— É claro que podemos. — Levantou-se e abraçou-o. Ben era seu melhor amigo, um amigo muito querido, não apenas amigo do seu pai, agora. — Eu não poderia fazer nada sem você.

— Acho que está indo muito bem — disse ele, secamente, ao mesmo tempo abraçando-a com mais força por um momento. Não tentou beijá-la nem discutir mais o assunto. Agradecia por não ter perdido a afeição e a amizade dela, e talvez tivesse feito bem em falar agora. Talvez fosse melhor saber em que pé estavam e o que ela sentia. Mas naquela noite deixou-a com o coração pesado; entrando no carro, voltou-se para vê-la, acenou e partiu, desejando que tudo tivesse sido diferente.

O telegrama de Liz chegou no dia seguinte, anunciando a morte do tio Rupert no dia do aniversário da morte de Kate e Bert. Tristemente, Edwina deu a notícia aos irmãos, no jantar. Passara todo o dia muito quieta, pensando nas palavras de Ben. Estava comovida, mas segura de ter tomado a decisão certa.

As crianças não ficaram muito impressionadas com a morte de Rupert, e Phillip ajudou Edwina a redigir um telegrama de pêsames. Expressaram as devidas condolências, mas Edwina teve o cuidado de não insinuar que gostariam de receber a visita da tia. Tinha certeza de que não ia agüentar. A última visita, em abril, deixara todos inquietos e nervosos.

Edwina pensou em pôr luto outra vez, mas resolveu que não tinha sentido, tratando-se de um tio que raramente viam e de quem não gostavam especialmente. Usou roupas cinzentas por uma semana e depois voltou às cores que tinha usado antes de abril do ano anterior. Usou até o belo xale de *cashmere*, presente de Ben. Agora eles se viam regularmente, mas não tanto quanto antes. Ben parecia mais cuidadoso na presença dela e levemente embaraçado, embora Edwina agisse como se nada tivesse acontecido. As crianças não pareciam ter notado; apenas, às vezes, Edwina percebia que Phillip olhava pensativo para ela e Ben. Porém, tudo que ele podia ver era uma amizade antiga e sólida.

Em maio, pela primeira vez Edwina aceitou o convite para jantar na casa de amigos dos seus pais. A princípio sentiu-se um tanto deslocada, mas, finalmente, foi uma noite muito agradável. Só a desagradou o fato de desconfiar que fora convidada para fazer companhia ao filho do casal, e no segundo convite teve certeza disso. Ele era um belo homem de vinte e quatro anos, com uma grande fortuna e pequena inteligência, além de uma maravilhosa propriedade em Santa Bárbara. Mas Edwina não se interessou por ele, nem pelos outros jovens que a acompanhavam nos jantares e festas oferecidos pelos antigos amigos dos seus pais. Seus amigos estavam quase todos casados agora, as moças ocupadas com os filhos pequenos, e passar muito tempo com elas a fazia lembrar de Charles e da vida que jamais teriam. Era mais fácil a companhia dos amigos dos pais. De certo modo, tinha mais coisas em comum com eles, uma vez que estava criando crianças mais ou menos da mesma idade, e sentia-se melhor sem a tensão do assédio sexual. Não estava interessada em homens jovens e deixava isso bem claro sempre que a pressionavam. Usava ainda o anel de noivado e considerava-se noiva de Charles. Não queria nada além das suas lembranças e sua vida movimentada com os irmãos. Finalmente, foi com alívio que deixaram a cidade e foram para o Lago Tahoe, em agosto. Era um verão especial para eles. Phillip fora aceito em Harvard e partiria para Cambridge no começo de setembro. Era difícil acreditar que iam ficar sem ele, e Edwina ia sentir muito essa ausência, mas estava feliz por ele ter conseguido. Phillip ofereceu-se para ficar em casa e ajudar com os menores e com o exuberante George, mas Edwina não quis nem discutir essa possibilidade. Ele ia para Harvard, isso era tudo. Então, ela juntou a família e tomaram o trem para o Lago Tahoe.

E no acampamento, numa noite de luar, Phillip encheu-se de coragem e fez a pergunta. Vinha pensando nisso há muito tempo e começava a ficar preocupado.

— Você alguma vez esteve apaixonada por Ben? — murmurou ele.

Edwina sobressaltou-se, não apenas com a pergunta, mas com a expressão de Phillip. Era como se dissesse que ela pertencia a ele e aos outros irmãos, e por um momento Edwina não soube como responder.

— Não.

— Ele esteve apaixonado por você?

— Não acho que isso seja muito importante — disse Edwina, em voz baixa. Phillip estava realmente preocupado.

Mas não precisava ter medo, e Edwina sorriu para tranqüilizá-lo. Respirou fundo, pensando no véu de noiva guardado no *closet*.

— Ainda estou apaixonada por Charles... — E num sussurro, na noite: — Acho que sempre estarei...

— Fico feliz com isso. — Phillip corou, sentindo-se culpado. — Isto é... eu não quis dizer...

Mas Edwina sorriu.

— Sim, você quis.

Ela pertencia a eles... eles a possuíam agora... não queriam que casasse com ninguém. Era propriedade deles. Para o melhor e para o pior, até o dia da sua morte, ou até o dia em que seus serviços não fossem mais necessários. Edwina aceitava isso, e de certo modo os amava por pensarem assim.

Era estranho, pensou ela, seus pais tinham o direito de pertencer um ao outro, mas os irmãos achavam que ela devia ser unicamente deles. Na opinião de Phillip, ela devia isso a eles. Phillip tinha o direito de ir embora, para a universidade, desde que ela ficasse em casa, à sua espera, tomando conta dos outros.

— Faria alguma diferença se eu o amasse? Não significaria que eu ia amar menos vocês todos — tentou explicar, mas Phillip ficou magoado, como se ela o estivesse traindo.

— Mas você o ama?

Edwina sorriu outra vez, sacudiu a cabeça e beijou-o. Phillip era ainda um garoto, pensou ela, mesmo estando de partida para Harvard.

— Não se preocupe muito. Eu sempre estarei aqui. — Era o que sempre dizia, desde a morte da mãe. "Eu amo vocês... não se preocupem... sempre estarei aqui..."

— Boa noite, Phillip — murmurou, e os dois voltaram para suas cabanas.

Phillip, tranqüilo, olhou para ela. Vivia pelas palavras dela. Ele a amava mais do que a tudo no mundo. Como todos os outros. Ela pertencia a eles agora, como seus pais tinham pertencido. E Edwina tinha a eles... e um véu de noiva escondido no *closet*, que jamais seria usado... e o anel de noivado de Charles, brilhando ainda no seu dedo.

— Boa noite, Edwina — respondeu ele.

Ela sorriu e fechou a porta, tentando lembrar se a vida alguma vez fora diferente.

Capítulo 15

O TREM PAROU NA ESTAÇÃO, com todos os Winfields de pé na cabine de Phillip. Ben estava com eles, mais a Sra. Barnes, alguns amigos dele e dois professores. Era um grande dia para ele. Estava de partida para Harvard.

— Você vai escrever, não vai? — perguntou Edwina, sentindo-se como a própria mãe protetora. Depois perguntou se ele tinha escondido no cinto próprio todo o dinheiro que estava levando.

Phillip riu e desmanchou o penteado dela.

— Pare com isso! — reclamou Edwina.

Enquanto Phillip conversava com os amigos, ela ficou ao lado de Ben, tentando evitar que George pulasse a janela. Não viu Alexis e por um momento entrou em pânico, lembrando aquela outra vez em que a menina tinha desaparecido. Mas logo depois a viu com a Sra. Barnes, olhando tristemente para o irmão que ia deixá-los. Na noite anterior, Fannie tinha chorado copiosamente, e até Teddy, com três anos e meio, sabia que estava sendo abandonado.

— Posso ir também? — perguntou ele, mas Phillip sacudiu a cabeça, levantando-o do chão e sentando-o nos seus ombros. Assim, Teddy podia encostar a mão no teto do trem, e ele riu satisfeito. Edwina puxou Fannie mais para perto dela.

Estavam todos tristes vendo a família diminuir. Para Edwina, era como o começo do fim, mas naquela manhã ela lembrou a Phillip o quanto seu pai ficaria orgulhoso. Era um momento importante na vida dele, do qual sempre poderia se orgulhar.

— Você nunca mais será o mesmo — tentara explicar, mas Phillip não entendera. — O mundo vai crescer e você nos verá sob outro prisma quando vier para casa. Vamos parecer muito pequenos e muito provincianos.

Edwina era muito sensata para a idade e tinha uma perspectiva do mundo rara para uma mulher da época, graças às longas conversas que tinha com o pai quando ele era vivo. Fora uma das primeiras coisas que notara, e algo que Ben admirava muito.

— Vou sentir muito a sua falta — repetiu ela. Tinha prometido a si mesma não chorar para não dificultar as coisas para ele.

Mais de uma vez Phillip oferecera-se para ficar e ajudá-la com as crianças. Mas Edwina queria que ele tivesse essa oportunidade. Ele precisava e tinha direito a ela, como seu pai antes dele e o pai do seu pai.

— Boa sorte, meu filho. — Ben apertou a mão dele quando o condutor começou a chamar "todos a bordo!"

Edwina sentia um aperto no coração vendo Phillip despedir-se dos amigos, dos professores e depois beijar as crianças.

— Seja boazinha — disse ele para Fannie —, seja uma boa menina e obedeça Edwina.

— Vou ser — disse ela, muito séria, com duas lágrimas rolando pelo rosto. Durante um ano Phillip fora como um pai para ela, não apenas um irmão mais velho. — Por favor, volte logo.

Fannie, com cinco anos e meio, já perdera dois dentes de leite e tinha os maiores olhos que Edwina já vira. Era uma boa menina, e tudo que desejava era ficar perto de casa e dos irmãos. Falava em ser mãe algum dia, e nada mais. Queria cozinhar, costurar e ter "quatorze filhos". Mas o que Fannie queria realmente era sentir-se segura, aconchegada e protegida para sempre.

— Eu volto logo, Fannie... prometo... — Beijou-a outra vez e voltou-se para Alexis. Não trocaram nenhuma palavra. Não precisavam. Ele sabia o quanto ela o amava. Alexis era o fantasminha que aparecia e desaparecia do seu quarto, que levava leite e biscoitos quando ele estudava até tarde, que dividia tudo que tinha com o irmão mais velho, só porque o amava. — Cuide-se bem, Lexie... eu te amo... vou voltar, eu prometo...

Mas todos sabiam que, para Alexis, essas promessas nada significavam. Às vezes ela ia ao quarto dos pais, como que esperando sua volta. Estava com sete anos, e a dor da perda era tão grande quando há um ano. Agora, Edwina temia que o choque da partida de Phillip a abalasse muito mais do que aos outros.

— E você Teddy, meu ursinho, seja um bom menino, não coma muito chocolate.

Na semana anterior, Teddy tinha devorado uma caixa de bombons e ficara com uma terrível dor de barriga. Agora ele riu, timidamente, quando Phillip o tirou dos ombros.

— Saia daqui, moleque levado — disse Phillip para George, quando o condutor fez o último chamado de "todos a boooooordo!"

Edwina mal teve tempo de abraçá-lo e olhar para ele antes da partida.

— Eu te amo, meu querido. Venha logo para casa... e seja muito feliz. Estaremos aqui para sempre, mas este é o seu tempo...

— Muito obrigado, Winnie... obrigado por me deixar ir... Volto para casa se precisar de mim.

Com lágrimas nos olhos, Edwina fez um gesto afirmativo e depois disse:

— Eu sei... — Abraçou o irmão mais uma vez, lembrando das despedidas jamais feitas no navio, o adeus que deviam ter dito e nunca disseram. — Eu te amo...

Edwina chorava agora, e Ben passou o braço pelos ombros dela, enquanto o trem saía da estação. Viram Phillip acenando com o lenço por um longo tempo, e Fannie e Alexis choraram desconsoladamente a caminho de casa, a primeira soluçando alto, a segunda com lágrimas silenciosas que partiam seu coraçãozinho e o de Edwina. Nenhum deles era resignado, nenhum deles era insensível à dor, e nenhum deles estava feliz com a partida de Phillip.

Sem ele, a casa parecia um túmulo. Ben os deixou no portão, e Edwina entrou tristemente com os outros. Era difícil imaginar a casa sem Phillip.

Nessa noite, Fannie ajudou a arrumar a mesa, enquanto Alexis, muito quieta, olhava pela janela. Não falou com ninguém. Apenas ficou sentada, pensando em Phillip. E George levou Teddy para brincar no jardim, até Edwina chamar. Um grupo silencioso jantou naquela noite o prato favorito de todos, galinha assada. Era estranho, mas Edwina não estranhava mais estar tomando o lugar da mãe. Depois de um ano e meio, era como se nunca tivesse feito outra coisa na vida. Aos vinte e dois anos, era uma mulher com cinco filhos. Mas o vazio deixado por Phillip a fez lembrar da dor jamais esquecida. Depois da oração de graças, ela pediu a George para cortar o frango.

— Você agora é o homem da casa — disse ela, procurando impressioná-lo.

George atravessou o frango com a faca e cortou uma asa como se estivesse brandindo uma adaga. Com treze anos, George ainda não tinha amadurecido nem perdera o gosto pelas brincadeiras ou por aquilo que ele considerava humor.

— Obrigada, George, se vai fazer desse jeito, eu mesma faço.

— Ora, Edwina... — Ele cortou outra asa, depois as duas pernas, como um mercenário atacando os espólios de uma batalha. As crianças riram quando o molho saltou para todos os lados, e então Edwina riu também, até as lágrimas descerem por seu rosto. Tentou ficar séria e chamar a atenção dele, mas não conseguiu.

— George, pare com isso! — Ele partiu a carcaça pelo meio, usando a faca como uma lança. — Pare com isso... você é horrível... — disse ela, e George, com uma curvatura cerimoniosa, entregou o prato e sentou com um largo sorriso.

Sem dúvida ia ser diferente ter de agüentar George como o irmão mais velho, em lugar do muito mais digno e comportado Phillip. Mas George era George, completamente diferente do irmão.

— Depois do jantar, vamos escrever uma carta para Phillip — sugeriu Fannie, muito séria, e Teddy concordou.

Edwina virou a cabeça para falar com George no momento exato em que ele começou a jogar ervilhas em Alexis. Antes que ela pudesse dizer qualquer coisa, duas ervilhas atingiram o nariz de Alexis, e ela explodiu numa gargalhada.

— Parem com isso! — disse Edwina, perguntando a si mesma por quê, sentindo-se como uma criança... pare de nos fazer rir!... pare de me fazer sentir melhor!... pare de evitar que todos chorem!... Pensou por um momento e, sem dizer nada, pôs três ervilhas no garfo e atirou-as em catapulta na direção de George. Ele contra-atacou alegremente, ela armou outra catapulta no garfo e atirou outras três ervilhas, enquanto as crianças riam e gritavam de alegria. E longe, muito longe, Phillip seguia para Harvard.

Capítulo 16

NOS PRIMEIROS DIAS, todos sentiram a dor da falta de Phillip, e para eles, a dor da perda não era desconhecida. Era uma sensação de peso, e no fim de uma semana Edwina percebeu sinais de tensão em Alexis. Ela começou a gaguejar, o que já tinha acontecido antes, por um breve espaço de tempo, depois da morte dos pais. A gagueira desaparecera logo, na primeira vez, mas agora parecia mais persistente. Alexis estava também tendo pesadelos, e Edwina preocupava-se com ela.

Naquele dia, durante a reunião mensal da diretoria do jornal, ela mencionou a Ben o problema de Alexis, e quando chegou em casa, a fiel Sra. Barnes contou que Alexis tinha passado a tarde toda no jardim, desde o momento em que chegara da escola. O dia estava quente e bonito, e Edwina achou que ela devia estar escondida no pequeno labirinto que Kate chamava de "seu jardim secreto".

Um pouco antes do jantar, como Alexis não tivesse aparecido, Edwina foi procurá-la no jardim. Ela a chamou, mas, como sempre acontecia, Alexis não respondeu.

— Venha, bobinha, não se esconda. Venha me dizer o que você fez hoje. Recebemos uma carta de Phillip.

A carta estava na mesa do *hall*, junto com outra, da tia Liz, dizendo que ela não estava muito bem de saúde e tinha torcido o tornozelo quando fora a Londres para consultar o médico. Liz era o tipo de pessoa a quem sempre estavam acontecendo coisas desagradáveis. Na carta, Liz perguntava se Edwina já tinha esvaziado o quarto da mãe, e ela não gostara da pergunta. Na verdade, não achava que estava pronta para fazer isso, ou melhor, para fazer isso com Alexis.

— Venha, meu bem, onde está você? — chamou, olhando para as roseiras no fim do jardim, certa de que ela estava escondida naquele canto. Percorreu o jardim todo e não a encontrou. — Alexis? Você está aí? — Procurou com mais cuidado e chegou a subir na casa da árvore, de George, agora abandonada. Quando saltou para descer, rasgou a saia, mas Alexis não estava em lugar nenhum.

Edwina voltou para dentro e perguntou à Sra. Barnes se tinha certeza de que Alexis estava no jardim, mas sabia que ela não prestava muita atenção às crianças. Era atribuição de Sheilagh, mas a jovem irlandesa tinha ido embora logo depois da Páscoa, e Edwina agora fazia tudo sozinha.

— Ela não foi lá para cima? — perguntou Edwina, e a Sra. Barnes disse que não lembrava. Tinha passado a tarde toda fazendo compota de tomates e não prestara muita atenção em Alexis.

Edwina verificou o quarto de Alexis, o seu, e depois subiu ao andar superior, lembrando as palavras da carta de Liz. "...está mais do que na hora de enfrentar a realidade e desfazer aqueles quartos. Eu me desfiz de tudo que era de Rupert..." Mas para Edwina era diferente, ela sabia, e tudo que queria agora era encontrar Alexis e resolver o problema que a levara a se esconder.

— Lexie?... — Abriu cortinas, procurou entre as roupas da mãe e percebeu que havia um leve cheiro de mofo no quarto. Eles tinham partido há muito tempo, quase dezoito meses. Procurou até debaixo da cama, mas Alexis não estava em lugar nenhum.

Edwina desceu e pediu a George para ajudá-la a procurar a irmã; finalmente, depois de uma hora, ela começou a entrar em pânico.

— Aconteceu alguma coisa na escola, hoje?

Mas George e Fannie não sabiam de nada, e Teddy fora com Edwina à reunião no jornal. As secretárias gostavam de tomar conta dele enquanto Edwina estava na reunião. E às três e meia da tarde, Teddy era o próprio charme.

— Onde você acha que ela pode estar? — perguntou Edwina a George.

Não tinha acontecido nada de especial, e ninguém tinha idéia de onde Alexis estava. A hora do jantar chegou e passou. Edwina e George deram outra busca no jardim e finalmente concluíram que Alexis não estava em casa, nem no jardim. Edwina foi até a cozinha então, e depois de hesitar por um momento, telefonou para Ben. Não sabia o que mais podia fazer, e ele prometeu ajudá-la. Dez minutos depois, ele estava tocando a campainha freneticamente.

— O que aconteceu? — perguntou, e por um momento Edwina teve a estranha sensação de que ele parecia seu pai.

Mas não tinha tempo para pensar nisso agora. Edwina afastou do rosto uma mecha do cabelo desmanchado durante a procura no jardim.

— Eu não sei o que aconteceu, Ben. Não faço a menor idéia. As crianças disseram que não houve nada de extraordinário na escola hoje, e a Sra. Barnes pensou que ela estivesse no jardim o tempo todo, mas ela não estava, pelo menos não desde que cheguei em casa. Já procuramos por toda parte, dentro e fora de casa. Não sei onde ela pode estar.

Alexis nunca aceitava os convites das amigas da escola para brincar nas casas delas. Todos na família sabiam que ela era a mais sensível de todos, e que nunca chegara a se recuperar completamente da perda da mãe. Alexis podia desaparecer, como podia passar dias sem dizer uma palavra. Ela era assim, e todos a aceitavam desse modo. Mas se tinha fugido, só Deus sabia onde podia estar, aonde pretendia ir ou o que ia acontecer. Alexis era uma criança muito bonita, e com as pessoas erradas, tudo era possível.

— Você já chamou a polícia? — Ben tentava aparentar calma, mas estava tão preocupado quanto ela, e satisfeito por ter sido chamado.

— Ainda não. Telefonei primeiro para você.

— E não tem idéia de onde ela pode estar?

Edwina sacudiu a cabeça; Ben foi até a cozinha e telefonou para a polícia. A Sra. Barnes já tinha levado Fannie e Teddy para a cama, dizendo que era muito, muito feio fugir de casa, e Fannie começara a chorar e perguntara se iam encontrar Alexis.

George estava ao lado de Edwina quando Ben telefonou para a polícia. Meia hora mais tarde, tocaram a campainha, e Edwina foi atender. Explicou que não tinha idéia de onde a irmã podia estar, e o sargento perguntou, um tanto confuso, quem eram os pais da criança. Edwina explicou que era a guardiã de Alexis, e ele prometeu procurar na vizinhança e informá-la dentro de uma hora.

— Devemos ir também? — perguntou ela, olhando para Ben.

— Não, senhora. Nós a encontraremos. A senhora e seu marido esperam aqui com o garoto. — Sorriu para eles, procurando tranqüilizá-los, e George olhou furioso para Ben. Gostava dele como amigo, mas não gostava de ouvir dizer que era "marido" de Edwina. Como o irmão mais velho, era muito possessivo no que se referia a ela.

— Por que você não disse a ele? — resmungou George quando o policial saiu.

— Dizer o quê? — Edwina só estava pensando em Alexis.

— Que Ben não é seu marido.

— Ora, pelo amor de Deus... quer, por favor, se concentrar em encontrar sua irmã e não em bobagens?

Mas Ben ouvira também. Depois de um ano e meio de completa atenção, todos achavam que Edwina lhes pertencia. Isso não era saudável para as crianças, pensou ele, ao mesmo tempo dizendo a si mesmo que não era da sua conta. Edwina queria dirigir a família ao seu modo, e infelizmente ele não tinha nenhum motivo para interferir. Olhou para ela preocupado outra vez, e especularam sobre o local para onde Alexis podia ter ido e com quem. Ben ofereceu-se para levá-la de carro às casas das amigas dela, e Edwina levantou-se de um salto, cheia de esperança. George ficou, para esperar a volta do policial.

Foram a três casas próximas, sem nenhum resultado. Todos disseram que há semanas Alexis não os visitava, e não saía da cabeça de Edwina a perturbação crescente de Alexis desde a partida de Phillip.

— Você não acha que ela tenha feito uma loucura, assim como tomar um trem, acha, Ben?

Ben achou pouco provável.

— Ela tem medo da própria sombra, não pode estar longe — disse ele quando subiam os degraus de entrada da casa.

Porém, quando Edwina fez a mesma pergunta a George, ele entrecerrou os olhos e começou a pensar.

— Na semana passada ela me perguntou quanto tempo levava daqui até Boston — confessou George, franzindo a testa —, mas eu não achei que fosse importante. Meu Deus, Win, e se ela tentou tomar um trem? Não vai saber nem para onde está indo.

E podia se machucar... tropeçar nos trilhos, cair, tentando embarcar no vagão de carga... as possibilidades eram apavorantes, e Edwina começou a ficar nervosa. Eram dez horas da noite, e parecia evidente que alguma coisa terrível tinha acontecido.

— Eu a levo até a estação, se quiser, mas tenho certeza de que ela não faria uma coisa dessas — disse Ben, tentando tranqüilizá-los.

George, no entanto, ainda aborrecido com o engano do policial, pensando que Ben era marido de Edwina, respondeu agressivamente:

— Como é que você pode saber?

De amigo da família, Ben passava de repente ao papel de ameaça para George. Ele tinha notado também o ciúme de Phillip, antes de ir para Cambridge. E embora Edwina normalmente conseguisse controlar os irmãos, naquele momento estava preocupada demais para prestar atenção ao que George dizia.

— Vamos. — Ela apanhou um xale da mesa do *hall* e correu para a porta, no momento em que o policial voltava. Mas o homem que dirigia o carro limitou-se a sacudir a cabeça.

— Nem sinal dela.

Ben levou-a à estação no seu Hupmobile, com George no banco de trás, e durante todo o caminho, Edwina olhava ansiosa pela janela. Mas não viram nem sinal de Alexis. Às dez e meia da noite, a estação estava quase vazia. Havia os trens para San José, um modo indireto de ir para o Leste, em vez de tomar a balsa para a estação de Oakland.

— É uma idéia maluca — disse Ben.

Nesse momento, George saiu do carro e correu para os trilhos atrás da estação.

— Lexie!... — chamou ele — Lexie!... — Com as mãos em concha nos lados da boca, ele gritou e as palavras ecoaram no silêncio. Só se ouvia o ruído áspero das rodas de uma locomotiva ou de um vagão em manobra, mas não havia ninguém, não havia nem sinal de Alexis.

Edwina foi atrás de George. Sem saber bem por quê, ela confiava nos instintos dele. De certo modo, ele conhecia Alexis melhor do que ninguém, melhor mesmo do que Edwina ou Phillip.

— Lexie... — gritava ele.

Ben tentou fazê-los voltar, e então ouviram o apito de um trem ao longe. Era o último trem de carga da Southern Pacific, que chegava sempre um pouco antes da meia-noite. Viram ao longe a longa faixa de luz dos faróis da locomotiva; Edwina e Ben abrigaram-se atrás de um dos portões. Então, de repente, notaram um movimento rápido, uma sombra vaga, quase nada, e George atravessou os trilhos como uma flecha antes que Edwina pudesse detê-lo. Então ela compreendeu o que ele tinha visto. Era Alexis, encolhida entre dois carros, apavorada e sozinha, carregando alguma coisa na mão, e mesmo daquela distância Edwina reconheceu a boneca salva do *Titanic*.

— Oh, meu Deus!... — Ela segurou com força o braço de Ben e abaixou-se para passar sob o portão, atrás de George, mas Ben segurou-a.

— Não... Edwina... você não pode...

George atravessou em linha reta, bem na frente do trem,

na direção da menina agachada perto dos trilhos. Se ela não saísse, seria apanhada pela locomotiva, e George percebera tudo num momento.

— George! Não!... — gritou Edwina, libertando-se da mão de Ben e atravessando os trilhos atrás do irmão. Mas suas palavras se perderam, abafadas pelo ruído do trem que se aproximava. Ben olhou em volta, nervoso, procurando inutilmente uma alavanca, um alarme, para parar tudo, e com as lágrimas descendo pelo rosto, fez sinal para o maquinista, que não o viu.

Em meio a tudo isso, George disparou como uma bala na direção de Alexis, com Edwina tropeçando atrás dele, caindo sobre os trilhos, segurando a saia do vestido para cima e gritando por ele, sem ser ouvida. Então o trem passou rapidamente por ela, e parecia que nunca ia acabar de passar. Quando passou o último vagão, ela atravessou os trilhos, certa de que ia encontrar os dois mortos. Mas o que viu foi Alexis, suja de terra, os cabelos louros cheios de pó, deitada sob um trem parado, e George com o braço em volta dela, deitado também no lugar para onde a tinha atirado. Ele a alcançara bem na hora, e a força do seu corpo sobre o corpo muito menor da irmã os levara para longe das rodas do trem. Alexis chorava no silêncio da noite, o trem seguia estridente o seu caminho, e Edwina caiu de joelhos, olhando para os dois, depois abraçando-os, no momento em que Ben chegava, com o rosto molhado de lágrimas. Não podia dizer nada a nenhum deles, nem a Edwina. Ajudou-a a levantar, e George tirou Alexis de baixo do trem. Ben pegou-a no colo e levou-a para o carro, seguido por George abraçado a Edwina. Ela parou e olhou para o irmão. Com treze anos, George era um homem, um homem como seu pai. Não um garoto, não um palhaço, não uma criança, mas um homem, e Edwina abraçou-o, chorando.

— Eu te amo... oh, Deus... eu te amo... pensei que vocês estavam... — Começou a soluçar outra vez e não completou a frase. Suas pernas estavam trêmulas quando foi com eles para o carro, e no caminho Alexis contou o que George instintivamente tinha adivinhado. Ela queria encontrar Phillip.

— Nunca mais faça isso! — disse Edwina, já em casa, depois de dar banho em Alexis e levá-la para a sua cama. — Nunca mais! Podia ter acontecido alguma coisa terrível com você.

Como no *Titanic*, Alexis tinha arriscado a vida com aquela fuga, e da próxima vez podia não ter tanta sorte. Se George não a tivesse tirado dos trilhos do trem... Edwina não queria nem pensar, e Alexis prometeu que não ia fazer mais, só que sentia muita falta de Phillip.

— Ele vai voltar para casa — disse Edwina, pensativa. Também sentia falta dele, mas Phillip tinha direito à própria vida.

— Mamãe e papai nunca mais voltaram — disse Alexis, em voz baixa.

— Isso foi diferente. Phillip vai voltar. Agora, durma.

Apagou a luz e desceu para falar com Ben. George estava na cozinha, preparando alguma coisa para comer. Só então Edwina percebeu que estava coberta da poeira dos trilhos do trem, com a saia rasgada, a blusa suja e o cabelo pior do que o de Alexis.

— Como está ela? — perguntou Ben.

— Está bem.

Tão bem quanto jamais poderia estar. Pelo resto da sua vida, Alexis jamais confiaria em ninguém... nunca acreditaria que as pessoas podiam voltar, e uma parte dela estaria sempre perdida sem a mãe.

— Você sabe o que eu penso, não sabe? — Ben parecia extremamente infeliz, depois de tudo que tinham passado, infeliz e zangado. Telefonara para a polícia enquanto Edwina levava Alexis para a cama, e na volta da estação George não tirava os olhos dele, com expressão intrigada. — Eu acho que isto já foi longe demais. Acho que você não pode continuar sozinha, Edwina. É muita coisa. Seria demais para qualquer pessoa. Seus pais, pelo menos, tinham um ao outro.

— Nós estamos muito bem — disse ela, com calma. Notara também a hostilidade de George para com ele.

— Está me dizendo que vai continuar até todos eles crescerem? — Todo o temor que sentira por Alexis transformava-se em irritação contra Edwina, mas ela estava exausta e abalada demais para discutir.

— O que você sugere que eu faça? — perguntou ela, secamente. — Que desista deles?

— Você pode casar.

Edwina pedira a ajuda dele naquela noite, isso fora tudo, mas para Ben significava uma esperança.

— Isso não é motivo para casar. Não quero casar só porque não posso controlar as crianças sozinha. Além disso, posso controlá-las a maior parte do tempo. E quando não puder, contratarei alguém para me ajudar. Mas quero me casar por amor, com alguém que eu ame como amei Charles. Nada menos do que isso. Não vou me casar porque "não posso controlar tudo sozinha". — Pensou no que os pais sentiam um pelo outro, e no que ela sentia por Charles e que nunca sentiria por Ben, por mais zangado que ele pudesse ficar nessa noite, por mais que desse valor à amizade dele. — Além disso, acho que as crianças não estão preparadas para aceitar meu casamento com qualquer pessoa.

Sem que eles soubessem, George tinha voltado da cozinha e estava ouvindo a conversa. Depois de toda a comoção daquela noite, falavam mais alto que de costume.

— Se é isso que está esperando, Edwina, está completamente enganada. Eles jamais aceitarão outra pessoa em sua vida. Querem você só para eles, todos... são egoístas e só pensam em si mesmos... Phillip... George... Alexis... os dois pequenos... não querem que você tenha uma vida só sua. Querem você a cada minuto do dia, cuidando deles. E quando crescerem, quando não precisarem mais dos seus serviços, você ficará sozinha e eu estarei velho demais para ajudá-la... — Ele caminhou para a porta, e Edwina não disse nada. Voltou-se devagar e olhou para ela. — Você está desistindo da sua vida por eles, Edwina, sabe disso, não sabe?

Edwina balançou a cabeça afirmativamente.

— Sim, Ben, eu sei. É o que quero fazer... o que tenho de fazer... é o que eles iam querer que eu fizesse.

— Não, não é. — Seus olhos estavam tristes por ela.

— Eles queriam que você fosse feliz. Queriam que tivesse o que eles tinham.

Mas eu não posso, Edwina teve vontade de dizer... não posso ter... eles me privaram disso também...

— Eu sinto tanto... — Edwina ficou imóvel, e George sentiu um grande alívio sabendo que ela não ia se casar com Ben. Ele não queria isso. E tinha certeza de que Phillip também não.

— Eu também, Edwina — disse Ben, em voz baixa, saindo e fechando a porta.

Edwina voltou-se, viu George olhando para ela e ficou embaraçada. Não tinha certeza, mas desconfiava que ele ouvira tudo.

— Você está bem, Edwina? — Aproximou-se dela, coberto de fuligem, preocupado.

— Sim — ela sorriu —, estou.

— Está triste porque não vai casar com Ben? — Queria saber o que ela sentia. Quase sempre Edwina era sincera com ele.

— Não, não estou. Se eu o amasse, teria casado na primeira vez que ele me pediu.

George sobressaltou-se, e ela sorriu.

— Você acha que vai casar algum dia?

Edwina achou graça na expressão preocupada do irmão. Tinha certeza agora de que nunca casaria. Não ia ter tempo. Entre correr atrás de crianças quase apanhadas por um trem, levar crianças à escola, fazer biscoitos com Fannie, não ia sobrar tempo para um homem em sua vida, e ela sabia que, bem no íntimo, não queria nenhum.

— Eu duvido.

— Por que não? — perguntou George, curioso, enquanto subiam a escada.

— Bem... por uma porção de coisas... talvez apenas porque amo demais vocês todos. — Respirou fundo e sentiu um aperto no coração. — E talvez porque amei Charles. — E talvez porque amar alguém tanto assim signifique que uma parte de você morreu... que você desistiu de tudo e afundou com eles, como sua mãe tinha feito, por livre escolha, morrendo com o marido. Edwina entregara-se toda a Charles e aos irmãos, e não sobrava nada para mais ninguém agora.

Ficou com George enquanto ele tomava banho, e depois o aconchegou na cama como se ele fosse o pequeno Teddy. Apagou a luz, passou pelos quartos de Teddy e Fannie, depois pelo quarto vazio de Phillip, e chegou ao seu, onde Alexis dormia tranqüila, com o cabelo louro espalhado no travesseiro. Sentou na beirada da cama, olhou para ela e depois, levantando, pela primeira vez em muito tempo, estendeu a mão para a estante mais alta do *closet*. Sabia que ainda estava ali, como tinha chegado da Inglaterra, na caixa amarrada com a fita de cetim azul. Pôs a caixa no chão e abriu-a; a coroa de pérolas e cetim branco cintilou à luz da lua. Segurando o véu, com o mar de tule flutuando à sua volta, Edwina compreendeu que tinha dito a verdade para George... nunca usaria um véu igual àquele, nunca haveria outro homem na sua vida... haveria apenas Phillip, George, Alexis e os outros... nada mais. Era muito perigoso, muito delicado e muito doloroso... para Edwina, nunca haveria um marido.

Guardou o véu na caixa cuidadosamente, sem sentir as lágrimas enquanto atava a fita. Tudo acabado para ela... acabado numa noite distante, no mar, tudo acabado com o homem que ela amava, o homem que não existia mais... seu amor por Charles fora intenso e completo, e nunca poderia existir outro.

Capítulo 17

NO DIA 14 DE JULHO DE 1914, o trem entrou na estação; Edwina, atrás de George, na plataforma, acenou alegremente para Phillip, que estava debruçado na janela da cabine, com um largo sorriso. Era como se ele estivesse longe de casa há centenas de anos, e não os nove meses do seu primeiro ano em Harvard.

Phillip foi o primeiro a desembarcar, e procurava abraçar todos ao mesmo tempo. Edwina chorava, George deu um grito de alegria, e os menores pulavam e gritavam, felizes. Alexis ficou parada, sorrindo, olhando incrédula para ele, como se jamais esperasse que Phillip fosse voltar, apesar de tudo que Edwina tinha dito e das promessas de que estaria de volta no verão.

— Oi, amorzinho. — Phillip abraçou Alexis com força, e ela fechou os olhos, com um largo sorriso.

Ele estava em casa outra vez, tudo estava certo no mundo para todos eles. Era como a realização de um sonho, e George bateu com a mão fechada no peito do irmão e puxou o cabelo dele uma porção de vezes. Phillip apenas ria, bem-humorado. A felicidade que sentia era quase demais para ele.

Quando ele voltou para o trem e começou a passar a bagagem para George, pela janela, Edwina notou o quanto tinha crescido e como estava mais forte. Parecia sofisticado e seguro, muito adulto. Sem dúvida, agora era um homem. Tinha quase dezenove anos, e parecia ter mais.

— O que você está olhando, Win? — perguntou ele, olhando por cima da cabeça de George, e Edwina sorriu e fez continência.

— Parece que você cresceu um pouco. Está muito bem.

Os olhos dos dois tinham o mesmo tom de azul, e eram ambos muito parecidos com a mãe.

— Você também está ótima — disse ele, com relutância. Não contou que sonhava em voltar para casa quase todas as noites. Mas gostava de Harvard também. Ben Jones tinha razão, era maravilhoso estar lá, porém às vezes tinha a impressão de estar num outro planeta. E ficava tão longe. Quatro dias de trem. Parecia uma eternidade. Phillip tinha passado o Natal em Nova York, com a família do seu companheiro de quarto, e sentira uma falta enorme de Edwina e das crianças, mas não tanta quanto sentiram dele. Havia momentos em que Edwina se perguntava se Alexis sobreviveria à falta do irmão.

Phillip notou a ausência de Ben, e quando caminhavam para o carro, estacionado na frente da estação, perguntou, franzindo a testa:

— Onde está Ben?

— Viajando. Em Los Angeles — respondeu ela, sorrindo. — Mas me pediu para transmitir seu amor. Provavelmente vai adorar almoçar algum dia com você, para conversarem sobre Harvard.

Ela também queria saber de tudo. As cartas de Phillip eram fascinantes, contando sobre as pessoas que conhecia, os cursos que fazia, os professores. Às vezes, Edwina o invejava. Adoraria ir para um lugar como aquele. Antes da morte dos pais, nunca tinha pensado nisso. Tudo que queria era casar e ter filhos. Mas agora, com todas as suas responsabilidades, precisava estar bem-informada quando comparecia às reuniões do jornal, e achava que devia ensinar às crianças algo mais do que fazer bolos e plantar flores no jardim.

— Quem trouxe vocês à estação? — perguntou Phillip, enquanto tentava evitar que George deixasse cair a caixa com livros, segurando a mão de Alexis e olhando para Teddy e Fannie. Era a cena de equilibrismo tão familiar, e Edwina riu.

— Eu mesma — respondeu, orgulhosa, e Phillip riu, achando que era brincadeira.

— Não, estou falando sério.

— E eu também. Por quê, não acredita que sei guiar? — perguntou Edwina, com um sorriso feliz, ao lado do Packard que tinha comprado como um presente para os irmãos e para ela mesma, quando completara vinte e três anos.

— Edwina, está brincando.

— É claro que não estou. Venha, ponha todas as suas coisas no carro que eu o levo para casa, Sr. Phillip.

Puseram a bagagem na mala e na capota do belo Packard azul-escuro, e Phillip ficou impressionado com a habilidade dela, dirigindo até em casa sem nenhum problema. As crianças falavam sem parar, e George estava tão excitado que mal conseguia perguntar tudo que queria saber. O barulho era tanto, que, quando chegaram em casa, Phillip disse, brincando, que estava com dor de cabeça.

— Muito bem, vejo que nada mudou por aqui.

Então, olhou atentamente para a irmã. Edwina estava bem, mais bonita do que nunca. Era difícil aceitar o fato de que aquela bela jovem que tomava conta de todos tão bem não era sua mãe, mas sua irmã, e que tinha escolhido essa vida estranha e solitária para cuidar deles.

— Você está bem? — perguntou Phillip quando entraram em casa.

— Estou ótima, Phillip. — Ergueu os olhos para ele. Phillip estava muito mais alto do que ela, e Edwina tinha a impressão de que agora era mais alto do que o pai também. — Você gosta de Harvard? Quero dizer, de verdade...

Ele fez um gesto afirmativo que parecia sincero.

— É longe de casa. Mas estou aprendendo coisas maravilhosas e conhecendo muita gente interessante. Só queria que fosse um pouco mais perto de casa.

— Não vai demorar — disse ela, com otimismo. — Mais três anos e estará de volta, dirigindo o jornal.

— Não vejo a hora — disse ele, com um largo sorriso.

— Nem eu. Estou começando a ficar farta das reuniões.

E às vezes era difícil tratar de negócios com Ben. Ele ficara muito desapontado com sua recusa na noite da fuga de Alexis. Mas continuavam bons amigos. Apenas mantinham uma distância maior agora.

— Quando vamos para Tahoe, Win? — Phillip olhava em volta como se tivesse ficado fora dez anos, bebendo com os olhos, tocando os objetos. Ela não podia imaginar o quanto tinha sentido falta de tudo aquilo.

— Só daqui a algumas semanas. Pensei em irmos em julho, como todos os anos. Não sabia o que você ia fazer em agosto. — E em setembro ele voltaria para Cambridge, mas antes disso passaria dois meses e meio com eles.

Na primeira semana, eles fizeram tudo que Phillip queria fazer. Jantaram em todos os seus restaurantes favoritos, ele visitou os amigos, e no começo de julho Edwina notou que havia uma jovem na vida dele. Era bonita, delicada e loura, e quando jantava na casa deles, parecia beber cada palavra de Phillip. Tinha dezoito anos e fazia com que Edwina se sentisse com mais de cem. A jovem a tratava com a deferência devida a uma mulher com o dobro da sua idade, e Edwina se perguntava que idade a menina achava que ela devia ter. Comentou com Phillip, mas ele riu e disse que ela estava fazendo isso só para impressioná-la. Chamava-se Becky Hancock, e seus pais tinham uma casa no Lago Tahoe, perto de onde Edwina costumava ficar com os irmãos.

Eles a viram muitas vezes em julho, e em várias ocasiões ela convidou Phillip, George e Edwina para jogar tênis. Edwina jogava bem, e quando Phillip e Becky saíam da quadra, ela jogava com George e ficava feliz quando o vencia.

— Você não joga mal para uma mulher idosa — brincou George, e Edwina jogou a bola nele.

— Não deixo mais você dirigir o meu carro.

— Está bem, está bem, peço desculpas.

Phillip usava o carro quando saía com Becky, mas sempre que estava livre Edwina ensinava George a dirigir. Com quatorze anos, George dirigia muito bem, estava menos levado, e Edwina notou que começava a se interessar por meninas da sua idade.

— É bobagem de Phillip namorar aquela menina — disse ele, certo dia, dirigindo o carro, ao lado de Edwina, enquanto Phillip tomava conta das crianças.

— Por que diz isso? — Edwina não estava muito certa de discordar, mas queria saber a opinião de George.

— Ela gosta dele por todos os motivos errados.

Uma observação interessante.

— Por exemplo?

George pensou um pouco, fez uma curva perfeita e Edwina elogiou sua habilidade.

— Obrigado. — Pensou em Becky outra vez. — Às vezes eu acho que ela só gosta dele por causa do jornal de papai.

O pai de Becky tinha um restaurante e dois hotéis, e a família vivia bem, mas o jornal dos Winfields era muito mais rendoso e conferia mais prestígio. Phillip seria um homem importante algum dia, como o pai. Se ela estava à procura de marido, era sem dúvida uma menina esperta. Mas Phillip era muito novo para pensar em casamento, e Edwina esperava que ele só começasse a pensar nisso muito mais tarde.

— Você pode ter razão. Por outro lado, seu irmão é um homem muito bonito.

Edwina sorriu, e George deu de ombros, depois olhou rapidamente para ela, com expressão pensativa.

— Edwina, você me acharia horrível se, depois de crescido, eu não quisesse trabalhar no jornal?

Tomada de surpresa, Edwina sacudiu a cabeça lentamente.

— Horrível, não, mas por que não ia querer?

— Não sei... Acho que deve ser muito aborrecido. É mais para Phillip do que para mim.

Edwina riu da seriedade dele. George era tão novo ainda, e até poucos meses atrás não passava de um menino levado. Mas ultimamente parecia ter crescido e agora resolvia que não ia trabalhar no jornal.

— Então, qual é o "seu" tipo de coisa?

— Eu não sei... — Hesitou, depois olhou para ela. — Acho que algum dia vou querer fazer filmes.

Atônita, Edwina viu que ele falava sério. A idéia era tão absurda que ela riu, mas George começou a explicar como era interessante e depois contou um filme com Mary Pickford, que tinha visto recentemente.

— E quando foi que você viu isso? — Edwina não se lembrava de ter deixado George ir ao cinema há pouco tempo, mas ele apenas sorriu.

— Quando matei a aula no mês passado.

Edwina ficou horrorizada, depois começaram a rir.

— Você é impossível.

— É — disse ele, feliz —, mas não negue... você me ama.

— Deixe disso.

George passou a direção para ela e voltaram para casa, conversando sobre a vida, sobre a família, o cinema, que era a paixão dele, e o jornal. Quando chegaram ao acampamento, Edwina parou o carro e olhou surpresa para ele.

— George, você está falando sério, não está?

Mas como George podia falar sério sobre qualquer coisa? Para ela, eram sonhos de uma criança.

— Sim, falo sério. Vou fazer isso algum dia. — Sorriu, feliz. Ela era sua melhor amiga, além de irmã. — Vou fazer, enquanto Phillip dirige o jornal. Você vai ver.

— Seja como for, espero que um de vocês dois fique no jornal. Detestaria ter feito tanta força para conservá-lo a troco de nada.

— Sempre poderá vender e ganhar um dinheirão — disse ele, com otimismo.

Mas Edwina sabia que não era assim tão fácil. Ultimamente o jornal lutava com problemas de ordem trabalhista e de renda também. Não era a mesma coisa quando o dono o dirigia. E ela precisava mantê-lo vivo por mais três anos, até Phillip terminar a faculdade. E naquele momento, três anos pareciam muito tempo para ela.

— Que tal o passeio? — perguntou Phillip.

Teddy dormia na rede sob uma árvore, e Phillip acabava de ter uma conversa muito séria com Fannie e Alexis.

— Do que estavam falando? — perguntou Edwina, sentando ao lado deles, enquanto George ia se vestir para pescar trutas com um dos vizinhos.

— Estávamos lembrando como mamãe era bonita — disse Phillip, e Edwina notou que há muito tempo não via Alexis tão feliz. Ela gostava de ouvir falar na mãe, e às vezes, à noite, quando dormia na cama de Edwina, pedia à irmã que falasse sobre Kate durante horas seguidas. Era doloroso para os maiores, mas mantinha Kate viva para os menores, e Teddy adorava ouvir histórias sobre o pai.

— Por que eles morreram? — perguntou Teddy certo dia, e Edwina dera a única explicação que lhe viera à mente.

— Porque Deus os amava tanto que quis ficar mais perto deles.

Teddy balançara a cabeça afirmativamente, depois olhara para ela, com expressão preocupada.

— Ele ama você também, Edwina?

— Não tanto assim, meu bem.

— Ótimo.

Teddy ficara satisfeito e passaram a falar sobre outras coisas; Edwina pensara com tristeza que ele era tão pequeno que nem os tinha conhecido. Mas Alexis lembrava de muitas coisas, e Fannie, de algumas. Tinham morrido há mais de dois anos, e a dor estava aliviada. Até mesmo para Edwina.

— Você comprou o jornal hoje? — perguntou Phillip.

Edwina disse que não tivera tempo, e ele prometeu comprar quando fosse ver Becky.

Há algumas semanas, comentando o assassinato do herdeiro do trono da Áustria, Phillip afirmara que o fato tinha implicações muito mais amplas do que podia parecer. Nesse último ano, ele começara a se interessar por política e estava pensando em fazer o curso de ciência política em Harvard.

Naquela tarde, Phillip viu confirmada sua opinião. A manchete do *Telegraph Sun,* o jornal dos Winfields, dizia: GUERRA NA EUROPA. O assassinato do arquiduque

Francisco Ferdinando e de sua mulher, em Sarajevo, servira de pretexto à Áustria para declarar guerra à Sérvia, à Alemanha para declarar guerra à Rússia e, depois de dois dias, à França, invadindo a Bélgica neutra. No dia seguinte, a Inglaterra declarou guerra à Alemanha. Parecia loucura, mas numa semana quase toda a Europa estava em guerra.

— O que isso significa para nós? — perguntou Edwina quando voltavam para São Francisco, alguns dias mais tarde. — Você acha que vamos entrar nessa guerra também? — Olhou preocupada para Phillip, mas ele a tranqüilizou com um sorriso.

— Não temos nenhum motivo para isso.

Phillip estava muito interessado e praticamente devorava tudo que podia ler a respeito. Assim que chegaram a São Francisco, ele foi diretamente ao jornal do pai. Ben apareceu também e passaram horas analisando e estudando os acontecimentos na Europa.

Durante todo o mês, a guerra foi o centro de todas as conversas. Os japoneses declararam guerra à Alemanha, e a Alemanha bombardeou Paris. Em menos de trinta dias, era uma guerra total, enquanto o resto do mundo observava, atônito.

Phillip ainda estava fascinado com as notícias quando voltou para Harvard, em setembro, e em cada parada do trem comprava jornais e comentava o que lia com os outros passageiros. O interesse jovem e sincero do irmão fez com que Edwina se interessasse também, procurando ler tudo que era publicado antes da reunião mensal no jornal. Havia outras preocupações. Estavam tendo problemas com os sindicatos. Às vezes ela imaginava se poderia manter o jornal por mais dois anos e meio, o tempo de que Phillip precisava para completar os estudos, e que agora pareciam séculos. Suas decisões nas reuniões mensais eram sempre cautelosas. Ela não queria correr riscos, nem prejudicar o jornal, e por mais que criticassem sua atitude conservadora, sabia que não podia fazer mais nada no momento.

Em 1915, quando Phillip cursava o segundo ano em Harvard, a Grande Guerra tornou-se mais intensa, e começou o bloqueio da Grã-Bretanha pelos submarinos alemães.

Edwina ainda recebia cartas da tia Liz, de tempos em tempos, algo que se tornava cada vez mais difícil. As cartas eram sempre chorosas e cheias de lamúrias, e ela parecia tão distante para todos eles. Era alguém que tinham conhecido há muito tempo, e que não conheciam bem. Liz continuava a insistir com Edwina para se desfazer das roupas dos pais, o que ela acabou fazendo, e para vender o jornal e a casa e ir morar em Havermoor com ela, três coisas que Edwina jamais faria e que nem mencionava nas suas respostas.

Apesar da guerra, a exposição Panamá-Pacífico foi inaugurada em fevereiro, em São Francisco, e Edwina levou os irmãos. Divertiram-se muito e disseram que queriam voltar todas as semanas. Foi em janeiro, porém, que aconteceu a coisa mais maravilhosa. Havia sido implantado o serviço de telefone interurbano, ligando Nova York a São Francisco, e quando Phillip ia visitar os amigos, sempre pedia permissão para ligar para a família, comprometendo-se a pagar a ligação.

Estavam jantando uma noite quando o telefone tocou e Edwina atendeu. A telefonista mandou esperar na linha, e então, de repente, ela estava falando com Phillip. Não era uma conexão perfeita, com muita estática na linha, mas ela ouvia a voz dele e chamou os irmãos para ouvirem também. Cinco cabeças rodearam o telefone, cada um deles gritou uma mensagem. Phillip escutou, enviou seu amor para todos e disse que precisava desligar. Foi uma novidade excitante para eles, e Phillip teve a impressão de não estar tão longe de casa.

Em Harvard, Phillip foi convidado pela Sra. Widener para uma cerimônia que despertou lembranças dolorosas, a inauguração da Biblioteca Harry Elkins Widener Memorial, em homenagem ao seu filho. Phillip o vira pela última vez no *Titanic* e lembrava muito bem o encontro. Harry, morto no naufrágio com o pai, era amigo também de Jack Thayer. Depois da reunião, Jack e Phillip conversaram por algum tempo, e cada um seguiu seu caminho. Era estranho pensar que tinham estado no mesmo bote salva-vidas, e por um ou dois dias os repórteres tentaram entrevistar Phillip, na sua condição de sobrevivente, mas depois, para seu alívio, deixaram-no em paz. Todos tinham perdido muito, e depois de tanto tempo ninguém queria falar no assunto. Ele escreveu para Edwina, contando seu encontro com Jack Thayer, mas ela não o mencionou na resposta. Phillip sabia que era um assunto difícil para a irmã. Edwina raramente falava na tragédia, e embora Phillip soubesse que ela ainda pensava em Charles, ela também quase não falava nele. Era doloroso demais para ela, e Phillip tinha a impressão de que sempre seria. A juventude de Edwina terminara para sempre naquela noite.

Mas o maior golpe foi desfechado em maio. Phillip atravessava o *campus* da universidade, quando ouviu a notícia; parou por um momento, pensando numa noite gelada há quase três anos.

O *Lusitania* fora torpedeado pelos alemães, e o mundo parava, atônito. Um inocente navio de passageiros fora afundado em dezoito minutos, levando com ele mil e duzentas e uma pessoas. Era um golpe brutal que Phillip não podia compreender. Pensou na irmã e no quanto aquele fato ia afetá-la. Acontecera muito perto de casa para todos eles. Phillip estava certo. Quando soube da notícia, Edwina fechou os olhos. Depois, saiu do jornal do pai e foi a pé até em casa, na Rua Califórnia. Ben ofereceu uma carona, mas ela apenas sacudiu a cabeça. Não podia falar, e era quase como se não o estivesse vendo.

Andou devagar, pensando, como Phillip tinha pensado, na noite terrível três anos atrás, e em tudo que tinha mudado nas suas vidas desde então. Durante esse tempo, tinha se esforçado para apagar as lembranças, mas a perda do *Lusitania* as trazia de volta, com força renovada. Eram muito vívidas outra vez, e Edwina entrou em casa pensando nos pais e em Charles. Era como se pudesse ver seus rostos através das lágrimas, e ela fez uma oração pelas almas das vítimas do *Lusitania*.

Lembrando aquela noite, quase podia ouvir a banda do *Titanic* tocando o hino lamentoso, enquanto o navio afundava. Sentiu o vento gelado no rosto, ouviu os sons terríveis da destruição... e sentiu a dor de nunca mais ver as pessoas que amava, perdidas em tão pouco tempo.

— Edwina? — disse Alexis, assustada quando Edwina ergueu o véu e tirou o chapéu. — Aconteceu alguma coisa?

Alexis estava com nove anos, mas procurando evitar que ela também revivesse a grande perda, Edwina tocou o rosto da irmã de leve e sacudiu a cabeça. Mas seus olhos diziam tudo.

— Não foi nada, meu bem.

Alexis saiu para brincar no jardim, e Edwina ficou parada, observando-a durante um longo tempo, pensando nas pessoas que tinham perdido e agora também nas vítimas do *Lusitania.*

Edwina passou o dia todo muito calada, e à noite Phillip telefonou, sabendo o que ela devia estar sentindo.

— É uma guerra terrível, não é, Win?

— Como puderam fazer uma coisa dessas?... um navio de passageiros... — Estremeceu, lembrando o sofrimento terrível.

— Não pense mais nisso. — Mas era impossível não pensar. Cenas daquela noite no *Titanic* repetiam-se em sua mente... o navio afundando... o ruído áspero dos botes descendo para a água... os gritos lamentosos dos que estavam se afogando. Como se podem esquecer lembranças como essas? Quando tudo desaparece da nossa mente? Deitada na cama, naquela noite, ela achou que jamais esqueceria e pensou nos pais, em Charles, em sua vida com eles, tão diferente da vida que levava agora, sozinha, com as crianças.

Capítulo 18

LOGO DEPOIS DO AFUNDAMENTO do *Lusitania,* a Itália desfez a aliança com a Alemanha e declarou guerra à Áustria também. Em setembro do mesmo ano, a Rússia tinha perdido quase toda a Polônia, a Lituânia, além de um milhão de homens. Era chocante o número de perdas, e a América continuava a observar de fora.

No ano seguinte, 1916, os alemães e os franceses perderam cerca de setecentos mil homens, só em Verdun, e mais de um milhão no Somme. Os alemães continuavam os ataques maciços com seus submarinos, torpedeando e afundando tanto navios de guerra quanto de passageiros e de carga. O clamor público foi enorme, e a esse tempo, Portugal já tinha entrado na guerra também e continuavam os bombardeios de Londres. Em novembro, Wilson fora reeleito, especialmente por manter os Estados Unidos fora da guerra. Mas todos os olhos se voltavam para a Europa, enquanto a carnificina continuava.

Em 31 de janeiro de 1916, Berlim informou Washington que ia retomar a guerra submarina irrestrita, e dentro de dois meses, anunciava que afundariam qualquer navio que transportasse suprimentos para os aliados. Então, Wilson, que tinha definido os Estados Unidos como uma nação "orgulhosa demais para lutar", declarou-se disposto a defender o tipo de liberdade que os americanos sempre tiveram e que esperavam jamais perder.

As cartas da tia Liz eram agora muito mais raras e percorriam caminhos longos e sinuosos, mas ao que parecia ela estava bem, a despeito do racionamento de combustível e alimento. Dizia o quanto desejava ver os sobrinhos e recomendava a Edwina que fosse muito cuidadosa. Esperava poder visitá-los quando a guerra terminasse, mas Edwina tremia só em pensar. Não tinha mais coragem nem de tomar a balsa para Oakland.

Agora ia freqüentemente ao jornal, e era sempre interessante ouvir os homens discutindo a guerra. Ela e Ben tinham feito as pazes e continuavam muito amigos. Ben compreendeu que Edwina não queria casar com ninguém que estava satisfeita com a vida com os irmãos. Ela apreciava aquela amizade e respeitava as opiniões dele, e conversavam horas e horas sobre a guerra e sobre os problemas do jornal. Phillip cursava o último ano em Harvard, para alívio de Edwina. O jornal precisava desesperadamente de um membro da família na direção. A competição era dura, e todos os outros jornais eram dirigidos por indivíduos ou famílias que entendiam do assunto, especialmente o dos Youngs, o mais poderoso jornal de São Francisco, pertencente a uma família. O rico império construído por seu pai ressentia-se da sua ausência. Cinco anos era um longo tempo, e estava na hora de Phillip assumir a direção. Ele precisaria de um ano ou dois para se familiarizar com os detalhes, mas Edwina esperava que fosse capaz de levar o jornal ao que era quando seu pai estava vivo. A renda da família tinha diminuído nos últimos anos, mas não a ponto de afetar seu nível de vida. Ainda bem que Phillip logo estaria em casa. No outono, George ia começar seu período de quatro anos em Harvard.

No dia 6 de abril, porém, os Estados Unidos finalmente entraram na guerra, e Edwina voltou para casa preocupada, depois da reunião mensal no jornal. Ela e Ben tinham conversado longamente sobre os dois meninos e chegaram à conclusão de que Phillip e George não seriam afetados de modo algum pela declaração de guerra. Phillip estava na universidade. George não tinha idade, e Edwina dava graças por isso. Lembrava-se das histórias terríveis lidas no jornal do pai, especialmente sobre o número incrível de baixas nas batalhas.

Quando chegou em casa, Alexis disse que Phillip havia telefonado e que voltaria a ligar à noite, mas ele não ligou, e Edwina esqueceu. Às vezes ele telefonava apenas para conversar sobre os acontecimentos mundiais, e embora Edwina considerasse isso uma extravagância, sentia-se lisonjeada por Phillip querer falar com ela. Estava tão acostumada a passar os dias recolhendo bonecas espalhadas, dando laços em fitas, fazendo tranças, ralhando com Teddy por largar seus soldados por toda parte, que era repousante discutir assuntos importantes com os irmãos mais velhos. George interessava-se também pela guerra, porém muito mais pelos filmes que eram feitos sobre ela. Ia ao cinema sempre que podia, com uma das suas inúmeras namoradas. Edwina sorria, lembrando a própria juventude, quando a coisa mais importante em sua vida era ir a festas e bailes e *cotillions*. Ela ia ainda, uma vez ou outra, mas era diferente sem Charles, e nada parecia ter importância. Ia fazer vinte e seis anos, e estava satisfeita com aquela vida. Nem pensava em procurar um marido.

George às vezes insistia para que a irmã saísse mais. Ele lembrava ainda dos pais, elegantes, saindo para uma festa ou um jantar, e de Edwina com belos vestidos, saindo com Charles. Mas quando ele falava nisso, Edwina ficava triste e as irmãs pediam para ver os vestidos bonitos que ela usava e que há muito tempo estavam guardados, se não completamente esquecidos. Agora, preferia roupas mais sérias e chegava a usar os vestidos da mãe, que a faziam parecer uma jovem matrona.

— Por que você não sai mais? — perguntou George.

Edwina respondeu que estava saindo bastante. Na semana anterior, fora a um concerto com Ben e a nova namorada dele.

— Você sabe o que estou dizendo — disse George, aborrecido.

Ele falava em sair com homens, mas Edwina não pretendia discutir esse assunto com o irmão. De qualquer modo, pensavam de modo diferente. Os sentimentos dos irmãos por ela eram contraditórios. Se por um lado, queriam que ela saísse e se divertisse mais, por outro eram extremamente possessivos. Mas Edwina não queria um homem na sua vida. Ainda sonhava com Charles, embora, depois de cinco anos, as lembranças fossem mais apagadas. Mas, no seu coração, pertencia a ele, e detestava ouvir os comentários murmurados a seu respeito... trágico... terrível... pobrezinha... tão bonita... o noivo morreu no naufrágio do *Titanic*, você sabe... os pais também... ficou sozinha para cuidar dos irmãos. Era orgulhosa demais para mostrar que se ofendia e sensível demais para se ofender quando a chamavam de solteirona. Mas era a verdade. Com vinte e cinco anos, procurava se convencer de que não se importava. Aquela porta estava fechada para sempre agora, uma parte da sua vida acabada. Há anos que nem olhava para seu véu de noiva. Não suportava mais a dor. Tinha quase certeza de que nunca mais olharia para ele, mas ele estava lá... e quase fora usado... isso bastava... e talvez, no futuro, fosse usado por Alexis ou Fannie... em memória de um amor que jamais morrera e de uma vida que nunca chegara a existir. Mas não adiantava pensar nisso agora. Tinha muito que fazer. Imaginou se Phillip ia telefonar para comentar a entrada dos Estados Unidos na guerra, mas embora tivesse prometido a Alexis naquela manhã, eie não telefonou.

George chegou em casa cheio de novidades, e várias vezes disse que sentia não ter idade para se alistar. Quando Edwina disse que não aprovava aquele entusiasmo, George acusou-a de não ser patriota.

— Estão pedindo voluntários, Win! — exclamou ele, franzindo a testa e notando que Edwina era mais bonita ainda do que a mãe. Era alta, graciosa e magra, com cabelos longos, negros e brilhantes, que usava solto nas costas quando estava em casa, o que a fazia parecer uma menina, ao contrário dos penteados altos e sofisticados que fazia quando ia à cidade, às reuniões no jornal ou a um jantar.

— Pouco me importa que estejam pedindo voluntários. — Olhou severamente para ele. — Pode tirar essa idéia da cabeça. Você é muito novo. E Phillip tem de dirigir um jornal. Deixe que outros cuidem da guerra. De qualquer modo, vai acabar logo.

Mas não havia sinal disso, e milhões continuavam a morrer na Europa.

Cinco dias depois da declaração de guerra pelo Congresso, Edwina entrava em casa, com uma braçada de rosas do jardim de Kate, quando ergueu os olhos e empalideceu. Phillip estava de pé na porta da cozinha, muito belo e muito alto, com uma expressão compenetrada e séria. Edwina parou e depois caminhou lentamente para ele, com medo de perguntar o porquê da sua presença, o porquê da longa viagem de Boston a São Francisco. De repente, jogou as rosas na grama e correu para os braços dele. Era estranho ver como estava crescido. Tinha vinte e um anos, e, ao contrário de Edwina, parecia muito mais velho. As responsabilidades assumidas nos últimos cinco anos haviam deixado sua marca nos dois, mas Edwina, embora a sentisse, não demonstrava.

— O que aconteceu? — perguntou ela, com voz pausada, mas um aperto no coração dizia que ela não queria saber o que já suspeitava.

— Vim para falar com você.

Phillip não faria nada importante sem consultá-la. Ele a respeitava e amava demais para não pedir sua opinião, senão sua permissão.

— Como conseguiu deixar a universidade? Não está de férias, está?

Mas ela sabia, apenas não queria que fosse o que estava pensando. Queria ouvi-lo dizer que era qualquer outra coisa, até mesmo que fora expulso de Harvard.

— Consegui uma licença especial.

— Oh. — Edwina sentou devagar ao lado da mesa da cozinha, e por um momento os dois ficaram imóveis. — De quanto tempo?

Phillip não ia dizer agora. Não naquele momento. Tinha tanta coisa para dizer a ela ainda.

— Edwina, preciso falar com você... podemos ir para a sala?

A Sra. Barnes estava na despensa, atrás da cozinha. Não tinha visto Phillip ainda, e ele sabia que quando o visse ia fazer tanto estardalhaço que não teriam tempo para conversar.

Sem uma palavra, Edwina caminhou solenemente para a sala de visitas, usada só quando tinham convidados, o que era raro.

— Devia ter telefonado antes de vir — censurou ela.

Assim poderia ter dito a ele para não fazer a viagem. Edwina não o queria em casa, não queria que ele parecesse tão adulto, tão crescido e com aquela expressão de quem estava para dizer uma coisa terrível.

— Eu telefonei, mas você não estava. Alexis não disse?

— Disse, mas você não telefonou outra vez.

Os olhos de Edwina encheram-se de lágrimas. Ele era tão doce e tão jovem ainda, a despeito da seriedade, dos modos quase de adulto e da sofisticação adquirida em Harvard.

— Eu tomei o trem naquela noite, Edwina. — Respirou fundo. Não podia evitar mais. — Eu me alistei. Vou para a Europa dentro de dez dias. Quis ver você antes, para explicar...

Edwina levantou de repente e começou a andar pela sala, torcendo as mãos. Depois parou e olhou para ele, furiosa

— Phillip, como *pôde* fazer isso? Que direito você tinha, depois de tudo que passamos? As crianças precisam de você... eu também... e George vai para a universidade em setembro... — Podia lembrar mil razões para ele não partir, porém a mais simples era que não queria perdê-lo. E se fosse ferido, ou morto? A idéia a deixava atordoada. — Não pode fazer isso! Nós dependemos de você... Nós... eu... — Não terminou a frase, seus olhos encheram-se de lágrimas, e ela virou o rosto. — Phillip, por favor, não vá... — disse, com voz abafada.

Phillip aproximou-se dela, tocou seu ombro gentilmente, tentando explicar, mas sem saber como.

— Edwina, eu preciso. Não posso ficar sentado, lendo sobre a guerra nos jornais, e me sentir como um homem.

Tenho obrigação de cumprir meu dever, agora que nosso país está em guerra.

— Bobagem! — Edwina virou de frente para ele num movimento rápido, exatamente como Kate teria feito alguns anos antes. — Sua obrigação é para com seus dois irmãos e três irmãs. Durante todo esse tempo estivemos esperando que você crescesse, e não pode fugir agora.

— Não estou fugindo de vocês, Win. Vou voltar e prometo compensar o tempo perdido, eu juro!

As palavras da irmã o faziam sentir-se culpado de abandoná-los, mas Phillip sentia que seu dever para com o país era maior. Tinha certeza de que o pai aprovaria. Era uma coisa que tinha de fazer, por mais que Edwina reclamasse. Até seus professores compreendiam. Para eles, era parte de ser homem. Mas para Edwina era uma espécie de traição, e ela ainda estava chorando e olhando furiosa para ele quando George chegou em casa, um momento depois.

Ele ia passar direto pela sala, como sempre fazia, e então viu a irmã com a cabeça inclinada para a frente, o cabelo negro como uma cascata nas costas, como estava no jardim quando deixara cair as rosas, mas não podia ver o irmão de onde estava.

— Ei, Win... o que houve?... alguma coisa errada?

Ela levantou a cabeça, e George, com os livros no braço, o cabelo despenteado, saudável e jovem, o rosto corado pelo ar da primavera, sobressaltou-se. Então Phillip deu um passo para ele, e o que George viu nos olhos do irmão o deixou mais preocupado ainda.

— Ei... o que aconteceu?

— Seu irmão alistou-se no Exército.

Edwina falou como se Phillip acabasse de assassinar alguém, e George olhou para ele sem saber o que dizer. De repente, seus olhos se iluminaram, ele esqueceu Edwina e, aproximando-se do irmão, bateu no ombro dele.

— Meus parabéns, meu velho. Acabe com eles! — Então, lembrou da irmã.

Edwina, furiosa, deu um passo para eles e, com um movimento desafiador da cabeça, jogou os cabelos para trás.

— E se eles acabarem com ele, George? Se eles o matarem? O que acontece então? Vai ser excitante também? Você vai ficar contente como está agora? O que vai fazer, ir lá e acabar com eles? Pensem nisso, vocês dois. Pense no que está fazendo, Phillip. Pense nesta família antes de fazer qualquer coisa, e no que estará fazendo a todos nós. — Passou por eles e parou na porta; com um olhar angustiado para Phillip, a voz dura e seca, anunciou: — Não vou deixá-lo partir, Phillip. Terá de dizer que foi um engano. Não o deixarei ir. — Saiu da sala, bateu a porta e subiu correndo para o quarto.

Capítulo 19

— POR QUE PHILLIP VOLTOU PARA CASA? — perguntou Alexis, curiosa, penteando o cabelo da boneca. — Ele foi reprovado na escola?

Alexis estava interessada, bem como Fannie e Teddy, mas Edwina recusou-se a discutir o assunto com eles na manhã seguinte, quando tomavam café.

George e Phillip jantaram no clube do pai, com Ben, na noite anterior, e desde a tarde da sua chegada Edwina não tinha falado com ele.

— Phillip sentiu saudades de nós, só isso. — Edwina falou muito séria, sem maiores explicações. Mas olhando para ela, até Teddy percebeu que alguma coisa estava errada.

Ela os beijou antes de saírem para a escola e foi para o jardim, onde apanhou as rosas que deixara cair na véspera. Estavam meio murchas, mas pareciam tão sem importância agora. Como tudo mais, comparado com o que Phillip ia fazer. Edwina não tinha idéia de como poderia impedi-lo, mas ia fazer todo o possível. Phillip não tinha o direito de deixá-los assim, e, o que era mais importante, arriscar a própria vida. Ela levou as rosas para dentro, pensando em telefonar para Ben, quando George entrou na sala. Como sempre, estava atrasado para a escola, e Edwina já ia chamar a sua atenção, mas a expressão dos olhos do irmão dizia que era tarde demais para isso. Como Phillip, George era quase um homem agora.

— Você vai mesmo tentar impedi-lo, Win? — George falou em voz baixa e tristonha. Era como se soubesse que ela ia perder, e que ele compreendia melhor porque era homem, e ela não.

— Sim, eu vou tentar impedi-lo. — Pôs as rosas no vaso, com um gosto decidido, depois olhou para ele com mágoa e zanga. — Ele não tinha o direito de fazer isso sem pedir minha opinião. — Queria ter certeza de que George também estava recebendo a mensagem. Não ia tolerar que nenhum deles tomasse uma decisão tão séria sem consultá-la, e George era bastante impulsivo para tentar seguir o irmão.

— Não devia fazer isso, Win. Papai não aprovaria. Ele achava que devemos lutar por aquilo em que acreditamos.

Os olhos de Edwina eram como dardos, e ela não se preocupou em poupá-lo.

— Papai não está aqui — disse secamente, como jamais o fizera antes. — Papai também não ia querer que ele nos abandonasse. As coisas são diferentes agora.

— Eu ainda estou aqui — disse ele, suavemente, mas Edwina sacudiu a cabeça.

— Você vai para Harvard no próximo ano. — George estava praticamente aceito na universidade e ia seguir a tradição da família, mas não era disso que ela se queixava. Não queria que fossem mortos. — Não se meta nisso, George — avisou —, esse assunto é entre mim e Phillip.

— Não, não é — disse ele —, é entre ele e ele. Phillip é quem resolve se quer ou não defender aquilo em que acredita. Você não ia querer que ele fizesse menos do que isso, Win. Phillip tem de fazer o que acha certo, mesmo que nos magoe. Eu compreendo isso, e você tem de compreender também.

— Não tenho de compreender coisa alguma. — Virou o rosto para que ele não visse as lágrimas nos seus olhos, e disse: — Vá agora, ou vai se atrasar para a escola.

George ia saindo com relutância, no momento em que Phillip descia a escada. Do outro lado do *hall*, ele perguntou, em voz baixa:

— Como ela está?

Os dois tinham conversado até tarde da noite, e Phillip não tinha nenhuma dúvida sobre o que ia fazer. Precisava ir.

— Acho que está chorando — murmurou George, despedindo-se com um aceno.

Ia chegar tarde na escola, como sempre, mas não tinha importância agora. Estava quase no fim. Sua formatura na Escola Drew seria dentro de seis semanas, e depois, em setembro, partiria para Harvard. Para George, a escola era um lugar onde fazia amigos, namorava e se divertia antes de voltar para casa e jantar com a família. Gostava da escola, mas nunca fora um aluno aplicado como Phillip. Sentia também a ida do irmão para a guerra, mas tinha certeza de que ele estava fazendo a coisa certa e que Edwina estava errada. Seu pai teria dito isso a ela, se estivesse vivo, mas infelizmente não estava. E Phillip não era mais um garoto.

Mais tarde, Phillip tentou dizer isso a ela, no jardim, mas Edwina, arrancando furiosamente as ervas daninhas, a princípio fingiu não ouvir. Finalmente, voltou para ele os olhos cheios de lágrimas e afastou o cabelo do rosto.

— Se você não é mais uma criança, aja como homem e fique conosco. Durante cinco anos procurei conservar o jornal para você. O que espera que eu faça agora? Que feche as portas?

O jornal não tinha nada a ver com o caso, e ambos sabiam disso. O que Edwina queria dizer era que estava com medo. Com tanto medo que não suportava a idéia da sua partida e teria feito todo o possível para impedir que ele fosse para a guerra na Europa.

— O jornal vai esperar. Esse não é o caso, e você sabe disso.

— O caso é que... — Dessa vez ela não encontrou palavras para se justificar. Voltou-se e olhou para ele. Phillip parecia tão forte e tão jovem e tão cheio e esperança. Acreditava no que estava fazendo e queria que ela acreditasse também, mas Edwina não podia — ...o caso é que... — murmurou, estendendo a mão. Phillip aproximou-se dela —

...o caso é que eu o amo tanto — soluçou —, oh, por favor... Phillip... não vá...

— Edwina, tenho de ir.

— Não pode... — Pensava em si mesma, em Fannie, em Teddy e Alexis. Precisavam tanto dele. Se ele partisse, teriam apenas George. George, o garoto das brincadeiras infindáveis, das latas atadas nos rabos dos cavalos, das manivelas "emprestadas" dos automóveis, dos camundongos soltos na sala de aula... o rosto carinhoso que a beijava todas as noites, os braços que sempre abraçavam Fanie... os meninos que eles tinham sido... e que não eram mais... e no outono George também iria embora. De repente, tudo começava a mudar, como tudo havia mudado uma vez, com a diferença de que os irmãos eram tudo que Edwina tinha agora, e ela não queria perdê-los. — Phillip, por favor...

Seus olhos imploravam, e Phillip fitou-a com tristeza. Tinha feito a longa viagem só para contar a ela, e de certa forma esperava por isso, mas era extremamente doloroso para todos.

— Não vou sem a sua bênção. Não sei como posso voltar atrás agora, mas se é isso que você sente, se não pode continuar sem mim, tenho de dizer que não posso ir.

Sua tristeza era imensa, e Edwina compreendeu que não tinha escolha.

— E se você não for?

— Não sei... — Phillip olhou tristemente para o jardim da mãe, lembrando dos pais que eles amavam tanto, depois olhou para Edwina. — Acho que sempre vou sentir que, de certa forma, eu os abandonei. Não tenho o direito de deixar que os outros lutem nessa guerra por nós, Edwina. Eu quero estar lá.

Parecia tão seguro e tão calmo que o coração de Edwina se apertou. Ela não entendia o fascínio que a guerra exercia nos homens, mas sabia que Phillip tinha de ir.

— Por quê? Por que tem de ser você?

— Porque, embora você pense que ainda sou uma criança, sou um homem agora, Edwina... e lá é o meu lugar.

Com um gesto afirmativo, Edwina levantou-se, sacudindo a terra e as folhas da saia e das mãos, e depois de um longo tempo olhou outra vez para ele.

— Então, você tem — disse, com voz solene e trêmula.

Estava resolvida, satisfeita por ele ter viajado aquela distância para contar pessoalmente. Do contrário, ela jamais teria compreendido. Não estava certa de compreender agora, mas sentia que o respeitava. E ele tinha razão. Não era mais um menino. Era um homem. Tinha direito aos próprios princípios e às próprias opiniões.

— Tenho o quê? — Phillip parecia confuso, e, de repente, outra vez muito jovem. Edwina sorriu.

— A minha bênção, seu bobo. Eu não quero que você vá, mas acho que tem o direito de resolver sozinho. — Seus olhos encheram-se de tristeza outra vez. — Agora, trate de voltar para casa.

— Eu prometo... voltarei... — Ele a abraçou e ficaram assim por um longo tempo, enquanto Teddy os observava da janela do quarto.

Capítulo 20

OS DOIS IRMÃOS CONVERSARAM durante horas, enquanto Phillip fazia as malas. Ele disse a George que podia escolher o que quisesse, entre suas coisas, quando fosse para Harvard. Passava muito da meia-noite quando desceram para comer alguma coisa na cozinha.

George, com uma coxa de galinha na mão, conversava animadamente, desejando sorte ao irmão e falando sobre as belas mulheres que ele ia encontrar na França. Mas Phillip não estava pensando nisso.

— Seja bom para Edwina — pediu ele, e depois aconselhou o irmão a se comportar em Harvard.

— Não seja bobo — disse George, com um largo sorriso, servindo cerveja para os dois.

As malas de Phillip estavam prontas, e eles não tinham mais nada a fazer. Podiam conversar a noite toda que Edwina não se importaria, nem se ficassem um pouco "altos".

— Falo sério — disse Phillip. — Foi difícil para ela tomar conta de nós durante todos esses anos.

Fazia exatamente cinco anos que seus pais tinham morrido.

— Não fomos tão maus assim — disse George, sorrindo e tomando um gole de cerveja, enquanto imaginava como o irmão ficaria de uniforme, invejando-o e desejando poder ir com ele.

— Se não fosse por nós, ela podia ter casado — disse Phillip, pensativo. — Ou talvez não. Acho que ela jamais esqueceu Charles. Creio que jamais esquecerá.

— Acho que ela não quer esquecer — disse George. Ele conhecia bem a irmã, e Phillip assentiu com um gesto.

— Seja bom para ela. — Olhou carinhosamente para o irmão, despenteou o cabelo dele e disse, com um sorriso: — Vou sentir falta de você, garoto. Divirta-se no próximo ano.

— Você também — disse George, pensando nas aventuras que o irmão teria na França. — Talvez a gente se encontre por lá, algum dia.

Mas Phillip sacudiu a cabeça.

— Não se atreva. Precisam de você aqui.

George fez um gesto afirmativo, vendo a expressão séria do irmão, e olhou para ele com um suspiro de inveja.

— Eu sei. — E depois, com uma seriedade pouco comum para ele, acrescentou: — Trate de voltar.

Exatamente o que Edwina tinha dito, e Phillip balançou a cabeça afirmativamente.

Subiram a escada abraçados, um pouco depois das duas horas da manhã, e no dia seguinte estavam todos prontos e à espera deles quando desceram para o café, preparado por Edwina. Ela sorriu para os dois irmãos, cansados da longa noite de conversa na cozinha.

— Vocês chegaram a ir para a cama ontem à noite? — perguntou ela, servindo café para os dois.

Fannie olhava fixamente para Phillip. Parecia incrível que ele fosse partir outra vez, e agora Edwina não parecia feliz com isso.

Todos o acompanharam até a estação, no Packard, envoltos numa aura de falsa alegria.

Outros rapazes na mesma situação esperavam o trem, muitos deles alistados há pouco tempo. Os Estados Unidos estavam na guerra há nove dias. Para Alexis, era um dia triste e especial, seu décimo primeiro aniversário. Duplamente triste por causa da partida de Phillip.

— Cuide-se bem — disse Edwina suavemente, enquanto esperavam o trem, interrompendo a série interminável de piadas e gracejos com que George distraía os irmãos menores.

O apito do trem soou muito perto, como uma lança atravessando o coração de Edwina.

George ajudou Phillip a embarcar as malas, enquanto os outros os observavam com olhos tristes.

— Quando você vai voltar outra vez? — perguntou Teddy. Uma lágrima tremeu no canto do seu olho e desceu pelo rosto.

— Logo... sejam bons... não deixem de escrever... — Foi interrompido pelo apito do trem.

Tudo estava acontecendo muito depressa. Phillip beijou um de cada vez e depois abraçou Edwina.

— Cuide-se... tudo vai dar certo... volto logo, Win... oh, meu Deus... vou sentir tanta saudade... — Não continuou a frase.

— Volte para nós — murmurou ela —, volte logo para casa... eu te amo...

Correram para a plataforma quando o condutor gritou "todos a bordo". Teddy estava junto de Edwina, e George segurava as mãos de Fannie e Alexis, quando o trem, lenta e implacavelmente, deixou a estação.

Com o coração pesado, Edwina rezou para que ele voltasse são e salvo. Todos acenaram, o trem se afastou; eles não podiam ver as lágrimas que desciam pelas faces de Phillip. Estava fazendo o que tinha de fazer... mas, oh, Deus... ia sentir saudades deles...

Capítulo 21

FOI UMA ESPERA INFINDÁVEL para ele. Ocasionalmente escrevia para Edwina e para as crianças, e no inverno estava na França, tomando parte na batalha de Cambrai. Sua unidade lutava ao lado dos britânicos, e durante algum tempo tudo correu bem para eles, melhor do que para o meio milhão de homens mortos na batalha de Passchendaele. Depois de dez dias de luta, porém, os alemães contra-atacaram; os britânicos e americanos perderam terreno e foram obrigados a recuar quase até o ponto de partida.

As baixas eram enormes, e Edwina lia os jornais com o coração gelado, pensando no irmão. Ele escrevia falando da lama, da neve e do desconforto, mas nunca falou sobre o medo que sentia, o desânimo, vendo milhares de homens morrendo, dia após dia, rezando para sobreviver.

Nos Estados Unidos havia postos de recrutamento por toda parte, com o eterno convite do Tio Sam. Naquele ano, o czar da Rússia fora destronado, e toda a família imperial estava no exílio.

— George também vai ser um herói? — perguntou Fanie, um pouco antes do dia de Ação de Graças, e Edwina estremeceu, pensando na possibilidade de George seguir os passos do irmão.

— Não, não vai — respondeu sombriamente.

Já era demais preocupar-se com Phillip dia e noite. Felizmente George estava em Harvard desde o outono. Ele telefonava ocasionalmente, e suas cartas, muito raras, demonstravam que estava feliz, embora não falasse das mesmas coisas que entusiasmavam Phillip na universidade. Falava das pessoas que conhecia, dos companheiros que lhe agradavam, das festas em Nova York e das namoradas com as quais saía constantemente. Mas também surpreendeu Edwina dizendo que sentia saudades da Califórnia. Escreveu uma carta muito engraçada sobre os últimos filmes que tinha visto, um novo, de Charlie Chaplin, chamado *O Balneário*, e outro com Gloria Swanson, intitulado *Teddy at the Throttle*. Continuava fascinado pelo cinema, e escreveu também uma longa carta com uma crítica técnica dos filmes, explicando como podiam ser melhorados. Edwina imaginou se ele pensava seriamente em ir para Harvard para fazer filmes. Mas o mundo de Hollywood parecia muito distante de Harvard.

Phillip ainda estava na França, com os dedos congelados e homens morrendo à sua volta.

Felizmente, Edwina não sabia disso, e no almoço de Ação de Graças rezaram por ele.

— ...e que Deus abençoe George também — acrescentou Teddy, solenemente —, que não vai ser um herói porque minha irmã Edwina não deixa — explicou.

Edwina sorriu para ele. Aos sete anos, Teddy era ainda um garotinho fofo, muito agarrado a ela. Era a única mãe que ele conhecia.

Passaram o dia tranqüilamente e foram para o jardim depois do almoço. O dia estava claro e quente. Alexis e Fannie sentaram nos balanços, enquanto Teddy chutava bola, ora para uma, ora para a outra. Era estranho estar em casa agora só com as crianças. Edwina sugeriu que escrevessem uma carta para Phillip naquela noite. Esperava o telefonema de George, que estava passando o dia de Ação de Graças com amigos, em Boston.

Todos foram para a cama satisfeitos, e Edwina estava acordada, tarde da noite, quando tocaram a campainha da porta. Ela sentou na cama, sobressaltada, e desceu rapidamente, antes que o toque persistente acordasse as crianças.

Chegou à porta, ainda ajeitando o roupão, descalça, com o cabelo trançado. Abriu cautelosamente, esperando ver um dos amigos de George, embriagado, procurando por ele, esquecido de que ele estava em Harvard.

— Sim? — disse ela, parecendo muito jovem no *hall* escuro, com o rosto iluminado pelo luar.

Viu um homem desconhecido com um telegrama na mão.

— Sua mãe está em casa? — perguntou ele, aumentando sua confusão.

— Eu... não... acho que quer dizer eu. — Franziu a testa. — Para quem é isso?

Mas o medo começava a tocar seu coração, e ela sentiu falta de ar quando o homem leu seu nome, alto e claro. Ele entregou o telegrama e desceu rapidamente os degraus, como um rato fugindo num pesadelo. Edwina fechou a porta e, por um momento, encostou-se nela, para recuperar as forças. Não podia ser nada de bom. As coisas boas não chegavam em telegramas no meio da noite.

Foi para a sala, acendeu uma lâmpada e sentou para ler. O envelope abriu-se com facilidade, seus olhos percorreram o texto rapidamente, a respiração ficou presa na garganta e seu coração parecia que ia explodir. Não podia ser... não era possível... cinco anos atrás, ele havia sobrevivido ao naufrágio do *Titanic*... e agora estava morto... "sentimos informar que seu irmão, soldado Phillip Bertram Winfield, morreu com honra, no campo de batalha, hoje, em Cambrai, 28 de novembro de 1917. O Ministério da Guerra estende suas condolências a toda a sua família..." Estava assinado por alguém de quem ela jamais ouvira falar. Edwina leu e releu o telegrama, um soluço subiu aos seus lábios; depois ela se levantou em silêncio e apagou a luz.

Subiu a escada com as lágrimas descendo pelo rosto e parou no corredor da casa em que ele tinha vivido, onde todos eles tinham crescido, sabendo que Phillip jamais voltaria... como os outros... depois de cinco anos como que emprestados, o tempo suficiente para se tornar homem e para ser morto pelos soldados alemães.

Ali parada, chorando em silêncio, segurando o telegrama odioso, de repente Edwina viu um rostinho aparecer na porta, no escuro. Era Alexis. A menina ficou assim por um longo tempo, sabendo que alguma coisa terrível tinha acontecido, mas sem coragem de se aproximar. Finalmente, Edwina estendeu os braços, e Alexis soube então que Phillip se fora; as duas ficaram abraçadas durante longos minutos, até a irmã mais velha enxugar as lágrimas e levar a menina com ela para a cama, onde ficaram abraçadas, como duas crianças perdidas, até a manhã seguinte.

Capítulo 22

— ALÔ?... ALÔ! — gritou Edwina, sua voz percorrendo os quase cinco mil quilômetros. A ligação estava péssima, mas ela precisava falar com George. Tinha esperado dois dias, para ter certeza de que ele já havia voltado de Boston. Finalmente, alguém atendeu no outro lado da linha.

— Por favor, o Sr. Winfield — gritou ela, e outra vez o ruído intermitente enquanto foram chamá-lo. George estava na linha, mas só ouvia silêncio.

— Alô! — gritou ele. — ...alô!... quem está falando?

Aparentemente a ligação tinha caído, mas então ela respirou fundo e falou, sem saber como começar. Era difícil dar a notícia, ainda mais tendo de gritar daquele jeito. Mas queria poupá-lo do choque do telegrama, e uma carta levaria dias para chegar a Harvard. George tinha o direito de saber, como os outros. As crianças choraram durante dias seguidos. Eram lágrimas conhecidas, lágrimas já vistas antes, embora não lembrassem mais.

— George, está me ouvindo? — Sua voz mal chegava até ele.

— Estou!... Você está bem?

Era uma resposta difícil; com os olhos cheios de lágrimas, de repente achando que fora uma tolice telefonar para ele, disse:

— Phillip... — Antes que ela dissesse qualquer outra coisa, George adivinhou e ficou gelado. — Recebemos um telegrama há dois dias. — Edwina começou a soluçar, o que não era comum, George sabia. — Ele foi morto na França... ele... — Era importante contar todos os detalhes. — ...ele morreu honrosamente... — Mas não conseguiu continuar. Não podia dizer nem mais uma palavra. As crianças escutavam, sentadas na escada.

— Vou para casa — foi tudo que ele disse, chorando. — Vou para casa, Win...

Os dois choravam agora, e Alexis subiu a escada lentamente, dirigindo-se para o quarto que não visitava há tanto tempo. Precisava ir agora, ficar sozinha com seus pensamentos, com a lembrança do irmão mais velho.

— George — tentou continuar Edwina —, não precisa fazer isso... nós... estamos bem... — Mas não havia convicção na sua voz.

— Eu te amo... — George ainda chorava, pensando em Phillip e em Edwina, em todos eles, e na injustiça de tudo aquilo. Edwina estava certa. Não devia tê-lo deixado partir. Reconhecia isso agora. Tarde demais. Para Phillip. — Chego aí em dois dias.

— George, não faça isso. — Temia que a universidade não aprovasse.

— Adeus... espere... as crianças estão bem?

Estavam, mais ou menos, exceto Alexis, que parecia muito abalada. Os outros não largavam Edwina, como que temendo que ela também fosse morrer, abandonando-os.

— Estão bem. — Respirou fundo, tentando afastar o pensamento de Phillip morrendo sozinho na lama congelada. Pobrezinho... se ao menos ela pudesse ter evitado.

— Vejo você dentro de quatro dias então.

Ia dizer outra vez para ele não fazer isso, mas George já tinha desligado. Desligou também e olhou para Fannie e Teddy, sentados na escada e chorando baixinho. Eles desceram e a abraçaram, subindo os três. Naquela noite os dois dormiram com ela, e depois de algum tempo Alexis desceu e juntou-se a eles. Edwina não fora atrás dela, sabendo onde ela estava, sabendo que ela precisava ficar sozinha com as lembranças de Phillip. De certo modo, foi o que todos fizeram.

Falaram no irmão até tarde da noite, e de tudo que amavam nele. Como era alto e distinto, como era bom, como tratava as coisas com seriedade, como era responsável, amoroso e gentil. Eram muitos os atributos, e lembrando, com o coração apertado, Edwina compreendeu o quanto ia sentir sua falta.

Todos juntos ali no meio da noite, era como estar no bote salva-vidas, com medo, sozinhos, abraçados para se protegerem das águas tempestuosas, imaginando se encontrariam os outros novamente. Só que dessa vez ela sabia que isso era impossível.

Foram quatro longos dias, de pensamentos, de lágrimas e de revolta silenciosa, esperando a chegada de George. Mas quando ele chegou, a casa tomou vida outra vez. George subia e descia a escada, correndo, batia portas, entrava correndo na cozinha. Edwina sorria vendo-o em casa outra vez. No dia em que chegou, ele foi direto para o jardim, ao encontro de Edwina. Abraçou-a e ficaram assim por um longo tempo, chorando pelo irmão perdido.

— Estou feliz por você ter vindo — admitiu ela, com um olhar tristonho, mais tarde, quando os menores já estavam deitados. — Parece tudo tão vazio sem ele. Tudo ficou diferente agora, sabendo que ele... se foi... que não vai mais voltar. Detesto entrar no quarto dele.

George compreendia. No dia da sua chegada, tinha subido ao quarto do irmão e chorara desconsoladamente. De certo modo, esperava encontrá-lo.

— É tão estranho, não é? — disse ele. — É como se ele ainda estivesse vivo em algum lugar, e eu soubesse que vai voltar algum dia... mas não vai, Edwina... vai?

Ela sacudiu a cabeça, pensando em Phillip, no seu senso de responsabilidade, no quanto a ajudava com as crianças. Ao contrário de George, que estava sempre pondo sapos nas camas dos outros. Mas naquele momento, estava grata pela presença dele.

— Eu tinha essa impressão a respeito de mamãe... papai... e Charles — confessou ela. — De que voltariam algum dia. Mas não voltaram.

— Acho que eu era muito novo para compreender isso naquele tempo — disse George em voz baixa, achando que começava a conhecê-la melhor. — Deve ter sido terrível para você, Win... com Charles e tudo mais. — Depois de uma pausa, perguntou: — Você nunca se interessou por ninguém? Quero dizer... depois dele... — Sabia que Ben gostava dela, mas sabia também que Edwina não o amava. E não acreditava que tivesse havido alguém durante todo esse tempo.

Ela sacudiu a cabeça e sorriu.

— Creio que jamais amarei outro homem. Talvez tenha sido o suficiente para uma vida toda. Só Charles... — Calou-se, pensando nele.

— Mas não me parece justo... você merece mais do que isso. — Parou outra vez. — Não quer ter filhos seus algum dia?

Edwina riu e enxugou as lágrimas do rosto.

— Creio que já tive o bastante, muito obrigada. Não acha que cinco é suficiente?

— Mas não é a mesma coisa.

George falava sério, e Edwina riu outra vez.

— Pode estar certo de que é muito parecido. Prometi a mamãe tomar conta de vocês e cumpri a promessa. Mas acho que não preciso mais do que isso. De qualquer modo, já estou velha demais.

Mas Edwina não parecia sentida. O que a magoava era perder tantas pessoas a quem amava tanto. Isso fazia com que os outros fossem cada vez mais preciosos.

— Quando você tem de voltar?

George olhou muito sério para ela por um momento, antes de responder.

— Precisamos conversar sobre isso... mas não esta noite... talvez amanhã.

Sabia que Edwina ia ficar aborrecida, mas tinha decidido antes de tomar o trem para a Califórnia.

— Alguma coisa errada? Está com algum problema, George?

No caso de George, não seria um choque muito grande, mas Edwina sorriu amorosamente para ele. George era ainda um garoto, tão cheio de vida, por mais sério que estivesse naquele momento. Mas ele sacudiu a cabeça, ofendido.

— Não, nenhum problema, Win. Mas não vou voltar.

— O quê? — Edwina ficou chocada. Há três gerações, todos os homens da família formavam-se em Harvard. Depois de George, seria a vez de Teddy, e, algum dia, os filhos deles.

— Não vou voltar.

Edwina sentiu que ele estava decidido, tanto quanto Phillip, quando resolvera partir para a guerra.

— Por quê?

— Porque agora o meu lugar é aqui. Para ser franco, Harvard nunca foi o meu lugar. Eu me diverti, mas não é o que eu quero, Win. Quero algo diferente. Quero o mundo real... alguma coisa nova, excitante e viva... não quero ensaios em grego nem traduções mitológicas. Isso era bom para Phillip... mas não para mim. Nunca foi. Quero outra coisa. Prefiro trabalhar aqui mesmo.

Embora chocada com a sugestão, ela sabia que não adiantava tentar dissuadi-lo. Deixando-o fazer agora o que queria, talvez mais tarde ele voltasse por escolha própria. Detestava pensar que ele não ia ter um diploma. Phillip pretendia voltar para terminar o curso.

Falaram no assunto durante dias. Finalmente, ela conversou com Ben, e duas semanas depois George começou a trabalhar como *trainee* no jornal do pai. Edwina tinha de admitir que era mais sensato, e agora, sem Phillip, não havia mais ninguém para dirigir o jornal. Ia demorar ainda, talvez um ano ou dois, para que ele aprendesse tudo que precisava. Deus sabia que não havia mais ninguém.

Com um sorriso, Edwina o via sair para o jornal todas as manhãs. Parecia uma criança brincando de ser papai. Para começar, ele saía da cama, geralmente atrasado, e descia para o café com a gravata torta, em tempo para distrair as crianças. Então, depois de derramar três copos de leite e dar a aveia para o gato, apanhava duas frutas e saía voando, dizendo que telefonava na hora do almoço. Ele telefonava religiosamente todos os dias, em geral para contar uma piada ou perguntar se ela se importaria se ele jantasse fora. Ela nunca se importava.

Os romances de George eram famosos na cidade, e quando souberam que estava de volta, os convites eram quase diários. Os Crockers, os Youngs, os Spreckles, quase todos queriam a sua presença, como antes queriam a de Edwina. Uma vez ou outra ela saía com ele, e George era um acompanhante belo e perfeito, mas as festas não a interessavam mais. Interessavam a George, porém, muito mais do que seu aprendizado no jornal.

Edwina o obrigou a comparecer às reuniões mensais do jornal durante alguns meses, mas finalmente descobriu que ele faltava ao trabalho todas as tardes. Uma investigação cuidadosa revelou que George saía do jornal para ir ao cinema.

— Pelo amor de Deus, George, procure levar isso a sério. O jornal será seu algum dia — disse ela, em junho, e ele pediu desculpas, mas no mês seguinte foi a mesma coisa, e ela ameaçou cancelar seu salário se ele não comparecesse ao trabalho.

— Edwina, não posso fazer nada. Não sou eu. Todo mundo faz mesuras e me chama de Sr. Winfield, eu não entendo nada de jornal e estou sempre olhando para trás, pensando que estão falando com papai.

— Pois então trate de aprender. Era o que eu faria se estivesse no seu lugar! — Estava furiosa, mas George, cansado de ser censurado, disse:

— Por que diabos você não dirige o jornal, então? Você administra todo o resto, a casa, as crianças, pode me dirigir se quiser, como fazia com Phillip!

Edwina esbofeteou-o, e George, arrependido, pediu mil desculpas, mas sabia que a tinha ofendido profundamente.

— Edwina, desculpe... eu não sabia o que estava dizendo...

— É isso que pensa de mim, George? Acha que eu controlo tudo? É o que você acha? — Edwina estava chorando. — Muito bem, o que exatamente você acha que eu devia ter feito quando mamãe e papai morreram? Acha que eu devia ter desistido? Deixado vocês todos sem proteção? Quem você pensa que nos teria ajudado? A tia Liz? O tio Rupert? Você, talvez, enquanto estava pondo sapos na cama de todo mundo? Quem mais podia ser, pelo amor de Deus? Papai estava morto, não foi escolha dele. — Soluçava agora e estava prestes a revelar algo que guardava há anos no coração. — E mamãe preferiu ir com ele... não permitiram que ele ou Phillip embarcassem no bote salva-vidas, porque eram homens... você foi o último menino a entrar num bote, naquela noite, porque o oficial encarregado não queria deixar sair nenhum homem ou menino... por isso, papai teve de ficar... mas mamãe *resolveu* ficar com ele. Phillip disse que ela se recusou a embarcar no último barco a sair do navio. Ela *quis* morrer com papai. — Era algo que a torturava há cinco anos. Por que Kate havia escolhido morrer com o marido? — Então, quem sobrou, George? Quem ainda estava aqui? Eu... e você, e você tinha doze anos... e Phillip, dezesseis... eu estava só. E se você não gosta do modo como conduzi as coisas, eu sinto muito. — Virou o rosto molhado de lágrimas, na sala que fora antes o escritório do pai.

— Desculpe, Win... — George estava horrorizado com o que tinha feito. — Eu te amo... e você tem sido maravilhosa... eu estava zangado porque este não sou eu... não posso fazer nada. Desculpe... não sou papai... nem Phillip... nem você... eu sou eu... e isto não é para mim. — Havia lágrimas nos seus olhos, porque ele sentia que tinha desapontado a irmã. — Não posso ser como eles. Harvard não significa coisa alguma para mim, Win. E não entendo nada de jornal. Acho que nunca vou entender... — Começou a chorar e olhou para ela. — Eu sinto muito.

— Então, o que você quer? — perguntou ela, docemente. Amava-o e respeitava-o pelo que ele era e pelo que não era.

— Quero o que eu sempre quis, Win. Ir para Hollywood e fazer filmes.

George ainda não tinha dezenove anos, e sua idéia de ir para Hollywood fazer filmes parecia ridícula.

— Como você vai fazer isso?

Os olhos dele iluminaram-se.

— O tio de um amigo meu, da escola, é diretor de um estúdio, e disse que se algum dia eu estivesse interessado, era só procurá-lo.

— George — disse ela, com um suspiro —, isso é um sonho impossível.

— Como você sabe? Como sabe que não vou ser um produtor brilhante?

Os dois riram entre as lágrimas, e uma parte de Edwina queria fazer a vontade dele, mas a parte mais séria dizia que era loucura.

— Edwina — havia súplica nos seus olhos —, vai me deixar tentar?

— E se eu disser não? — perguntou muito séria, e ficou comovida com o desapontamento que viu nos olhos dele.

— Então eu fico aqui e me comporto. Mas prometo: se me deixar ir, venho ver vocês todos os fins de semana.

Edwina riu.

— O que vou fazer com as mulheres que você trouxer?

— Podemos deixá-las no jardim — disse ele, com um largo sorriso. — Então, vai me deixar tentar?

— Talvez — respondeu Edwina, olhando tristemente para ele. — E então, o que eu faço com o jornal de papai?

— Não sei. — Seus olhos se encontraram. — Acho que nunca serei capaz de dirigir o jornal.

Há muito tempo o jornal era para ela uma dor de cabeça, e muito em breve, sem uma pessoa capaz na direção, ia morrer em silêncio, ou começar a dar prejuízo.

— Acho que devo vender. Phillip era o único que realmente queria tentar. — E só Deus sabia o que Teddy ia querer mais tarde. Tinha apenas oito anos, e Edwina não podia manter o jornal assim para sempre.

George olhou tristemente para ela.

— Eu não sou Phillip, Win.

— Eu sei — sorriu. — Mas eu te amo do jeito que é.

— Isso quer dizer que... — Não teve coragem de perguntar, mas Edwina riu, fez um gesto afirmativo e o abraçou carinhosamente.

— Sim, seu maroto, vá... pode me abandonar.

Mas ela estava brincando. George tinha voltado para ela quando precisara dele, sete meses atrás, por ocasião da morte de Phillip, e ela sabia que ele nunca seria feliz trabalhando no jornal do pai. E quem sabe? Podia ser, algum dia, um grande produtor de cinema.

— A propósito, quem é esse homem, o tio do seu amigo. Ele é bom? É respeitável?

— O melhor. — George disse um nome desconhecido para ela, e saíram do escritório do pai de mãos dadas.

Edwina precisava pensar muito no assunto, mas o destino de George estava traçado. Ele ia para Hollywood. E para ela, parecia mais do que loucura.

Capítulo 23

EM JULHO, George partiu para Hollywood, logo depois das férias no Lago Tahoe. Continuavam a freqüentar o mesmo acampamento, emprestado por velhos amigos dos pais, que Edwina e as crianças adoravam. Era um lugar de descanso, para longas caminhadas, para nadar, e George ainda era o mestre na pesca de lagostins. Nesse ano, aqueles dias foram especiais para todos, porque no mês seguinte ele partiria para sua aventura em Hollywood.

Falaram muito em Phillip, e Edwina pensou muito sobre o que devia fazer com o jornal. Estava decidida a vender, mas a questão agora era quando.

De volta a São Francisco, ela pediu a Ben para oferecer o jornal aos Youngs, dois dias depois da partida de George para Los Angeles. A casa ainda estava agitada, e os amigos dele telefonavam dia e noite. Era difícil imaginar George fazendo uma carreira séria em qualquer lugar, mas Hollywood parecia o mais certo para ele, se fossem verdadeiras as histórias que ouvia, o que Edwina duvidava. Havia sempre histórias de loucas estrelas do cinema envoltas em peles de raposa branca, dirigindo carros fabulosos e indo a festas selvagens. George parecia jovem demais para isso, mas Edwina confiava nele, e tinha decidido que era melhor deixar que ele experimentasse, para ser um sucesso ou para esquecer definitivamente Hollywood.

— Ben, você acha que devo esperar mais para vender o jornal? E se ele mudar de idéia?

Isso a preocupava, mas a verdade era que o jornal estava caindo verticalmente nos últimos tempos, levando com ele sua renda. Ele não podia sobreviver mais sem seu pai, e George, além de ser muito jovem, não tinha o menor interesse.

— Não duraria o tempo suficiente para George aprender a dirigi-lo.

Ben era sempre honesto com ela, mas a idéia da venda do jornal o entristecia. De qualquer modo, não adiantava mais tentar mantê-lo. Bert estava morto, assim como Phillip, o único que podia ter feito alguma coisa, e George tinha demonstrado claramente sua falta de interesse.

Os Youngs recusaram a oferta sumariamente, mas no mês seguinte receberam uma boa oferta de um grupo de Sacramento. Há algum tempo queriam comprar um jornal em São Francisco, e o *Telegraph Sun* era o que estavam procurando. Fizeram uma proposta justa, e Ben sugeriu que ela devia aceitar.

— Deixe-me pensar um pouco.

Vendo a hesitação dela, Ben aconselhou-a a não demorar muito, do contrário o grupo de Sacramento poderia desistir. Não estavam oferecendo uma quantia fabulosa, mas Edwina poderia viver dela por mais quinze ou vinte anos, e pagar a educação do irmão e das irmãs.

— E depois? — perguntou ela, em voz baixa. — O que acontece depois disso? — Em vinte anos ela estaria com quarenta e sete, sem marido, sem nenhuma qualificação para trabalhar e sem família para tomar conta dela, a não ser que George, ou um dos outros, resolvesse sustentá-la. Não era uma idéia agradável, e Edwina precisava pensar nisso agora. Porém, ficar com o jornal também não era a solução.

Ben estava penalizado, mas jamais diria isso a ela.

— Nos próximos anos você terá tempo para investir o dinheiro, fazer economia. Pode fazer várias coisas, tendo tempo para pensar.

E havia as coisas que já devia ter feito, como casar com ele ou com qualquer outra pessoa. Mas aos vinte e sete anos, o casamento não parecia tão viável. Edwina tinha passado há muito da idade. As mulheres não casam de repente quando têm vinte e sete anos. E ela já não pensava nisso. Tinha feito o que precisava fazer, e era tudo. Não se arrependia de nada. Somente no momento em que se despediu de George e viu no rosto dele a excitação pura e esperançosa, Edwina sentiu que a vida tinha apenas passado por ela. Mas era loucura pensar nisso. Ela voltou da estação com Fannie, Alexis e Teddy, e deixou-se absorver por um trabalho que estavam fazendo juntos, no jardim.

De qualquer forma, ela não saberia o que fazer em Hollywood, com todos aqueles astros e estrelas e as pessoas sobre as quais George escrevia agora. Ele os fazia rir às gargalhadas, descrevendo as mulheres que arrastavam pedras preciosas e peles caras, com cães de caça correndo atrás delas, um dos quais tinha erguido a perna ao lado da cobra mascote de uma *starlet*, provocando uma grande confusão durante sua primeira visita ao estúdio. Em poucos dias George já estava se divertindo e completamente mergulhado no mundo do cinema. O tio do amigo cumprira a promessa e conseguira para ele um emprego de assistente de *cameraman*, para aprender a profissão desde o começo. Dentro de duas semanas ele ia começar a trabalhar num filme.

— Ele vai ser artista de cinema algum dia? — perguntara Fannie, logo depois que ele partira.

Fannie estava com dez anos, e tudo parecia fascinante para ela. Mas era mais fascinante ainda para Alexis, que, aos doze anos, já era uma beldade, mais bonita do que quando pequena, e seu temperamento reticente a fazia parecer mais desejável. Edwina sentia medo às vezes, percebendo o quanto Alexis era notável, como chamava a atenção de todos, e como isso ainda a assustava. Na verdade, ela jamais se recuperara da perda dos pais. E o golpe da morte de Phillip a tornara mais distante e esquiva. Com Edwina ela era sempre franca, inteligente e segura, mas no meio de estranhos, entrava em pânico. E sua afeição por George era quase impressionante. Ela o seguia por toda parte e ficava sentada na escada, à noite, esperando que ele voltasse das festas. Depois da morte de Phillip, Alexis agarrara-se a George como, no passado distante, agarrava-se aos pais.

Estava ansiosa para saber se iam visitá-lo em Hollywood, e Edwina disse que sim, embora George tivesse prometido vir para casa no dia de Ação de Graças.

O jornal foi vendido ao grupo de Sacramento um pouco antes desse dia. A hesitação de Edwina tivera como resultado um aumento na oferta. Era uma quantia justa, mas não fabulosa, e ela sabia que agora precisava ter mais cuidado com os gastos. Nada de roupas novas, carros novos, nenhuma viagem dispendiosa, coisas que, na verdade, não faziam falta. Tudo que precisava era dinheiro suficiente para criar os irmãos menores. Mas, de qualquer modo, a venda do jornal representou um choque emocional. Ela foi à redação pela última vez antes da venda, para assinar os papéis no velho escritório do pai, ocupado agora pelo editor deixado por Bert. Mas para todos, era o escritório de Bert Winfield. Na parede havia uma fotografia sua, quando pequena, ao lado da mãe. Edwina apanhou-a e examinou-a. As coisas restantes de Bert estavam há muito tempo guardadas. Ela embrulhou a fotografia cuidadosamente, sentou à mesa e assinou os papéis.

— Acho que isso é tudo. — Ergueu os olhos para Ben, presente na qualidade de seu advogado para completar a transação.

— Eu sinto que tenha de ser assim, Edwina. — Sorriu tristemente. Como Edwina, ele gostaria de ver Phillip assumir a direção do jornal. Antes de sair da sala, perguntou: — Como vai George?

Edwina riu, lembrando os absurdos da última carta do irmão.

— Acho que nunca esteve tão feliz. Para mim parece loucura. Mas ele está adorando.

— Fico feliz com isso. O jornal não era para ele. — Não quis dizer, mas na sua opinião George teria destruído o jornal.

Ficaram um longo tempo na rua, na frente do prédio do jornal. Edwina sabia que sempre o consultaria para outros assuntos e decisões, mas quando ele a acompanhou até o carro, envoltos numa sensação de nostalgia, ela disse:

— Muito obrigada por tudo.

Ben fez um gesto afirmativo, ela ligou o motor e voltou vagarosamente para casa, imensamente triste. Acabava de desistir do jornal que seu pai tanto amava. Mas sem ele... e sem Phillip... era finalmente o fim de uma era.

Capítulo 24

GEORGE COMPARECEU NO dia de Ação de Graças, como tinha prometido, com histórias malucas de gente mais maluca ainda. Já conhecia os irmãos Warner e tinha visto Norma e Constance Talmadge numa festa, e encantou as crianças com histórias de Tom Mix e Charlie Chaplin. Não que os conhecesse muito bem, mas Hollywood era tão aberta, tão cheia de vida, tão excitante, e a indústria cinematográfica tão nova, que todas as portas se abriam para todos, e ele adorava isso. Era exatamente o que ele queria.

O tio do seu amigo, Sam Horowitz, parecia também um excêntrico, e, segundo George, era um negociante astuto e conhecia todo mundo na cidade. Seu estúdio, o mais importante de Hollywood, funcionava há quatro anos, e algum dia ele seria dono da cidade inteira, porque era inteligente e todo mundo gostava dele. George o descrevia como um grande homem, tanto em estatura quanto em importância, e o fato de ele ter uma filha muito bonita não passou despercebido para Edwina. Segundo George, era filha única, perdera a mãe quando pequena, num desastre de trem, e fora criada pelo pai amoroso. George parecia saber muita coisa sobre ela, mas Edwina não fez nenhum comentário a respeito, deixando que ele continuasse com suas histórias.

— Nós podemos visitar você algum dia? — perguntou Teddy, olhando com adoração para George.

Para ele, o irmão era um grande homem, mais importante do que um astro do cinema! E George sentia-se feliz com o interesse dos irmãos. Não que a parte técnica do trabalho o fascinasse; garantiu que o emprego de assistente de *cameraman* era temporário, mas algum dia queria produzir filmes e dirigir o estúdio, como Sam Horowitz, e tinha certeza de que era capaz. Sam tinha prometido um emprego no escritório no fim daquele ano, se ele se comportasse e se interessasse seriamente pelo trabalho.

— Espero que você se esforce mais do que no jornal — disse Edwina, e ele riu.

— Prometo, Win. Mais do que em Harvard também.

George reconhecia os próprios pecados e tinha finalmente encontrado algo que gostava de fazer. Edwina sentia que Phillip não estivesse ali para ver a atividade do irmão. Mas se Phillip estivesse vivo, talvez George ainda estivesse matando as aulas em Harvard.

A guerra terminara há algumas semanas, e Edwina e George conversaram a respeito nos poucos dias que ele passou em São Francisco. Parecia cruel Phillip ter morrido um ano antes do fim da guerra. Tudo parecia tão sem sentido. Dez milhões de mortos em todos os países aliados. Era uma enormidade, difícil de imaginar. Falando sobre a guerra na Europa, Edwina lembrou que há muito tempo não tinha notícias da tia Liz e resolveu escrever, contando sobre a nova vida de George em Hollywood e dando notícias das crianças. No ano anterior, quando Edwina escrevera, comunicando a morte de Phillip, Liz ficara desolada, mas pouco tinha escrito desde então. Edwina achava que era devido à dificuldade da saída da correspondência da Inglaterra.

Edwina escreveu para Liz depois que George voltou para Hollywood, e só um pouco depois do Natal teve resposta. Então, George estava em casa outra vez, para passar as festas e contar mais histórias. Edwina notou as várias vezes em que Helen Horowitz era citada e suspeitou que George estava caído por ela. Imaginou se devia ir visitá-lo em Hollywood ou deixar que ele desfrutasse a independência, sem interferir. De certo modo, ele era meio menino e meio homem. Com dezenove anos, considerava-se o máximo da sofisticação, mas Edwina sabia que, bem no íntimo, ainda era uma criança, e talvez nunca deixasse de ser. Era o que Edwina mais amava nele. Quando estava em casa, George brincava o tempo todo com as crianças. Comprou belas bonecas para as meninas, e uma bicicleta e um par de pernas de pau para Teddy. Para ela, deu de presente um maravilhoso casaco de raposa prateada. Edwina não podia se imaginar usando aquele casaco, mas lembrava-se de como se sentia bela e sofisticada quando experimentava o da mãe, muitos anos atrás. George insistiu para que ela o vestisse na manhã de Natal, para o café. Ele era sempre generoso e bom, infinitamente criança, quando andava em volta da casa nas pernas de pau de Teddy e cumprimentava os vizinhos lá de cima da sua altura.

George já tinha partido outra vez quando Edwina recebeu notícias do advogado da tia, em Londres. Era uma carta muito formal, informando a morte de *lady* Hickham, no mês de outubro, e que, devido às "inconveniências" dos últimos dias da Grande Guerra, não fora possível avisá-la antes. Mas agora as coisas tinham se normalizado, e ele estava escrevendo para dar a notícia. Como Edwina devia saber, lorde Rupert deixara as terras e a casa para o sobrinho, herdeiro do título. Entretanto, evidentemente deixara toda a fortuna para a mulher, e, de acordo com o testamento de *lady* Hickham, essa fortuna pertencia agora a Edwina e a seus irmãos. Ele citava a quantia aproximada. Edwina ficou parada, olhando atônita para a carta. Não era nada que os fizesse nadar em tiaras e Rolls-Royces, mas era uma bela quantia, que lhes daria segurança, se fossem cuidadosos, pelo resto da vida. Para Edwina, era a resposta às suas preces, porque todos eram jovens e poderiam trabalhar algum dia, ou, no caso das meninas, casar bem, mas Edwina não ia fazer nada disso. Para ela, significava a independência até o dia da sua morte, sem precisar da ajuda dos irmãos. Releu a carta, agradecendo silenciosamente à tia que mal conhecia e de quem pouco tinha gostado durante a última visita. Como uma dádiva final, Liz oferecia a salvação. Era uma quantia muito maior do que a obtida com a venda do jornal, criteriosamente dividida por cinco, e que não era uma fortuna para nenhum deles. A herança da tia Liz era muito mais.

— Meu Deus — murmurou ela, sentada na sala de jantar. Dobrou a carta e viu Alexis, que a observava.

— Alguma coisa errada? — Estava acostumada com a tragédia e com as más notícias, que chegavam por telegramas e cartas.

Mas Edwina sorriu e sacudiu a cabeça.

— Não... e sim... a tia Liz morreu — disse ela, solenemente. — Mas nos deixou um presente muito generoso, que vocês todos vão apreciar muito algum dia, Lexie. — Edwina iria perguntar ao seu banqueiro qual o melhor modo de investir o dinheiro, para ela e para as crianças...

Alexis não se impressionou com o legado e olhou muito séria para Edwina.

— Do que ela morreu?

— Não sei. — Edwina abriu a carta outra vez, sentindo-se culpada por quase não se abalar com a perda da irmã da mãe. Mas Liz estava sempre tão nervosa e infeliz, e sua última visita tinha sido extremamente desagradável. — Aqui não diz.

Mas devia ter sido da gripe espanhola que já havia vitimado tanta gente na Europa e nos Estados Unidos naquele ano. Era uma epidemia terrível. Edwina tentou calcular a idade de Liz. Devia estar com cinqüenta e um, uma vez que sua mãe, se estivesse viva, estaria com quarenta e oito. Era estranho também que tivesse sobrevivido ao tio Rupert por tão pouco tempo.

— Foi muita bondade dela pensar em nós, não acha, Alexis? — Edwina sorriu, e Alexis fez um gesto afirmativo.

— Somos ricos agora? — perguntou Alexis, curiosa, sentando ao lado dela.

Edwina sorriu, sacudindo a cabeça, extremamente aliviada com o dinheiro deixado por Liz.

— Agora, podemos ir morar com George em Hollywood?

Dessa vez Edwina sorriu nervosamente.

— Não tenho certeza de que ele fosse gostar muito disso. Mas podemos pintar a casa — ...arranjar uma cozinheira e um jardineiro... a Sra. Barnes estava aposentada desde o último verão, e, a não ser por uma faxineira, Edwina fazia agora todo o serviço, para economizar, depois da venda do jornal.

Mas a idéia de ir para Hollywood não lhe agradava. Estava feliz ali, já era difícil cuidar de Alexis, agora com treze anos, em São Francisco. Os homens a seguiam por toda parte, e ela começava a corresponder ao assédio. Era uma fonte de grande preocupação para Edwina.

— Eu preferia ir para Hollywood — anunciou Alexis, calmamente, com os cabelos dourados emoldurando o rosto e cascateando pelas costas. Tinha aquele tipo de beleza que atraía a atenção de todos, e onde quer que fosse, todos olhavam para ela, ao passo que Fannie tinha os traços mais suaves e perfeitos de Edwina. Às vezes parecia estranho. Seus pais eram bonitos, mas nenhum dos dois tinha a beleza esfuziante de Alexis. Phillip era bonito, Teddy tinha aquela qualidade especial de encantar, e George herdara os traços fortes e bonitos do pai.

Mas a idéia de levar Alexis para Hollywood a apavorava. Era exatamente o lugar onde jamais queria que ela estivesse. Só faltava ter também os ídolos da tela correndo atrás dela, pensando que já tinha vinte anos.

Porém, quando George telefonou alguns dias depois, e Edwina deu a notícia, ele sugeriu que fossem todos a Hollywood para comemorar, mas logo depois caiu em si e desculpou-se.

— Desculpe, Win... foi uma falta de tato da minha parte? Eu devia estar triste, ou coisa assim?

Edwina riu daquela ingenuidade. Ela adorava a sinceridade de George sobre os próprios sentimentos. Quando estava feliz, ele ria, e fazia os outros rirem com ele, e quando estava triste, chorava. Era simples assim. E, na verdade, nenhum deles chegara a conhecer muito bem a tia Liz ou o tio Rupert.

— Eu sinto a mesma coisa — confessou Edwina. — Sei que devia estar triste, e acho que, numa pequena parte de mim, estou, porque ela era tão chegada a mamãe. Mas estou feliz com o dinheiro. Sem dúvida, faz diferença saber que quando eu ficar velha não vou precisar sentar numa esquina com uma latinha na mão — disse, com um largo sorriso que a fazia parecer uma criança, e os irmãos menores fingiram não ter ouvido.

— De qualquer modo, eu nunca permitiria que você fizesse isso. — Ele riu. — A não ser que me desse uma parte. Afinal, quem lhe ensinou tudo que você sabe?

— Não foi você, seu moleque. Dar uma parte? Pode esperar sentado. — Estavam rindo, felizes.

George os convidou outra vez para visitá-lo, e, alegremente, Edwina disse que iriam nas férias da Páscoa das crianças.

Quando Edwina desligou o telefone, Teddy olhou para ela, muito impressionado, e perguntou se ela ia mesmo sentar numa esquina com uma latinha na mão, e ela riu alto.

— Não, não vou, seu abelhudo! Eu estava só brincando com George.

Mas Alexis percebeu algo muito mais interessante na conversa e perguntou, com um largo sorriso:

— Vamos visitar George em Hollywood?

Ali de pé, sorrindo, Alexis parecia uma visão de sonho, e Edwina mais uma vez perguntou a si mesma se não seria errado levá-la a Hollywood. Mas estavam todos tão entusiasmados, e afinal de contas não passavam de crianças, mesmo que Alexis parecesse ter o dobro da idade e fosse constantemente perseguida pela admiração dos homens. Edwina estaria lá para protegê-la.

— Talvez, se vocês se comportarem. Eu disse a George que provavelmente iremos nas férias da Páscoa.

Os três gritaram e pularam de alegria, e Edwina riu com eles. Eram boas crianças, e ela não se arrependia de nada em sua vida. Tudo parecia muito simples.

O advogado de Liz escreveu mais duas vezes, perguntando se ela poderia ir pessoalmente a Havermoor para acertar tudo e para ver a casa mais uma vez, antes de ser entregue ao herdeiro de *lord* Rupert, mas Edwina respondeu que não tinha nenhuma possibilidade de ir à Inglaterra. Não explicou por quê. Mas não pretendia jamais pôr os pés num navio. Nada no mundo a convenceria a fazer isso. Escreveu uma carta delicada, dizendo que, devido às obrigações familiares, não podia ir à Inglaterra nessa ocasião, e ele respondeu dizendo que isso não representava nenhum problema. Edwina estremecia só em pensar na viagem.

Lembraram o aniversário da morte dos pais, como sempre faziam, com um discreto serviço religioso e com as lembranças que tinham deles. Mas nesse ano, George não estava presente. Era o sétimo aniversário da morte deles, e George não podia se afastar do filme que estava fazendo. Mandou de presente de aniversário para Alexis um vestido com casaco combinando. Ela sempre comemorava o aniversário no dia 1º de abril, porque era doloroso demais comemorar no dia do naufrágio do *Titanic*.

Alexis fez treze anos e ganhou de Edwina um vestido para a visita a Hollywood, que a deixou extremamente orgulhosa. Elas o compraram no I. Magnin, era de tafetá azul-celeste com uma gola delicada e um casaco curto combinando, e quando ela o vestiu, Edwina quase chorou de emoção com a beleza pura da irmã. Com o vestido azul e os cabelos dourados penteados para o alto, parecia um anjo.

Alguns dias depois, quando embarcaram no trem para Los Angeles, as crianças não cabiam em si de alegria.

— Hollywood, aqui vamos nós! — gritou Teddy quando saíram lentamente da estação de São Francisco.

Capítulo 25

A VISITA A GEORGE, em Hollywood, superou até a expectativa de Alexis. Ele os apanhou na estação com um Cadillac emprestado e os levou ao Beverly Hills Hotel, inaugurado há sete anos, um lugar luxuoso, no alto de uma colina. George garantiu que todo o pessoal do cinema hospedava-se no hotel e que a qualquer momento podiam encontrar Mary Pickford, Douglas Fairbanks ou até mesmo Gloria Swanson. Eles viram Charlie Chaplin chegando de carro com seu chofer japonês. Fannie e Alexis olhavam para todo os lados, e Teddy estava tão entusiasmado com os automóveis que quase foi atropelado várias vezes. Edwina estava sempre puxando-o para trás e mandando-o prestar atenção.

— Veja, Edwina! É um Stutz Bearcat!

No primeiro dia, viram dois Stutz Bearcats, quatro Rolls Royces, um Mercer Raceabout, um Kissel e um Pierce-Arrow. Era quase mais do que Teddy podia suportar, mas o que fascinava as meninas, e até Edwina, eram as roupas. Edwina tinha comprado alguma coisa para ela quando fora às compras com Alexis, e levara o casaco curto de raposa prateada, presente de Natal de George, mas agora sentia-se como uma vovozinha com as roupas compradas em São Francisco. As mulheres usavam vestidos longos e justos, que deixavam à mostra mais perna do que Edwina estava acostumada a expor. Mas havia algo de extremamente excitante em tudo aquilo. George convenceu-a a comprar vários chapéus, e quando foram jantar no Sunset Inn, em Santa Mônica, Edwina insistiu para que o irmão a ensinasse a dançar o foxtrote.

— Vamos... é isso... meu Deus, meu pé... — brincou ele, conduzindo-a na pista de dança, os dois rindo.

Há muito tempo Edwina não se divertia tanto, e por uma fração de segundo, uma lembrança insinuou-se em sua mente.

George era muito parecido com o pai, e Edwina lembrou-se de Bert ensinando-a a dançar quando era pequena, e George ainda um bebê. Mas não ia pensar nisso agora. Estavam se divertindo muito, e agora ela compreendia por que George era tão feliz em Hollywood. Era um mundo de gente jovem, feliz, cheia de entusiasmo, que partilhava o prazer com o mundo todo, nos seus filmes maravilhosos. E todos que faziam esses filmes eram jovens, cheios de vida e de humor, e, ao que parecia, toda a população da cidade trabalhava na indústria do cinema. Ouviu comentários sobre Louis B. Mayer, D. W. Griffith, Samuel Goldwyn e Jesse Lasky. Todos estavam fazendo o tipo de filmes que George aprendia a fazer agora com Samuel Horowitz. E Edwina estava fascinada. As crianças ficaram encantadas quando George as levou para ver a última comédia de Mack Sennett e o filme de Charlie Chaplin. Nunca tinham se divertido tanto. Ele os levou para almoçar no Nat Goodwin's Café, em Ocean Park, e com permissão de Edwina foram até o proibido Three O'Clock Ballroom, em Venice, e ao Danceland, em Culver City. E quando voltaram, ele os levou ao Alexandria Hotel, em Spring e Eight, onde jantavam as estrelas. Tiveram sorte nessa noite. Gloria Swanson e Lillian Gish estavam presentes, bem como Douglas Fairbanks, com Mary Pickford. Diziam que o romance entre eles era real, e Edwina os observou, encantada. Era melhor do que ir ao cinema.

George os levou também aos estúdios Horowitz, e durante uma tarde inteira as crianças o viram trabalhar num filme de Wallace Beery. Tudo parecia se movimentar rapidamente, e George disse que podiam completar um filme em menos de três semanas. Já havia trabalhado em três, desde sua chegada a Hollywood. Sam Horowitz estava fora da cidade, e George prometeu apresentá-lo a Edwina mais tarde.

Naquela noite jantaram no Hollywood Hotel, e as crianças ficaram maravilhadas com a decoração elegante, mas muito mais encantadas com a moça que Teddy chamou de "a dama de George". Encontraram-se com Helen Horowitz no hotel. Ela estava com um vestido leve e branco, o cabelo louro penteado todo para trás. Sua pele parecia creme fresco, e o vestido modelava o corpo perfeito. Com dezoito anos, era quase tão alta quanto George, muito magra e muito tímida. Explicou inocentemente que o vestido fora feito para ela por Poiret, em Paris, como se todo mundo mandasse fazer vestidos com o grande costureiro. Por sua delicadeza, sua sofisticação inocente, Edwina achou que ela lembrava Alexis. Tinha a mesma beleza etérea, os mesmos gestos suaves, e parecia ignorar completamente o efeito que causava nas pessoas. Fora criada em Los Angeles, mas, ao que parecia, o pai não gostava que ela convivesse muito com "a gente do cinema", e de qualquer modo, Helen preferia mesmo montar. Convidou todos para passear a cavalo no seu rancho em San Fernando Valley. Mas Edwina explicou, delicadamente, que Alexis tinha medo de cavalos. Teddy gostaria de ter ido, mas estava satisfeito vendo os automóveis luxuosos e variados. Edwina começava a imaginar como ia convencê-lo a se contentar com São Francisco agora.

— Você conhece George há muito tempo? — perguntou Edwina, olhando para Helen. Ela era tão bonita e ao mesmo tempo tão simples. Não bancava a importante, era apenas uma bela moça, com um vestido muito caro, e parecia apaixonada por seu irmão. George a tratava com a maior delicadeza. Edwina os observou enquanto dançavam. Parecia haver algo muito terno entre eles, muito saudável, muito jovem e inocente. Eram duas pessoas completamente inconscientes da própria beleza. E Edwina percebeu então o quanto George tinha crescido. Era um homem agora.

— É uma pena que meu pai não esteja na cidade —

disse Helen. — Vai passar esta semana em Palm Springs, onde estamos construindo uma casa. — Falou como se todo mundo tivesse uma casa em Palm Springs. — Mas eu sei que ele gostaria de conhecê-la.

— Da próxima vez — disse Edwina, olhando para George.

Ele acabava de encontrar alguns amigos e os apresentou a Edwina. Eram todos agitados e inconseqüentes, mas não pareciam más pessoas. A impressão era que estavam apenas se divertindo. Sua atividade quase que exigia isso, já que levava divertimento a milhares de pessoas. E fosse o que fosse que eles faziam ou deixavam de fazer, George adorava.

As crianças não queriam voltar para casa, e depois de Edwina concordar em ficar mais alguns dias, voltaram ao estúdio para ver George trabalhar. Então, um dos diretores perguntou a Edwina se ela daria permissão a Alexis para trabalhar num filme. Ela hesitou, mas para sua grande surpresa, George sacudiu a cabeça, e Alexis ficou num desespero inconsolável até quase o dia da partida. Edwina e George conversaram a respeito, e ele disse que não era a coisa certa para Alexis.

— Por que deixar que eles a explorem? Alexis nem sabe o quanto é bonita. A vida aqui é divertida, mas é para adultos, não para crianças. Se você permitir agora, ela vai querer voltar e pode perder o controle. Já vi acontecer antes, e não quero que aconteça com ela. Você também não ia querer, se tivesse visto.

Edwina concordava com ele, mas ficou surpresa com a atitude conservadora de George em relação à irmã. Para um homem de dezenove anos, quase vinte, como ele fazia questão de repetir, era surpreendentemente amadurecido e parecia muito bem adaptado à vida de Hollywood. Edwina sentiu orgulho do irmão, e pela primeira vez ficou satisfeita por ter vendido o jornal. Se era isso que ele queria, nunca teria sido feliz como jornalista. Os dois tinham feito a coisa certa, ela vendendo o jornal, ele instalando-se em Hollywood.

As crianças deixaram o Beverly Hills Hotel cabisbaixas e fizeram Edwina prometer que voltariam muitas vezes.

— Como vocês sabem se George vai querer? — disse ela, brincando, mas George olhou para a irmã e a fez prometer que voltariam.

— Da próxima vez já terei a minha casa e poderão ficar comigo.

Estava pensando em comprar uma pequena casa com o dinheiro herdado da tia Liz. Por enquanto dividia um apartamento com um amigo, em Beverly Hills, fora da cidade. George queria fazer muitas coisas e tinha muito que aprender, e pela primeira vez na vida queria ser um aluno aplicado. Sam Horowitz tinha lhe dado a oportunidade, e ele pretendia fazer o possível para não desapontá-lo.

Ele os levou à estação, e as crianças partiram, acenando da janela. Para eles, era como um redemoinho que os tinha apanhado e agora os libertava, um sonho estimulante, um brilho fugaz e passageiro, e entreolhavam-se, no trem, imaginando se tinha mesmo acontecido.

— Eu quero voltar algum dia — disse Alexis, em voz baixa.

— Vamos voltar — garantiu Edwina, com um sorriso.

Há muito tempo ela não se divertia tanto, e era como se tivesse dezoito anos outra vez, e não os vinte e oito que completaria na próxima semana. Sua visita a Hollywood fora uma festa de aniversário para um ano inteiro. Edwina sorriu, e Alexis observou-a atentamente.

— Quero dizer, voltar algum dia para ficar — disse ela, como se falasse de algo decidido, um plano com o qual nada no mundo poderia interferir.

— Como George? — Edwina procurou levar na brincadeira, mas algo nos olhos de Alexis dizia que ela falava sério.

Então, a caminho de casa, Alexis voltou-se para ela e perguntou:

— Por que não me deixou aparecer no filme como o homem pediu?

Edwina percebeu o que há dias vinha notando em Alexis: uma veemência e um interesse jamais demonstrados antes.

— George achou que não era uma boa idéia.

— Por que não? — insistiu ela.

Edwina enrolou a manga de Fannie, olhou pela janela do trem e depois para Alexis.

— Provavelmente porque é um mundo para adultos, Alexis, para pessoas que pertencem àquele meio, não para amadores, que podem sofrer tentando fazer coisas que não compreendem.

Era uma resposta honesta, e Alexis, depois de pensar um pouco, aparentemente aceitou-a.

— Um dia vou ser atriz, e nada do que vocês façam poderá me impedir.

Uma observação estranha, e Edwina franziu a testa, preocupada com a veemência da menina.

— Por que pensa que faremos alguma coisa para impedir?

— Você acabou de fazer isso... mas da próxima vez... da próxima vez será diferente.

Alexis olhou para fora do trem, e Edwina ficou atônita. Quem poderia saber? Talvez ela tivesse razão. Talvez voltasse algum dia para trabalhar com George. Edwina tinha a impressão de que Alexis ia conseguir. Pensou então em Helen, imaginando como ela seria realmente, lembrando sua devoção por George e perguntando a si mesma se no futuro seria alguma coisa séria. Todos tinham muito em que pensar naquela viagem de volta. Finalmente, Edwina adormeceu, ao embalo cadenciado das rodas nos trilhos, com os dois mais novos, adormecidos também, recostados nos seus ombros. Mas, de frente para eles, Alexis passou quase toda a viagem olhando para fora, com uma expressão decidida que só ela compreendia e que os outros só podiam tentar adivinhar.

Capítulo 26

OS QUATRO ANOS SEGUINTES em Hollywood foram cheios de encantamento e entusiasmo para George e para seus amigos. Os filmes feitos durante esse tempo foram *The Copperhead, O Xeque, A Porta do Paraíso,* de De Mille, sua comédia *Por que Trocar de Esposa?* e a nova indústria do cinema transformava-se em ouro para todos que trabalhavam nela. Com a proteção e os ensinamentos de Sam Horowitz, George teve oportunidade de trabalhar em vários filmes importantes, e de *cameraman* passou a diretor-assistente, e depois começou a produzir, realizando o antigo sonho. A promessa feita a Edwina há quatro anos, quando partira para Hollywood, em 1919, era uma realidade em 1923.

Antes disso, Horowitz o tinha emprestado à Paramount e à Universal, e agora George conhecia todo mundo, e, o que era mais importante, conhecia seu trabalho. Como os irmãos Warner, Horowitz lançou também no mercado as ações da companhia e contratou diversos escritores e diretores. E Sam foi o primeiro cineasta a ir pessoalmente a Wall Street e convencer os grandes investidores de que Hollywood era o lugar para ganhar dinheiro. Mary Pickford e Douglas Fairbanks associaram-se a D. W. Griffith e a Charlie Chaplin, formando a United Artists. Outros grupos semelhantes foram formados também. Era um tempo glorioso para todos, e Edwina gostava de ouvir as histórias sobre Hollywood. Parecia mentira que os sonhos de George tinham afinal se realizado. E ele estava certo, era muito diferente de dirigir um jornal, fazia muito mais seu estilo do que a sonolenta São Francisco.

Edwina e as crianças visitavam George duas ou três vezes por ano e hospedavam-se na casa dele, em North Crescent Drive. George tinha um mordomo, um cozinheiro, um criado de quarto e uma empregada. Era agora um homem sofisticado e achava graça quando Fannie garantia que era mais bonito do que Rodolfo Valentino. Mas Edwina notou que a maioria das mulheres de Hollywood também pensava assim. George saía com dezenas de atrizes e *starlets*, mas só demonstrava verdadeiro interesse por Helen Horowitz, a filha do seu mentor. Helen estava com vinte e dois anos, e mais bonita do que quando Edwina a conhecera. Muito sofisticada, elegante e segura, fora como Edwina a vira entrar no Cocoanut Grove, de braço com George, com um vestido muito justo, de lamê prateado, de causar assombro. Helen parecia ignorar os olhares de admiração e as câmeras, e mais tarde Edwina perguntou a George por que ela não trabalhava nos filmes do pai.

— Sam não quer que ela faça parte disto tudo. Prefere que continue fora do cinema. Há alguns anos, sugeri a ele essa possibilidade, mas Sam não quer nem ouvir falar. Acho que tem razão. Helen não pertence ao mundo do cinema, não é tocada por ele. Gosta de ouvir as histórias, mas isso é tudo.

O modo como George falava de Helen parecia indicar que logo haveria algo mais sério entre eles, mas por enquanto não passava de um romance prolongado, e Edwina não quis fazer perguntas indiscretas.

Edwina levara as crianças para assistir *Hollywood*, em São Francisco, e agora tentava explicar a Alexis por que ela *não* podia ver *Amores do Faraó*, quando o telefone tocou. Era George, de Los Angeles. Queria que Edwina fosse com ele à *première* do seu maior filme. Douglas Fairbanks fora emprestado a eles, e George disse que as festas do lançamento iam ser magníficas.

— Vai ser bom para você ficar livre dos monstrinhos por algum tempo.

Uma vez ou outra, ele gostava de convidar apenas Edwina, mas dessa vez as reclamações foram tão veementes que, duas semanas mais tarde, ela embarcou para Hollywood com os três. Alexis tinha dezessete anos, e era tão encantadora quanto a filha de Sam Horowitz, com a diferença de que seu cabelo não era penteado em cabeleireiro e ela não tinha um vestido de lamê prateado. Mas era uma bela jovem e chamava a atenção de todos, aonde quer que fosse. Só com esforço Edwina conseguia evitar que os pretendentes batessem constantemente na sua porta. Alexis nunca tinha menos de seis ou sete admiradores de cada vez, mas era ainda uma criança tímida, que preferia os amigos de Edwina, mais velhos, porque se sentia segura com eles. Fannie tinha quinze anos, e era extremamente caseira. Gostava de tratar do jardim e de fazer bolos, e ficava feliz quando Edwina tinha outros compromissos e passava a direção da casa para ela. Uma vez ou outra Edwina precisava sair com Ben para verificar como estavam seus investimentos imobiliários. Esquecidos seus sonhos românticos a respeito de Edwina, Ben agora era apenas um bom amigo. Estava casado há dois anos e parecia muito feliz, o que alegrava Edwina.

Teddy, com treze anos, já falava em ir para Harvard. Ele gostava de Hollywood, mas o que realmente queria era dirigir um banco. Parecia uma escolha estranha para um menino de treze anos, mas Teddy tinha a solidez de Phillip e era muito parecido com ele em tudo. Até então, George era o único com tendência para o inesperado, e o mundo quixotesco de Hollywood era exatamente o que queria.

Dessa vez ficaram no Beverly Hills Hotel, porque George tinha outros convidados em sua casa, mas as crianças, como Edwina os chamava ainda, para desapontamento de Alexis, disseram que o hotel era muito mais interessante. Pola Negri, Leatrice Joy, Noah Beery e Charlie Chaplin estavam hospedados no Beverly Hills. E Teddy enlouqueceu quando viu Will Rogers e Tom Mix no saguão.

Edwina ficou lisonjeada com o convite do irmão para

a festa em Pickfair. Comprou um incrível Chanel de lamê dourado, e, apesar da idade, sentia-se como uma menina. Logo ia completar trinta e dois anos, mas não tinha mudado muito. A pele continuava macia e lisa, o corpo estava até melhor do que antes. Nesse ano, por insistência de George, cortara o cabelo negro e brilhante de acordo com a moda, e, sentindo-se muito chique no vestido dourado, entrou com George na casa que Douglas Fairbanks mandara construir, como presente de casamento para Mary Pickford, três anos antes. Os dois pareciam muito felizes. Era um dos poucos casamentos que estavam dando certo no mundo glamouroso em que viviam. Poucos relacionamentos pareciam durar o tempo dos intervalos das visitas de Edwina a Hollywood, exceto esse.

— Onde está Helen? — perguntou a George, quando, no jardim de Pickfair, tomavam seus drinques e viam os outros dançarem.

Ele não tinha mencionado Helen nem uma vez, o que era raro. Aparentemente iam juntos a todos os lugares, embora saíssem também com outras pessoas. Mas era Helen que o fazia sorrir. Preocupava-se com o menor problema dela, nem que fosse um simples resfriado. Era Helen quem possuía seu coração. Mas George não parecia pensar em casamento, e Edwina evitava falar a respeito.

— Helen está em Palm Springs com o pai — disse ele, e olhando para Edwina, continuou: — Sam acha que não devemos nos ver mais.

Isso explicava o convite para a *première* e a ausência de Helen. Desde que chegaram, Edwina estava pensando que George devia ter convidado Helen para aquela festa.

— Por quê? — Edwina ficou comovida com a expressão dele. Sob o exterior jovial, George parecia arrasado, o que não combinava com ele.

— Ele acha que, depois de quatro anos saindo juntos, devemos casar ou esquecer tudo.

George suspirou e aceitou outro copo de champanhe oferecido pelo garçom. Estava bebendo muito champanhe, mas desde o começo da Lei Seca, há três anos, ninguém fazia outra coisa. Um dos esportes favoritos era ir aos bares clandestinos e a festas particulares, onde a bebida proibida fluía como água. Ao que parecia, a Lei Volstead transformara muito abstêmio em alcoólatra inveterado. George, porém, não tinha esse problema. Era só nessa noite, porque sentia falta de Helen, e Edwina percebeu que ele estava infeliz.

— Por que não casa com ela então? — Fez a pergunta que nunca fizera antes, para não pressioná-lo. Mas talvez esse fosse o momento certo, e Edwina também tinha tomado um pouco de champanhe. — Você a ama, não ama?

George fez um gesto afirmativo e disse, com um sorriso triste:

— Amo. Mas não posso casar com ela.

Edwina ficou surpresa.

— Por que não?

— Pense no que todos iam dizer. Que me casei para ficar mais próximo de Sam... para conquistar a simpatia do pai. Que me casei por dinheiro... pelo emprego. — Continuou, com tristeza: — A verdade é que, há seis meses, Sam me ofereceu sociedade, mas do modo como vejo as coisas, é Helen ou o emprego. Se casar com ela, terei de deixar Hollywood, para que não pensem que fui levado pelas razões erradas. Acho que podemos morar em São Francisco. Mas o que eu ia fazer lá? Saí de São Francisco há quatro anos e não sei fazer mais nada além disto. Não acredito que conseguiria outro tipo de emprego. Já gastei o dinheiro da tia Liz, como ia sustentar minha família? — George ganhava bem em Hollywood, mas longe do cinema não tinha nada. Gastara o dinheiro deixado por Liz para comprar uma bela casa, carros velozes e cavalos caros. — Portanto, se me casar com ela, vamos morrer de fome. E se aceitar a sociedade com Sam, adeus Helen... Não posso casar com ela e fazer sociedade com Sam. Ia parecer o pior tipo de nepotismo. — Dessa vez, quando o garçom passou, ele pôs a mão sobre o copo. Nessa noite não tinha nem vontade de se embriagar. Só queria chorar no ombro da irmã, e sentia não ser uma companhia mais alegre e agradável para ela.

— Isso é ridículo — disse Edwina, vendo a agonia nos olhos dele. — Você sabe o que há entre você e Sam. Sabe por que ele quer que seja seu sócio. Na sua idade, a oferta é uma honra incrível. Você seria um dos maiores sucessos de Hollywood.

— E o mais solitário. — Ele riu. — Edwina, eu simplesmente não posso. E se ela pensasse que casei para fazer carreira? Seria muito pior, e eu não posso fazer isso.

— Não conversou com ela ainda?

— Não. Só falei com Sam. Ele disse que compreenderá qualquer decisão que eu tome, mas acha que nosso namoro já está muito demorado. Helen tem vinte e dois anos, e Sam acha que se ela não casar comigo, deve começar a pensar em outra pessoa.

George ainda não completara vinte e quatro anos, e tinha tudo que desejava, exceto a sociedade com o homem mais poderoso de Hollywood e a mulher que amava. Podia ter as duas coisas, mas insistia em dizer que não era possível. Edwina compreendia, mas achava que podiam encontrar uma solução, e passou quase toda a noite tentando fazer com que ele mudasse de idéia. Mas George não se convenceu, e quando a levou para o hotel, no seu Lincoln Phaeton, repetiu:

— Não posso, Win. Helen não é um bônus que vem com a sociedade.

— Ora, que diabo. — Edwina começava a se impacientar. — Você a ama?

— Sim, amo.

— Então, case com ela. Não desperdice sua vida saindo com outras mulheres que não o interessam. Case com ela enquanto pode. Nunca se sabe o que vai acontecer na nossa vida. Quando temos a oportunidade de apanhar o que desejamos, o certo é segurar com força. — Seus olhos se encheram de lágrimas, e ambos sabiam que ela estava pensando em Charles. O único homem que amara um dia, o único homem em quem pensava e que há muito tempo partira, levando com ele uma parte importante da sua vida. — Você quer a sociedade? — continuou ele, decidida a resolver o problema naquela noite, apesar da teimosia de George. — Você quer ser sócio de Sam? — perguntou outra vez.

Dessa vez ele hesitou, mas só por um momento.

— Quero.

— Pois então aceite, George. — Sua voz suavizou-se, e ela pôs a mão no braço do irmão. — A vida não nos dá muitas chances. E a você está dando tudo com que sonhou e mais ainda. Aceite, ame, conserve, agradeça por tudo que tem. Faça o que *quer* fazer... não desperdice a vida desistindo das coisas por razões ridículas. Sam está oferecendo uma oportunidade fabulosa, e Helen é a mulher que você ama. Se quer minha opinião, acho que seria loucura desistir das duas coisas. Você sabe que não vai casar para ficar mais perto de Sam. Não precisa disso. Ele já ofereceu a sociedade. O que mais você quer? Tome o que é seu, e os outros que se danem. Quer saber de uma coisa? Mesmo que alguém chegue a falar ou a pensar desse modo, depois de uma semana terá esquecido. Mas você jamais esquecerá, se desistir agora. Seu lugar não é em São Francisco, mas aqui, nesta profissão maluca que você conhece tão bem, e algum dia o estúdio de Sam será seu, ou você terá outro. Menino, você tem só vinte e três anos, e algum dia estará no topo disto tudo. Já está hoje. E agora vai ter também a mulher que ama... Diabo — disse ela, sorrindo entre lágrimas —, agarre o anel de ouro, George... ele é todo seu... você merece.

Ele merecia, e Edwina o amava. Queria que ele tivesse tudo que ela jamais tivera. Não se arrependia de nada na vida, mas, de certa forma, tinha desistido de tudo por aquelas crianças, e agora queria que cada uma delas tivesse tudo, todos os seus sonhos e tudo que a vida tinha para oferecer.

— Está falando sério, Win?

— O que você acha? Acho que você merece *tudo*. Eu te amo, bobinho.

Desmanchou o penteado cuidadoso dele, e George retribuiu na mesma moeda. Gostava do cabelo dela cortado assim. Edwina era tão bonita. Era uma pena nunca ter casado, uma pena que nunca tivesse existido alguém depois de Charles. E então, por causa do champanhe e da intimidade do momento, ele ousou fazer uma pergunta na qual vinha pensando há muito tempo.

— Você se arrepende por nunca ter tido mais do que isso, Win? Você detesta a sua vida agora? — Mas sabia a resposta. Estava nos olhos dela.

— Detestar? — Edwina riu, com uma alegria surpreendente para quem passara os últimos onze anos criando os irmãos. — Como podia detestar se eu amo vocês todos? Há muitos anos, eu nem pensei duas vezes, era o que devia fazer, mas, afinal, vocês todos me fizeram muito feliz. Eu adoraria ter casado com Charles, é claro, mas tive uma boa vida. — Falava como se tudo estivesse acabado agora. E de certa forma estava, para ela. Dentro de cinco anos, Teddy iria para Harvard. Fannie e Alexis provavelmente estariam casadas, ou tratando de suas vidas. E George estava sem dúvida no caminho certo, a não ser pela tortura que estava infligindo a si mesmo. Mas dentro de cinco anos isso também estaria resolvido. E ela estaria sozinha, as crianças crescidas. Edwina não gostava de pensar nesse tempo. — Não me arrependo de nada — disse ela, beijando o rosto dele. — Mas detestaria ver você deixar de passar o resto da sua vida com a mulher que ama. Vá a Palm Springs, traga Helen de volta e diga a Sam que aceita a sociedade. E esqueça o que os outros podem pensar ou dizer. Pode dizer a Helen que eu acho isso maravilhoso.

— Você é extraordinária, Win.

Mais tarde, quando a levou a pé até o hotel, George ia pensando no quanto admirava a irmã e como seria feliz o homem que casasse com ela. Achava que ele e os irmãos tinham roubado muito da sua vida. Ia dizer isso, quando os dois viram a mesma coisa, ao mesmo tempo, e pararam. Alexis atravessava o saguão do hotel com um vestido de noite de Edwina, de cetim cinzento, o cabelo penteado para cima, seguro por uma travessa e uma pluma branca, de braço com um belo homem que George reconheceu mas Edwina não. Evidentemente estavam voltando de algum lugar, e Alexis não viu os irmãos.

— Meu Deus — murmurou Edwina, atônita. Tinha certeza de que Alexis estava na cama há muito tempo. — Quem é ele?

O homem parecia ter uns cinqüenta anos, era muito

bonito, mas tinha três vezes a idade de Alexis, parecia mais do que um pouco "alto" e muito interessado na sua companheira.

George fechou a cara e caminhou para eles, dizendo, em voz baixa:

— Chama-se Malcolm Stone, e é o maior filho da mãe que eu conheço. Está sempre atrás de meninas novas; pode estar certa, eu mato esse miserável antes que ele se aposse de Alexis. — George não costumava usar esse tipo de linguagem, nem perdia a cabeça perto da irmã, e Edwina ficou chocada por um minuto. George parecia disposto a assassinar o homem. — Ele é um grande astro, ou pelo menos pensa que é. Por enquanto só fez uns dois filmes, mas tem grandes idéias. Quando não está trabalhando, persegue mulheres, geralmente esposas ou filhas dos outros. Sua especialidade são as mais jovens.

O modo pelo qual o homem olhava para Alexis confirmava as palavras de George. Malcolm estava também de olho em Helen, o que já havia irritado George antes, e a desejava por todas as razões mais erradas. Porque era rica e bela, e porque ele queria se aproximar do pai.

— Stone! — A voz de George trovejou no saguão. Os dois pararam, Alexis voltou-se e ficou apavorada quando viu o irmão. Ela pretendia voltar para o hotel antes dos dois, mas estava se divertindo tanto, dançando no Hollywood Hotel, que esquecera da hora.

Ela e Malcolm tinham se apresentado na terceira vez em que se encontraram no saguão do hotel, e ele reconhecera o sobrenome de Alexis. Perguntara se era parente de George Winfield do Estúdio Horowitz. Alexis confirmara, e ele a levara para almoçar no hotel. Nesse dia Edwina estava no La Brea com as crianças, mas Alexis ficara na piscina para aproveitar o sol.

— O que pensa que está fazendo com minha irmã? — perguntou George, furioso, parando na frente de Malcolm Stone.

— Nada, meu caro rapaz, a não ser nos divertindo um pouco. Foi tudo tão improvisado, não foi, minha querida?

Malcolm falava com um falso sotaque britânico, e Edwina percebeu que Alexis estava encantada. Para uma criança tímida, Alexis tinha uma afinidade estranha por homens mais velhos.

— Sua irmã e eu fomos dançar no Hollywood Hotel, não foi, minha querida? — Malcolm sorriu para ela, mas só Alexis não percebeu a expressão nada benigna nos olhos dele.

— Você por acaso sabe que ela ainda não tem dezessete anos? — George estava fervendo de raiva, e Edwina bastante preocupada. Alexis não devia ter saído assim, às escondidas, aproveitando a ausência dela e do irmão mais velho.

— Aha. — Stone sorriu outra vez para ela. — Acredito que tenha havido um pequeno mal-entendido. — Tirou a mão de Alexis do seu braço e a estendeu para George. — Acho que dissemos que íamos completar vinte e um anos.

Alexis corou, embaraçada, mas o fato era que Malcolm Stone não parecia muito impressionado. Apenas um tanto constrangido por saber a verdadeira idade dela assim, pelo irmão mais velho. Na verdade, durante todo o tempo estava quase certo de que ela era muito mais moça do que dizia, mas tratava-se de uma bela criança, uma bela menina, e ser visto com ela não fazia nenhum mal à sua carreira.

— Desculpe, George. — Parecia mais divertido do que penitente. — Não fique zangado com ela, é uma jovenzinha encantadora.

George não estava disposto a ser delicado.

— Fique longe dela.

— É claro, como vocês quiserem. — Com uma profunda curvatura para os três, Malcolm afastou-se rapidamente.

George então olhou para a irmã e, segurando com força o braço dela, levou-a para o chalé de Edwina. Alexis começou a chorar, e a irmã disse, franzindo a testa:

— O que deu em você para sair assim com ele, pelo amor de Deus?

George estava furioso com Alexis, o que era raro. Era sempre o protetor dos irmãos mais novos, quando achava que Edwina agia com excessiva severidade. Mas não dessa vez. Nessa noite, tinha vontade de dar uma boa sova em Alexis, mas ela estava crescida demais para isso, e, de qualquer modo, Edwina não permitiria. Mas sua vontade era estrangulá-la por ter se deixado levar pela conversa de um homem como Malcolm Stone.

— Você sabe o que ele é? Uma fraude e um fanfarrão. Está rastejando por toda Hollywood para conseguir fazer carreira, e disposto a usar qualquer pessoa! — George conhecia bem aquele mundo, e a cidade estava infestada de homens como Malcolm Stone.

Alexis soluçava alto e livrou o braço da mão de George.

— Ele *não* é nada disso! É gentil e bom, e acha que eu devia trabalhar no cinema com ele! Você nunca me disse isso, George! — acusou ela, com as lágrimas descendo pelo rosto.

Para George, Malcolm não tinha nada de "gentil e bom". Era a pior espécie de serpente.

— Tem razão, eu nunca disse isso! Pensa que quero ver você com gente igual a ele? Não seja ridícula. Não passa de uma criança! Seu lugar não é aqui, nem em filmes, com sua idade!

— Essa foi a pior coisa que você já me disse — choramingou ela quando George quase a arrastou para a sala de estar da suíte.

Alexis deixou-se cair numa cadeira, chorando desconsoladamente. Edwina observava os dois.

— Posso interromper para perguntar por que não me pediu para sair com ele, e nem procurou nos apresentar? — Isso a preocupava desde o começo do incidente. Desde pequena, Alexis tinha o costume de sair sem avisar, e onze anos atrás isso quase custara sua vida, no *Titanic*.

— Porque... — Os soluços redobraram de intensidade, e ela torcia o lenço e molhava de lágrimas o vestido que tinha "tomado emprestado" de Edwina para seu encontro secreto. — Eu sabia que você não ia deixar.

— Muito sensato da sua parte, Alexis. Posso perguntar qual a idade do cavalheiro? — Edwina era a própria imagem da desaprovação.

— Ele tem trinta e cinco anos — respondeu Alexis, com arrogância, e George deu uma gargalhada.

— Uma ova! Tem cinqüenta, se não tiver mais. Meu Deus, onde você esteve durante toda a sua vida!

Não era justo, pensou Edwina. Alexis era uma criança de uma cidade adormecida, comparada àquela estufa de *glamour* e de comportamento ilícito que era Hollywood. Ela não podia identificar conquistadores e libertinos à primeira vista, como o irmão, que vivia e trabalhava entre eles.

— Tem alguma idéia do que um homem como esse pode fazer com você?

Alexis sacudiu a cabeça, chorando mais ainda, e ele voltou-se furioso para Edwina.

— Vou deixar que você explique. — Olhou para Alexis. — E pode se considerar feliz se eu não a mandar para casa antes do seu aniversário.

Tinham combinado comemorar em Los Angeles, nos feriados da Páscoa, mas o resto da semana foi extremamente tenso e difícil. Alexis evidentemente estava na berlinda, e Edwina teve diversas conversas sérias com ela. O problema era sua beleza, que a tornava muito visível para os homens de Hollywood. Mesmo naquele meio sofisticado e charmoso, ela chamava a atenção, onde quer que estivesse, especialmente dos homens. Alexis ofuscava todos à sua volta, até as irmãs. E para complicar as coisas, dois dias depois da saída com Malcolm Stone, um caçador de talentos abordou-a no saguão do hotel, perguntando se não gostaria de fazer um filme para a Fox Productions. Edwina recusou o convite gentilmente, e Alexis voou para o quarto com outra crise de choro, acusando Edwina de arruinar sua vida para sempre. Não saiu da cama, e naquela noite George perguntou a Edwina o que estava acontecendo com ela. Era um comportamento estranho para Alexis, disse ele, mas a verdade era que há quatro anos estava fora de casa. E Alexis nunca fora fácil, quando criança, e não estava sendo fácil agora. Embora tímida e de certa forma inconsciente da sua beleza espetacular, estava morrendo de vontade de ser estrela de cinema.

— É uma idade difícil — disse Edwina, calmamente,

quando ficou sozinha com George. — E ela é muito bonita. Isso pode criar alguma confusão, às vezes. As pessoas oferecem milhares de coisas, e nós dizemos que ela não pode aceitar. Os homens correm atrás dela, e nós dizemos que ela não pode sair com eles. Na sua opinião, não é nada divertido, e nós somos os vilões. Ou, pelo menos, eu sou.

— Graças a Deus por isso!

Pela primeira vez George compreendia que não fora fácil para Edwina. Criar filhos não era tão fácil quanto ele pensava.

— O que vamos fazer com ela agora? — Falou como se Alexis tivesse cometido um crime em Los Angeles, e Edwina riu.

— Vou levá-la para casa, esperar que se acalme e rezar para que encontre um marido, quando tiver um pouco mais de idade, e passar para ele a responsabilidade pela beleza de Alexis.

George sacudiu a cabeça, perplexo.

— Espero nunca ter filhas.

— Espero que tenha umas doze. — Ela riu. — Por falar nisso — olhou para ele, sentindo-se outra vez como uma irmã muito mais velha —, o que você fez a respeito de Helen? Por que não está em Palm Springs?

— Eu telefonei, mas eles estão visitando amigos em San Diego. Deixei recado no hotel e vou esperar que voltem. A propósito, foi uma pena você não ter visto Sam desta vez.

Edwina conhecera Sam há três anos e gostara muito dele. Sam tinha uma forte presença, olhos inteligentes e a expressão de grande experiência da vida. Tudo nele, desde a grande altura ao firme aperto de mão, denotava força e poder.

— Eu o verei na próxima vez. E você, escute bem — disse ela, severa —, não arruíne a sua vida. Lembre-se do que eu disse e trate de fazer a coisa certa. Entendeu? — Edwina sorriu, mas ambos sabiam que falava sério.

— Sim, senhora. Acho bom dizer isso à sua irmã também.

Mas depois de passar um dia chorando o fracasso da

sua carreira no cinema, Alexis estava pronta para a comemoração do seu aniversário. Tinham só mais um dia em Los Angeles, e Edwina levou os dois menores ao estúdio onde George estava trabalhando. Ele estava ocupado no escritório da produção, mas as crianças conheceram Lillian Gish, o ponto alto da visita daquele dia. Vendo-o no seu ambiente de trabalho, Edwina lembrou de algo que queria perguntar desde que o caçador de talentos da Fox convidara Alexis para fazer um filme.

— Você algum dia deixaria Alexis trabalhar num filme seu?

George pensou por um instante, recostado na cadeira, depois disse, com um suspiro:

— Não sei. Nunca pensei nisso. Por quê? Você é agente dela?

Edwina riu.

— Não, só estava pensando. Ela parece fascinada por tudo isto.

Era verdade, e sem dúvida Alexis tinha beleza suficiente para ser estrela de cinema. Um pouco jovem ainda, porém, mais tarde, quem sabe... Alexis sem dúvida ficaria feliz se soubesse o que a irmã estava pensando.

— Não sei, Edwina. Talvez. Mas vejo muita coisa por aqui. Você gostaria mesmo de ver Alexis no meio de tudo isto?

George não queria. Não ia querer nem para um filho seu, se tivesse algum. Assim como Sam não queria para Helen, o que sem dúvida tinha concorrido para que ela fosse uma pessoa muito melhor.

— Ao que parece, Helen sobreviveu — disse Edwina, e ele fez um gesto afirmativo.

— É verdade. Mas Helen é diferente. E não está na linha de frente. Sam preferiria prendê-la numa cela a deixar que trabalhasse num filme.

Agora Edwina sabia por que Helen não era uma estrela.

— Foi só uma idéia. Esqueça.

— Onde está Alexis?

— Descansando no hotel. Está um pouco indisposta.

— Tem certeza?

George desconfiava de tudo agora, e todos os homens pareciam prontos para atacar sua irmã. Edwina comentou isso, rindo, e foi para o estúdio apanhar as crianças.

Mais tarde, George os levou para almoçar, depois deixou-os no hotel e voltou para o escritório. Porém, quando chegaram na suíte, Alexis não estava, e Edwina mandou Teddy chamá-la na piscina.

— Ela não está lá. Talvez tenha ido dar um passeio por aí.

Teddy saiu para ver se conseguia ver Tom Mix no saguão, e Fannie começou a ajudar Edwina a fazer as malas. Na hora do jantar, Alexis não tinha voltado, e Edwina começou a entrar em pânico. Imaginou se George tinha razão em suspeitar dela, embora detestasse pensar isso da irmã. Mas Alexis sempre fora diferente dos outros... tímida... distante... fechada... com medo de tudo, quando pequena, mas um pouco melhor agora. Alexis sempre se apegava aos adultos da sua vida, e era o que estava fazendo agora. Era desesperadamente apegada a Edwina e a George, e de certa forma jamais se recuperara do choque da morte de Phillip. Parecia ter uma necessidade natural de se chegar aos amigos dos pais, tios e irmãos mais velhos, mas não por atração sexual consciente; era como se estivesse sempre procurando um irmão mais velho, como Phillip, ou um pai.

Finalmente, às oito horas, Edwina telefonou para George. Ele tinha planos para aquela noite e pretendia levá-los à estação no dia seguinte. Com medo na voz, ela disse que Alexis tinha desaparecido. Por sorte, disse ela, George ainda estava em casa. Ele chegou ao hotel, vestido a rigor, para discutir a situação.

— Vocês a viram com alguém? — Edwina disse que não. — Será que ela está outra vez com Malcolm Stone? Acha que Alexis é tão idiota?

— Idiota não — disse Edwina, procurando conter as lágrimas —, jovem.

— Não me fale em ser jovem. Eu também fui. — E ainda era, pensou Edwina, com um sorriso, embora, perto dos vinte e quatro anos, ele achasse que tinha passado a juventude. — Eu não desaparecia a cada dois minutos, nem andava por aí com múmias de cinqüenta anos.

— Esqueça isso, o que vamos fazer, George? E se aconteceu alguma coisa a ela?

Mas George nem pensava na possibilidade de um seqüestro ou acidente. Edwina sugeriu que deviam chamar a polícia, mas ele hesitou.

— Se não aconteceu nada e ela estiver outra vez com Stone, a imprensa vai fazer um escândalo, e você não quer isso.

George preferiu distribuir boas gorjetas e fazer perguntas no hotel, e em vinte minutos conseguiu a resposta. Ficou possesso. Alexis fora para Rosarita Beach com Malcolm Stone. Depois de pedir um carro emprestado, disseram, ele saíra com uma mulher muito jovem, muito bela e muito loura, com destino ao famoso hotel, no outro lado da fronteira do México, aonde todos iam para jogar, beber e desfrutar amores ilícitos.

— Oh, meu Deus... — Edwina começou a chorar e mandou as crianças para o outro quarto. — George, o que vamos fazer?

— O que vamos fazer? — trovejou ele. Eram oito e meia, e a toda velocidade, levariam duas horas e meia até Rosarita Beach. Chegariam mais ou menos às onze, e se tivessem sorte, não tarde demais... — Vamos para o México, é isso que vamos fazer. Vamos trazê-la de volta. E depois vou matá-lo.

Mas Edwina conhecia o irmão e sabia que ele não faria isso. Obedecendo às ordens dele, apanhou um agasalho e chamou Teddy e Fannie; disse para não saírem do quarto em hipótese alguma e avisou que voltariam tarde.

Atravessaram correndo o saguão do hotel e num minuto estavam seguindo a toda velocidade para o Sul. Chegaram quando faltavam vinte minutos para as onze. O hotel era um conjunto de prédios na beira da praia, com luxuosos automóveis americanos parados na frente. As pessoas iam de Los Angeles para beber e fazer loucuras sem conta.

George entrou no hotel com Edwina, pensando em abrir as portas de todos os quartos para encontrar Alexis, mas, por sorte, os dois se achavam sentados no bar. Malcolm estava jogando e muito bêbado, e Alexis, um pouco "alta" e muito nervosa, quase desmaiou quando viu os irmãos. George aproximou-se rapidamente, segurou-a pelo braço e literalmente arrancou-a da banqueta.

— Oh... eu... — Tudo aconteceu tão depressa que ela nem podia falar, e Malcolm Stone olhou para eles como se estivesse achando muita graça.

— Nós nos encontramos outra vez — disse ele, friamente, com um sorriso *à la* Hollywood, que George não retribuiu.

— Ao que parece, você não entendeu o que eu disse outro dia. Alexis tem dezessete anos, e se chegar perto dela outra vez, faço com que o expulsem da cidade e o joguem na cadeia. Pode dar adeus à sua carreira no cinema se se aproximar dela outra vez. Fui bem claro agora? Deu para entender?

— Perfeitamente. Peço desculpas. Devo ter entendido mal da última vez.

— Ótimo — disse George. Tirou o paletó, deixou-o numa cadeira, acertou um direto no estômago de Malcolm, outro no queixo e então recuou. — Trate de não entender mal desta vez.

Malcolm caiu de joelhos, atordoado, sob os olhares atônitos de todos. George apanhou o casaco, segurou o braço de Alexis e saiu do bar, seguido por Edwina.

Capítulo 27

A VOLTA PARA LOS ANGELES foi penosa para os três, mas especialmente para Alexis. Ela chorou copiosamente o tempo todo, não por medo do castigo, mas porque estava embaraçada e assustada. Porém, a humilhação imposta pelos irmãos era menor do que a provocada pela certeza de que Malcolm não pretendia levá-la de volta para casa naquela noite. Alexis só compreendera isso quando George aparecera no bar, como um cavaleiro de armadura brilhante. Dessa vez fora por um triz, e embora gostasse de Malcolm e ele a chamasse de "minha menininha", o que a fazia sentir-se feliz e protegida, era um alívio estar voltando para casa, para a segurança da sua vida com Edwina.

— Você nunca mais virá a Los Angeles — disse George quando chegaram ao hotel, para coroar a barragem de censuras com que a atacou durante toda a viagem. — Não podemos confiar em você. Se eu fosse Edwina, trataria de trancá-la num convento. Tem muita sorte de não morar comigo. Isso é tudo que tenho a dizer!

Mas estava esbravejando ainda quando ela foi se deitar, e ele sentou para tomar um drinque com Edwina.

— Cristo, será que ela não sabe o que aquele cara ia fazer? Só o que nos faltava era um bebê aparecendo daqui a nove meses. — Tomou um gole da bebida e recostou no sofá.

— George! — censurou Edwina.

— Ora, o que você pensa que ia acontecer com ela? Será que ela não pode nem imaginar?

— Sim, agora ela sabe.

As duas irmãs tinham conversado enquanto Edwina ajudava Alexis a trocar de roupa e deitar-se, como se fosse uma criança malcomportada. Era difícil para Alexis ser mulher e criança ao mesmo tempo, como Edwina pensava que ela sempre seria. Os choques sofridos no passado tinham deixado a marca, e ninguém tinha para dar tudo de que ela precisava, tudo que nunca teve. Precisava de mãe e pai, o que não tinha desde os seis anos. E houvera a noite em que pensara que tinha perdido todos, quando a atiraram no bote salva-vidas com a boneca, momentos antes de o navio desaparecer.

— Malcolm disse que ia trazê-la de volta para casa esta noite — explicou Edwina para George.

Fora uma longa noite e uma longa viagem, e sua mão estava dolorida por causa dos socos que tinha dado em Malcolm. Edwina não disse o quanto ficara impressionada pelo desempenho cinematográfico do irmão.

— Alexis só percebeu que era mentira — continuou ela — quando nós aparecemos, como heróis de um filme.

— Ela teve uma sorte danada. Na maioria das vezes não aparece nenhum herói quando alguém está nas mãos de gente como Malcolm Stone. Juro que o mato se ele chegar perto de Alexis outra vez.

— Ele não vai fazer isso. Voltamos para São Francisco amanhã, e na nossa próxima visita ele não estará aqui, ou terá esquecido completamente dela. Você mora numa cidade e tanto — disse ela, com um largo sorriso, e ele riu.

Felizmente tudo tinha acabado bem, sem nenhum dano, e George estava feliz por ter encontrado a irmã.

— Na verdade — disse Edwina, com um sorriso malicioso —, velha como sou, gosto bastante daqui.

— Fique por perto, Win. — George riu, vendo a expressão dela. Edwina parecia mais bonita ainda, assim entusiasmada. Os olhos brilhavam, e o cabelo emoldurava o rosto. Mais uma vez ele pensou no quanto ela era bonita e no desperdício da sua vida. — Que diabo, se ficar por perto, talvez a gente arranje um marido para você.

— Fantástico. — Ela riu. Não era uma alta prioridade na sua lista de preocupações. Só estava interessada em arranjar maridos para Fannie e Alexis, e, no momento, casar George com Helen. — Quer dizer, assim como Malcolm Stone? Que belo incentivo.

— Tenho certeza de que deve haver alguém diferente por aqui.

— Ótimo. Avise-me quando encontrar. Enquanto isso, meu bem... — Edwina levantou-se e espreguiçou. Os dois estavam cansados. — Vou para casa, em São Francisco, onde a única diversão é um jantar na casa dos Templeton Crockers, e a única fofoca é sobre quem comprou um carro novo, quem piscou para a mulher do amigo na noite do primeiro recital da ópera.

— Cristo — gemeu ele —, agora eu sei por que vim para cá.

— Mas pelo menos em São Francisco — disse ela, caminhando ao lado dele para a porta da sala, com um sorriso e um bocejo — ninguém jamais seqüestrou sua irmã.

— Sim, é um ponto a favor. Boa noite, Win.

— Boa noite, meu bem... obrigada por salvar o dia.

— Sempre às ordens.

Ele a beijou no rosto e caminhou para o carro. Seu querido Lincoln estava coberto de poeira da corrida louca, e ele voltou para casa devagar, pensando no quanto sentia falta de Helen e no quanto gostava da sua irmã mais velha.

Capítulo 28

DOIS MESES DEPOIS, George foi a São Francisco, e Edwina ficou curiosa para saber o motivo da visita. Há algum tempo ele não telefonava, e ela supôs que estivesse muito ocupado. Um dos motivos da visita era anunciar seu noivado com Helen. Ele deu a notícia com um sorriso iluminado, e Edwina chorou de emoção. Sentia-se feliz por eles, e George parecia ter o mundo nas mãos.

— E a sociedade com Sam? — perguntou ela, com interesse; George sorriu satisfeito. Edwina sabia o quanto aquela sociedade significava para ele e queria que o irmão tivesse as duas coisas. George merecia.

— Helen e Sam disseram o mesmo que você. Falei francamente com os dois, e Sam disse que era bobagem minha. Ele sabe que vou casar com Helen por amor e ainda quer que eu seja seu sócio.

George estava feliz, e Edwina gritou, alegre:

— Viva! Quando é o casamento?

Estavam em junho, e Helen queria algum tempo para preparar tudo.

— Em setembro. Helen diz que não pode planejar a cerimônia antes disso. Vai ser dirigida por Cecil B. De Mille — disse ele, em tom de brincadeira —, contratamos quatro mil extras.

Seria um casamento grandioso, no estilo de Hollywood; George estava feliz como nunca.

— A verdade é que vim a São Francisco para falar de outra coisa. Acho que é loucura, mas quero sua opinião.

Edwina sentiu-se lisonjeada e feliz.

— O que é?

— Temos um filme guardado há dois anos. Queríamos a pessoa certa para o papel, e ninguém apareceu ainda. Então, Sam teve essa idéia louca. Eu não sei, Edwina. — George parecia profundamente preocupado, e Edwina franziu a testa, sem saber aonde ele queria chegar.

— O que você acha de Alexis fazer um teste para esse nosso filme?

Por um momento, Edwina ficou atônita. Os dois tinham ridicularizado a proposta do homem da Fox para fazer um filme com Alexis. Mas pelo menos sob o controle do irmão, nenhum mal podia acontecer a ela.

— Sei que é loucura pensar nisso. Mas ela é tão perfeita para o papel... e está me deixando louco com suas cartas, pedindo para trabalhar no cinema. Quem sabe? Talvez esteja certa. Talvez tenha talento. — Suas emoções eram conflitantes, mas era uma tentação. E ele sabia que Alexis era perfeita para o seu filme.

— Eu não sei. — Edwina hesitou, pensativa. — Já pensei nisso também. Alexis deseja desesperadamente trabalhar no cinema. Mas, dois meses atrás, quando estivemos em Los Angeles, pedi sua opinião e você foi contra. O que mudou agora? — Edwina queria ser cautelosa, mas confiava em George.

— Tem razão — disse ele. — Eu não queria que ela fosse explorada, e ainda não quero. Mas se ela nos der exclusividade, talvez eu possa controlar essa parte. Se eu conseguir controlar Alexis — continuou ele, quase ameaçador. — Acha que ela vai se comportar em Hollywood?

Ainda abalado com o salvamento cinematográfico de Alexis das garras de Malcolm Stone, George não queria repetir a cena. Jamais esqueceria aquela corrida louca até o México, com Edwina.

— Acho que sim, se ficarmos atentos. Alexis precisa sentir que alguém está tomando conta dela; então, fica tranqüila.

George riu.

— Isso me faz lembrar todas as atrizes que já conheci. Ela será perfeita.

— Quando quer que ela comece?

— Dentro de algumas semanas, no fim de junho. E o filme estará terminado no fim do verão.

Era perfeito para a agenda escolar das crianças, porque então Alexis estaria formada no colégio, e os outros começando as férias de verão. Alexis não pretendia fazer o preparatório para a universidade. Poucas meninas faziam. Fannie também não queria. Mas se a filmagem terminasse no fim de agosto, Alexis poderia muito bem estar em casa a tempo para que os outros recomeçassem suas aulas, em setembro. Teddy ia passar para a oitava série, e Fannie tinha ainda dois anos na escola da Srta. Sarah Dix Hamlin.

— Vai atrapalhar suas férias no Lago Tahoe, mas vocês podem passar alguns dias no Del Coronado, na praia, ou em Catalina. De qualquer modo, terão de ir a Los Angeles para o casamento. — Edwina sorriu. — O que você acha? — perguntou ele. — É claro que o problema não é onde passar o verão com as crianças, mas se devemos ou não expor Alexis às exigências e pressões de uma filmagem.

Edwina estava pensando nisso. Foi até a janela e olhou para o jardim. As roseiras de Kate ainda estavam em flor, ao lado das outras coisas plantadas por ela. Ela se voltou lentamente e olhou para o irmão.

— Acho que devemos permitir.

— Por quê? — George não tinha certeza. Por isso fora a São Francisco falar com a irmã.

— Porque Alexis jamais nos perdoará se não a deixarmos agora.

— Ela nem precisa saber. Não precisamos contar.

— Não — concordou Edwina, sentando-se. — Mas eu acho que ela vai ter sucesso, e acho que merece mais do que

São Francisco pode dar. Alexis é bonita demais. — O sorriso de Edwina era de uma mãe orgulhosa. George compreendia, ele também se orgulhava dos irmãos. — Eu não sei, George, talvez venhamos a nos arrepender algum dia, mas acho que devemos dar essa chance a ela. Se Alexis não se comportar, nós a traremos de volta e a trancaremos para sempre. — Os dois riram. Mas Edwina ficou séria outra vez e disse: — Acho que todos merecem ter uma chance. Você teve a sua. — Sorriu suavemente.

— E você? — perguntou George, com ternura, e Edwina sorriu outra vez.

— Tenho sido feliz durante toda a vida... vamos dar uma chance a ela.

George fez um gesto afirmativo.

Um pouco antes do jantar, Alexis chegou da cidade, aonde tinha ido fazer compras com uma amiga da escola da Srta. Hamlin. Alexis e Fannie não eram muito aplicadas nos estudos. Como dizia Bert, há muitos anos, os cérebros da família eram Edwina, Phillip e Teddy, e não se podia negar que George estava indo muito bem em Los Angeles. Com sua mente ágil e sua simpatia, escolhera a profissão certa, e nem por um momento se arrependia de ter abandonado Harvard.

— Alguma coisa errada? — Alexis olhou nervosamente para os irmãos mais velhos, e tudo que George pensou naquele momento foi no quanto ela era bonita e como seria perfeita para o seu filme.

— Nãããão — sorriu Edwina. — George quer dizer uma coisa, e eu acho que você vai gostar muito.

Isso tornava mais interessante e menos ameaçador o fato de ser chamada pelos irmãos mais velhos à sala de visitas.

— Você vai casar? — Ela tentou adivinhar.

George fez um gesto afirmativo e sorriu para ela.

— Mas isso não é tudo. Helen e eu vamos casar em setembro. Edwina e eu temos alguns planos para você, antes disso.

Por um momento, Alexis teve certeza de que iam mandá-la para algum internato elegante, e não podia imaginar nada menos divertido.

— O que acha de ir para Los Angeles — começou ele, e as esperanças dela renasceram — ...para trabalhar num filme?

Alexis ficou olhando para o irmão por um longo momento, em seguida saltou do sofá e correu para ele, abraçando-o.

— Está falando sério?... Está falando sério?... — Voltou-se rapidamente para Edwina. — ...posso?... Posso mesmo?... Oh, você vai deixar? — Estava louca de alegria, e Edwina e George riram quando ela quase estrangulou o irmão com outro abraço apertado.

— Tudo bem, tudo bem... — George livrou-se do abraço e brandiu um dedo na frente do rosto dela. — Mas quero dizer uma coisa. Se não fosse por Edwina, você não iria. Não tenho certeza se eu ia permitir, depois do seu pequeno desempenho dois meses atrás.

Alexis baixou nos olhos. A lembrança do quase desastre com Malcolm Stone ainda a deixava embaraçada, embora ela tivesse esclarecido tudo com Edwina.

— Se você fizer outra coisa dessas novamente — disse George —, eu vou trancá-la num quarto e jogar a chave fora, portanto trate de se comportar agora.

Outra vez Alexis quase o estrangulou com a força dos seus braços, da gratidão e da alegria.

— Eu prometo, George... prometo que vou me comportar. E depois do filme, vamos morar todos em Hollywood?

Nenhum dos dois tinha pensado nisso.

— Acho que Edwina vai precisar voltar por causa da escola de Fannie e Teddy.

— Por que eles não podem ir à escola em Los Angeles? — perguntou Alexis, calmamente.

Mas eles não estavam preparados para resolver isso. Então, Alexis teve uma idéia melhor, para grande desapontamento de George.

— Por que não posso morar com você e Helen?

George gemeu só em pensar, e Edwina riu.

— Porque no Natal eu já estaria divorciado ou na cadeia. Não sei como Edwina agüenta vocês todos. Não, não pode morar comigo e com Helen.

Por um momento, Alexis ficou desapontada, mas logo apresentou outra sugestão, melhor ainda.

— Se eu chegar a ser uma grande estrela, posso ter a minha casa? Como Pola Negri?... Posso ter uma porção de criadas e um mordomo... e um carro só meu, como o seu... e dois cães irlandeses...

Alexis tinha todo o cenário armado na imaginação, e saiu da sala como se estivesse sonhando acordada. George sorriu para Edwina.

— Podemos nos arrepender disso algum dia, sabe? Eu disse a Sam que se seu filme estragar minha irmã, eu o processo.

— E o que ele respondeu? — perguntou Edwina. Não conhecia Sam muito bem, mas gostava de tudo que ouvia a respeito dele.

— Disse que já tinha cumprido seu dever para com Deus e com a pátria, e que agora minha irmã e a filha dele são responsabilidade minha. — Mas George parecia não se importar com isso.

— Parece um homem sensato. — Edwina levantou-se, pronta para o jantar.

— E é realmente. Ele quer nos levar para jantar, quando vocês forem a Los Angeles para comemorar o noivado.

— Muito bem — disse ela, beijando o irmão e segurando o braço dele. — Essa é uma atitude que eu aprovo plenamente.

As crianças receberam com alegria a notícia do próximo casamento de George. Ficaram felizes com a perspectiva de uma nova visita a Los Angeles e fascinadas com a idéia de Alexis trabalhar no cinema. Por um momento, Edwina imaginou se Fannie teria ciúmes, mas, com o rostinho iluminado de alegria, ela correu a abraçar Alexis, perguntando se podia assistir às filmagens. Depois, olhou para Edwina, preocupada.

— Nós vamos voltar, não vamos? Quero dizer, para casa, para São Francisco. — Era tudo que ela queria, tudo que amava, o lar onde tinha sempre vivido, suas atividades habituais.

— É o que pretendo, Fannie — disse Edwina, com

franqueza. Para ela, era muito melhor do que morar em Hollywood e comprar cães irlandeses.

— Ótimo. — Fannie sentou à mesa, com um sorriso feliz e tranqüilo, e Edwina perguntou a si mesma como filhos dos mesmos pais podiam ser tão diferentes.

Capítulo 29

DUAS SEMANAS DEPOIS da visita de George, partiram para Los Angeles, e dessa vez ficaram na casa dele. George não queria que Alexis ficasse solta no hotel e achou que sua casa, espaçosa e confortável, seria melhor para Edwina. Alugou um carro para ela, e Teddy imediatamente começou a montar os cavalos do irmão. No dia seguinte ao da sua chegada, Edwina estava vendo Teddy montar, quando uma limusine parou na frente da casa. Era um longo Rolls britânico, e ela não podia ver quem era o passageiro. Pensou que devia ser um dos amigos de George, talvez até mesmo uma mulher. Mas quando o chofer uniformizado abriu a porta, ela viu descer do carro um homem enorme. Alto, com ombros largos, uma farta cabeleira branca, era a imagem da força, ali parado no sol de verão. Olhou atentamente para Edwina. Viu uma mulher alta e esbelta, de cabelos escuros e curtos e um vestido elegante de seda azul-marinho, que delineava discretamente o corpo bem-feito. Ela estava fumando, enquanto observava Teddy, e agora sentiu-se um pouco tola, com o cigarro na mão. O homem parecia estudá-la com atenção, e de repente Edwina sorriu, reconhecendo-o. Jogou fora o cigarro e estendeu a mão.

— Desculpe. Não o reconheci a princípio. É o Sr. Horowitz, não é?

Ele sorriu, sem tirar os olhos dela. Edwina tinha pose e charme e era uma bela mulher. Sam Horowitz há muito tempo a admirava, embora só a tivesse visto uma vez, anos atrás. Mas sabia que o modo de ser de George, as coisas em que ele acreditava e tudo que defendia eram, em parte, decorrentes da orientação da irmã mais velha.

— Eu devo pedir desculpas... — Ele parecia quase constrangido. — Por um momento, perguntei a mim mesmo o que uma jovem tão bonita fazia aqui, na casa do meu futuro genro.

Mas a reconhecia agora e a admirava. Era realmente uma mulher encantadora, e a despeito do vestido simples e da ausência de jóias, tinha uma sofisticação natural. Edwina fizera questão de comprar novas roupas para não embaraçar o irmão nessa visita a Hollywood. E George gostou do que viu. O gosto de Edwina era maravilhoso, como o da mãe, e agora, graças à tia Liz, tinha dinheiro suficiente para comprar o que queria.

— Vim até aqui para lhe dar pessoalmente as boas-vindas a Los Angeles. Sei o quanto George está feliz em ter você aqui, antes do casamento, e para assistir à filmagem. Helen e eu também estamos satisfeitos.

Embora tudo nele indicasse força e poder, desde seu tamanho ao modo como o chofer reagia, atento a cada movimento do patrão, havia também a delicadeza, a bondade e a simplicidade que Edwina admirava em Helen. Não era nada pretensioso, não exibia pomposidade ou arrogância. Era um homem tranqüilo, amistoso, e, de um modo muito interessante, bastante sutil. Ficou ao lado dela e por alguns momentos os dois observaram Teddy, que montava muito bem e era um rapaz muito bonito. Ele acenou alegremente para eles, e Sam respondeu ao aceno. Não conhecia os irmãos mais novos de George, mas sabia que significavam muito para ele. Era uma das coisas de que Sam gostava no noivo da sua filha. Sabia também que Edwina os tinha criado desde pequenos, e a admirava por isso. Observando-a discretamente agora, dizia a si mesmo que era uma mulher e tanto.

— Aceita uma xícara de chá? — perguntou Edwina,

e Sam fez um gesto afirmativo, aliviado por ela não ter oferecido champanhe às onze horas da manhã. Todos em Hollywood bebiam demais, e Sam não gostava disso.

Ele a acompanhou para dentro da casa, esforçando-se para não olhar demais para as pernas bem-feitas e para o movimento dos quadris quando ela andava.

Edwina pediu ao mordomo chá para dois, e eles atravessaram a biblioteca, saindo para o jardim onde havia uma mesa com cadeiras de estilo genuinamente inglês.

— Gosta de Los Angeles? — perguntou ele, enquanto esperavam o chá.

— Muito. Sempre nos divertimos bastante aqui. E desta vez, as crianças estão mais entusiasmadas ainda por causa de Alexis. É um grande acontecimento para nós. Ela tem muita sorte.

— Sorte maior é ter vocês todos. — Ele sorriu. — Helen daria tudo para ter tido uma família como a sua, em vez de ser filha única, criada só por mim.

Uma sombra de tristeza passou pelo olhar de Edwina, e ele compreendeu.

— Nossas duas famílias sofreram ausências e perdas. — Ela sabia que Helen perdera a mãe quando era muito pequena. — Mas nós conseguimos. — Edwina olhou para Sam com expressão vitoriosa, e mais uma vez ele a admirou. Era uma mulher diferente, não apenas por ser bonita e estar bem-vestida, mas por causa da força tranqüila que parecia emanar dela, notada na primeira vez que se encontraram e que agora parecia mais sólida e definida.

— O que pretende fazer enquanto estiver aqui? Conhecer a cidade? Ir ao teatro? Visitar amigos?

Sam gostou muito dela, e estava curioso. Em certos aspectos, Edwina lembrava Helen, mas era sem dúvida muito independente. Ela riu com a ingenuidade da pergunta. Via-se que Sam não conhecia Alexis.

— Vou ficar de olho na nossa estrela, Sr. Horowitz. — Sorriu, e ele retribuiu o sorriso.

Sam sabia o que era isso, pois, apesar da docilidade de Helen, houvera momentos em que precisara de uma supervisão mais atenta.

— Ela está com George hoje — continuou Edwina —, por isso estou aqui com os mais novos. Mas a partir de amanhã, tenho uma missão específica de camareira, guarda pessoal e mentora.

— Parece trabalho árduo.

Sam sorriu, pôs a xícara na mesa e estendeu as longas pernas. Edwina também o observava com atenção. Sabia que Sam tinha mais de cinqüenta anos, embora não demonstrasse, e tinha de admitir que era um homem muito bonito. Parte do seu charme consistia em não saber disso. Era muito natural e descontraído. Teddy saltou do cavalo e foi para o jardim juntar-se a eles. Edwina o apresentou, o menino apertou a mão do homem com delicadeza e depois, numa explosão de entusiasmo, começou a elogiar os cavalos.

— São fantásticos, Win. Montei dois deles. São formidáveis.

O primeiro foi um árabe, e o cavalariço havia sugerido outro, mais manso.

— Onde você acha que George os comprou? — perguntou Teddy.

— Não tenho a mínima idéia — respondeu Edwina com um sorriso, e Sam sorriu também.

— Um deles, George comprou de mim. Exatamente o que você estava montando. É um ótimo animal, não é? Às vezes até sinto falta dele.

Sam falava com Teddy carinhosa e delicadamente, como falava com Edwina.

— Por que o vendeu? — Teddy queria sempre saber tudo, e era louco por cavalos.

— Achei que George e Helen iam aproveitá-lo melhor. Costumam cavalgar juntos, e eu não tenho muito tempo. Além disso — sorriu para o menino que se parecia tanto com a irmã mais velha —, estou ficando velho demais para montar muito. — Deu um gemido, e Edwina, negou, com um gesto de mão.

— Não seja absurdo, Sr. Horowitz.

— Sam, por favor, ou vai fazer com que me sinta mais velho ainda. Praticamente já sou avô!

Os três riram, e depois Edwina ergueu uma sobrancelha.

— Oh? Há alguma coisa especial sobre esse casamento que eu devo saber?

Mas era só brincadeira, e Sam sacudiu a cabeça, tranqüilizando-a. Na verdade, desejava muito ter um neto e esperava que George e Helen tivessem um filho logo. Estava certo de que iam querer uma grande família. Sam gostava da idéia de uma porção de crianças correndo pela casa. Sempre desejara isso até... a morte da mãe de Helen. Nunca mais se casara.

— Fico imaginando como é ser tia — disse Edwina, pensativamente, servindo mais chá.

Era algo novo para ela. Estava acostumada a considerar as crianças como suas. Ia ser estranho pensar numa criança que pertencia a outra pessoa.

Sam disse então que, além de ter ido dar as boas-vindas, queria convidá-los pessoalmente para jantar em sua casa. Fez questão de acentuar que o convite se estendia às crianças.

— Seria uma imposição, Sr... desculpe, Sam. — Edwina corou, e ele sorriu, amavelmente.

— De modo algum. Seria uma honra. Por favor, não deixe de levar Teddy, Fannie, Alexis e, é claro, George. Acertei os nomes deles? — perguntou, levantando-se, com toda a sua altura.

Edwina ergueu os olhos. Sim, ele era muito alto e muito bonito. Mas era absurdo pensar essas coisas do futuro sogro do irmão.

— Mando o carro apanhá-los às sete. Sei que meu sócio nem sempre consegue ser pontual e provavelmente vai diretamente do escritório — disse ele com um sorriso.

— Muito obrigada.

Edwina o acompanhou até o carro, com Teddy atrás deles, como um cãozinho novo e exuberante.

— Eu a vejo esta noite, então. — Sam hesitou por um longo momento antes de apertar a mão dela e entrar no Rolls.

O chofer ligou o motor, Sam acenou, e o carro partiu, no momento em que Fannie apareceu na porta.

— Quem era? — perguntou ela, sem grande interesse.

— O pai de Helen — disse Edwina.

Teddy começou a falar outra vez nos cavalos, parou por um instante para dizer que tinha gostado muito de Sam e continuou, dizendo que queria tentar o árabe outra vez. Mas Edwina achava que era arriscado e aconselhou-o a ser cuidadoso.

— Eu sou. — Teddy ofendeu-se com a observação, e Edwina olhou severamente para ele.

— Nem sempre.

— Está certo... — concordou ele —, mas vou ser.

— Espero que sim.

— Temos mesmo de jantar fora? — perguntou Fannie. Ela sempre preferia ficar em casa, como Edwina. Mas era jovem demais para isso, e Edwina insistiu para que os acompanhasse.

— Vai ser divertido — garantiu Edwina. Eram boas pessoas, e Sam fora muito delicado fazendo o convite pessoalmente. — E nós todos fomos convidados.

Mas Alexis ficou entusiasmada quando chegou em casa e soube do convite, pensando logo que devia usar, de preferência, na sua opinião, um vestido de Edwina. Estava excitada com o dia passado no estúdio. Tinham tirado as medidas para fazer as roupas que usaria no filme, e depois ela e George assinaram o contrato.

— Até que horas podemos ficar? — perguntou ela várias vezes enquanto se vestia, e quase desmaiou quando viu o luxuoso carro mandado por Sam.

George resolveu ir no seu carro, para o caso de resolver sair com Helen, mais tarde, o que Edwina achou muito sensato.

Até Edwina ficou impressionada com a beleza e o luxo da casa dos Horowtizes. Perto dela, Pickfair era uma choupana. As salas eram enormes, o teto alto e imenso, os móveis antigos, comprados na Inglaterra e na França, algumas paredes eram revestidas de madeira, havia assoalhos de mármore e luxuosos tapetes Aubusson e quadros de impressionistas. No meio de tudo isso, Sam Horowitz os recebeu com toda a naturalidade, beijando o rosto de Edwina como se ela fosse uma criança que ele conhecia desde o nascimento. Fez com que os dois menores ficassem completamente à vontade. E até Helen cintilava naquele ambiente, apesar da sua timidez. Ela mostrou a Fannie as bonecas da sua infância e seu quarto. O que mais impressionou Alexis foi a banheira de mármore rosado, embutida no chão, como uma piscina. E enquanto elas percorriam os aposentos de Helen, Sam levou Teddy e Edwina aos estábulos para ver seus cavalos. Eram notáveis, todos árabes, todos campeões do Kentucky. E então Edwina compreendeu por que George tivera medo de pedir Helen em casamento. Era realmente um desafio, um nível de vida excepcional. Porém, com tudo isso, Helen era uma jovem extremamente simples, e Edwina tinha de admitir que ela parecia mais do que encantada com seu irmão. Não era exigente, nem mimada. Não era fabulosamente inteligente, mas muito carinhosa. De certo modo, lembrava Fannie, mais velha e mais sofisticada. Tudo que ela queria era cozinhar, ficar em casa e ter filhos. Ouvindo a conversa, durante o jantar, Alexis fez uma careta e disse que eles eram todos loucos.

— E o que você prefere fazer, minha jovem? — perguntou Sam, com um sorriso.

Alexis não hesitou.

— Sair, me divertir... dançar todas as noites... nunca me casar... fazer filmes.

— Bem, já conseguiu uma parte, não é mesmo? — disse ele, bondosamente. — Mas espero que nem todos os seus desejos se realizem. Seria uma pena se nunca se casasse. — De repente, percebendo o que acabava de dizer, olhou para Edwina com ar compungido. Mas ela riu, levou a coisa na brincadeira e deixou-o completamente à vontade.

— Não se preocupe comigo. *Gosto* de ser solteirona.

Sam não riu com ela.

— Não seja ridícula — rosnou ele. — É uma palavra absurda para você. — Mas ele estava consciente da própria idade.

— Tenho trinta e dois anos — disse ela, com orgulho —, e sou muito feliz assim, solteira.

Sam olhou demoradamente para ela. Era uma mulher estranha, mas gostava dela.

— Tenho certeza de que não estaria solteira se seus pais

fossem vivos — disse ele, e Edwina concordou com um gesto... não... se Charles estivesse vivo, estariam casados há onze anos. Era quase impossível imaginar isso agora.

— As coisas acontecem como estão destinadas a acontecer.

Edwina parecia perfeitamente à vontade, e Helen mudou de assunto delicadamente. Mais tarde, naquela noite, ela censurou o pai.

— Desculpe... eu não pensei... — disse ele quando Helen lembrou-o do noivo de Edwina, morto no naufrágio do *Titanic*. E depois, como uma compensação, ele os convidou para dançar. Disse que seria conveniente levar as "crianças" para casa e irem os quatro ao Cocoanut Grove. A idéia foi aprovada por todos, exceto por Alexis, que ficou furiosa por não ter sido convidada. Edwina lembrou, em voz baixa, que ela não tinha idade para acompanhá-los, e que teria outras oportunidades se se comportasse e não tivesse nenhuma crise de nervos. Alexis ficou emburrada até chegarem em casa; depois de ver os três em segurança, Edwina voltou para a limusine onde Sam a esperava. Helen e George os acompanhavam, no carro dele. Sorrindo, feliz, Edwina entrou no Rolls onde Sam servia dois copos de champanhe que estava há horas no gelo.

— Isto pode viciar perigosamente — disse Edwina, comovida com tantas atenções e divertida pelas constantes extravagâncias de Hollywood.

Os olhos azuis dele cintilaram ao luar.

— Não acredito. Você parece muito sensata para isso.

— Sim, acho que sou. E pouco exigente.

— Muito pouco, do contrário não teria devotado a vida toda aos seus irmãos. — Ele brindou a ela em silêncio, e Edwina ergueu o copo, brindando a George e à noiva. Sam sorriu. Uma noite extremamente agradável para todos.

Ficou mais agradável ainda quando chegaram ao Cocoanut Grove. Os quatro dançaram durante horas, trocando os pares, conversando, divertindo-se. Eram como quatro bons amigos, e mais de uma vez Edwina viu Helen apertar carinhosamente a mão do pai ou tocar-lhe o braço, recebendo em troca um olhar de adoração. Mas ela e George eram também muito chegados e dançaram quase profissionalmente seis tangos seguidos.

— Vocês dois formam uma dupla e tanto! — disse Sam, com admiração, quando George, sem parar para respirar, levou Helen para a pista de dança, depois dos tangos com a irmã.

— Vocês dois também — disse Edwina, com um largo sorriso. — Eu os observei dançando juntos.

— Foi mesmo? Então acho que devemos tentar outra vez, para ter certeza de não pisar no pé de ninguém na festa de casamento.

Dançaram a noite toda, e Edwina procurou conhecer Sam mais a fundo. De Helen ela já sabia que gostava muito.

Com surpresa, percebeu como era fácil deslizar na pista de dança nos braços de Sam. Ele a fazia lembrar de alguém que só mais tarde identificou. Era seu pai, quando a ensinava a dançar. Sam Horowitz era tão alto e forte que a fazia sentir-se como uma menina outra vez, e de certo modo era uma sensação agradável. Gostava dele, da sua atenção constante, dos olhos bondosos que pareciam ver tudo e tudo compreender. E havia criado a filha sozinho, depois da morte da mulher.

— Nem sempre era fácil, e Helen me achava severo demais.

Porém, ela não pensava assim agora, e Sam a adorava. Era uma bela mulher e evidentemente estava apaixonada por George; Edwina sentia um misto de felicidade e tristeza. Mais de uma vez eles a fizeram lembrar os últimos dias com Charles, quando foram à Inglaterra para anunciar o noivado. Há poucos anos, Edwina havia tirado do dedo o anel dado por Charles, e uma vez ou outra olhava para ele, quando tirava outra jóia do estojo.

Sam a convidou para a última dança; deslizando nos braços dele, Edwina viu o belo irmão dançando um tango perfeito com a noiva. Ela e Sam também não ficaram atrás.

Os quatro tiveram uma noite maravilhosa e chegaram em casa às três da manhã.

Quando Sam a deixou na porta da casa de George, Helen saiu do carro do noivo e entrou no do pai. Edwina agradeceu outra vez pela bela noite, George beijou Helen apaixonadamente, e Edwina e Sam fingiram que não estavam vendo.

— Precisamos fazer isso outra vez muito em breve — disse Sam suavemente, e por um momento Edwina sentiu pena por suas vidas não terem sido diferentes.

No dia seguinte, Alexis começou a trabalhar no filme. Era muito mais árduo do que tinha imaginado, e em certos dias era quase insuportável; entretanto, por mais cansativo que fosse, por mais exigente que o diretor se mostrasse, era evidente que Alexis estava adorando. No começo, Edwina a acompanhou ao estúdio diariamente, mas depois de algum tempo achou que sua presença não era mais necessária. Alexis estava fazendo um belo trabalho, sentia-se perfeitamente à vontade, e todos, do galã ao extra mais insignificante, gostavam dela. E assim como George, que descobrira seu lar em Hollywood, Alexis estava finalmente em casa. Era uma terra de contos de fadas, de faz-de-conta, onde ela podia ser sempre criança, e sempre haveria alguém para tomar conta dela, exatamente o que queria. E Edwina sentia o coração aquecer-se vendo-a tão feliz e tão interessada no trabalho.

— Ela parece outra pessoa — comentou Edwina com George, certa noite, quando jantava com ele e Helen no Cocoanut Grove, o lugar favorito de Helen. Observando Rodolfo Valentino, que dançava com Norma Talmadge, de repente Edwina surpreendeu-se sentindo falta de Sam. Eram agora bons amigos e saíam constantemente com George e Helen. Mas nesse dia ele estava no Kentucky, comprando cavalos.

— Tenho de admitir — disse George, servindo de champanhe a irmã e a noiva — que Alexis está indo muito bem. Muito melhor do que eu esperava. Na verdade — disse, olhando para Edwina —, isso vai criar um problema.

— Que problema? — perguntou ela, surpresa. Até então, tudo parecia correr às mil maravilhas.

— Logo as coisas vão sair do meu controle. Se Alexis for realmente boa, vai receber ofertas para fazer outros filmes. Então, o que vamos fazer?

Apesar de também ter pensado nisso, na última semana, Edwina não descobriu a solução.

— Eu darei um jeito. Na verdade, não quero ficar aqui com os dois menores. — George tinha sua vida agora, e, a despeito do que pensava, Alexis ainda não tinha idade para ficar sozinha em Los Angeles. — Não se preocupe. Vou pensar em alguma coisa.

Felizmente, porém, quando terminaram as filmagens houve uma calmaria e voltaram todos para São Francisco, para que Fannie e Teddy continuassem os estudos. Edwina não tinha vontade nenhuma de deixar Los Angeles, mas prometera aos dois menores que voltariam para casa. Tinha pena de deixar George e Helen, e até mesmo Sam, e sentia falta das noites agradáveis, dos jantares e da dança. No fim de setembro, porém, estariam de volta, para o casamento. Então, começaram a falar em outro filme para Alexis, e ela queria alugar um apartamento em Los Angeles. Edwina disse que deixaria, desde que ela arranjasse uma acompanhante de confiança. Na verdade, a situação começava a se complicar. E Edwina ainda tentava resolver do melhor modo quando embarcaram de volta a Hollywood, para o casamento.

George os apanhou na estação, para levá-los ao hotel, e Edwina achou graça no nervosismo dele. Para não atrapalhar o irmão, tinham feito reservas no Beverly Hills Hotel, que ela e as crianças conheciam e apreciavam. George, extremamente nervoso, indicou ao carregador do hotel para onde devia levar a bagagem.

Sua festa de despedida de solteiro ia ser naquela noite, e o jantar de ensaio seria na noite seguinte, no Alexandria Hotel. Na noite anterior, tinham sido homenageados com uma grande festa em Pickfair.

— Não sei se vou viver até o fim da semana — gemeu ele, deixando-se cair no sofá, na sala da suíte de Edwina. — Nunca pensei que casar fosse tão cansativo.

— Ora, deixe disso — sorriu ela —, você está adorando cada minuto. E está certo. Como vai Helen?

— Forte como uma rocha, graças a Deus. Se não fosse por ela, eu não agüentaria tudo isto. Helen não esquece coisa alguma que devemos fazer, sabe quem mandou cada presente, quem vai comparecer e quem não vai, e onde devemos estar e quando. Tudo que tenho a fazer é me vestir, tentar não me esquecer do anel, pagar a viagem de lua-de-mel, e nem disso acho que eu seria capaz sem a ajuda dela.

Alguns meses atrás, Helen a convidara para madrinha, e Edwina ficou impressionada quando soube que seriam onze damas de honra, onze cavalheiros, o padrinho do noivo, quatro meninas com flores e uma com o anel. E George não estava brincando quando dissera que o seu casamento devia ser dirigido por Cecil B. De Mille. Parecia um dos filmes épicos do grande diretor.

A cerimônia seria no jardim da casa dos Horowitzes, no caramanchão coberto de rosas e gardênias, cultivadas especialmente para os noivos, e a recepção ia ser dentro de casa. Dois toldos enormes foram armados, com duas bandas, e todos os nomes importantes de Hollywood estariam presentes para ver Helen casar com George. Edwina comovia-se até as lágrimas só em pensar no casamento, e em junho, na sua visita a Los Angeles, tinha levado um presente muito especial para a noiva.

— Divirta-se bastante hoje — disse ela, beijando o irmão quando ele saiu para a festa de despedida de solteiro.

Quando Edwina foi tomar banho, Alexis, Fannie e Teddy desceram para o saguão do hotel, como um bando de diabretes, para ver as estrelas.

— Comportem-se, por favor — disse ela, certa de que, estando juntos, não criariam muita confusão. Naquele saguão, Alexis tinha conhecido Malcolm Stone, mas isso fora há muitos meses, e Alexis estava diferente agora.

Capítulo 30

O DUESENBERG DOS HOROWITZES chegou ao hotel exatamente às onze e meia, e Edwina, Alexis, Fannie e Teddy entraram no carro, a caminho da casa dos Horowitzes, onde tudo estava orquestrado com perfeição.

Os toldos estavam armados, as duas bandas instaladas, prontas para tocar. Paul Whiteman e sua orquestra, e a Creole Jazz Band, de Joe "King" Oliver, iam tocar das seis da tarde até de madrugada. Os garçons e funcionários dos bufês estavam em plena atividade. A criadagem dos Horowitzes dirigia tudo com eficiência. Ao meio-dia seria servido um fino almoço sentado, para todos, menos para a noiva. Sam, com terno completo, calmo e discreto, aproximou-se para cumprimentá-los. Edwina estava muito bonita com um vestido de seda branca e um longo colar de pérolas que fora da sua mãe. Era um grande dia para todos eles, e as crianças estavam extasiadas. George convidara Teddy para ser seu padrinho, o que deixara o menino lisonjeado, e Edwina comovida. Ela seria a madrinha de Helen, Alexis era uma das damas de honra, e Fannie levava as flores. Cada uma delas ia representar um papel na cerimônia. Às duas horas, foram para o quarto onde seriam penteadas, maquiadas e perfumadas. Teddy juntou-se aos homens, e Edwina foi procurar Helen.

— Vejo você mais tarde — disse Sam, tocando de leve o braço dela. — É um grande dia para nós dois, não é?

Edwina era mais a mãe do noivo do que dama de honra, e Sam, como sempre, fazia o papel de mãe e pai de Helen.

— Ela vai ficar linda — disse Edwina, com um sorriso, sabendo o que ele estava sentindo. Ela também sentia. Há quatro anos, George não morava mais com eles, mas, de qualquer modo, era um momento importante para todos.

Com surpresa, Edwina encontrou Helen calmamente sentada no quarto, muito bela e tranqüila, o cabelo já penteado, as unhas perfeitamente manicuradas, o vestido pronto para vestir. Tudo que tinha a fazer era relaxar e esperar até as cinco horas, quando, de braço com o pai, caminharia para se tornar a Sra. George Winfield.

Edwina nunca havia notado o quanto Helen era organizada, capaz, e o quanto se parecia com o pai. Helen fazia tudo calmamente, sorrindo, atenta a tudo, providenciando para que todos estivessem bem instalados e confortáveis. Para Edwina, era uma garantia de que ela e George seriam muito felizes. Contudo, por um momento, quase sentiu pena dela. Naquele dia, Helen precisava da mãe, não de uma amiga, para se preocupar com ela e abraçá-la carinhosamente, com uma lágrima de alegria, quando ela caminhasse para o começo da nova vida. Mas ali estavam apenas duas jovens mulheres, uma que não tinha conhecido a mãe, a outra que tomara o lugar da mãe para criar os cinco irmãos.

Edwina olhou em volta e viu quilômetros e quilômetros de renda Chantilly, milhares de botões, rios de pérolas e uma cauda de seis metros, mas não viu nenhum véu. Então entrou no quarto de vestir, e lá estava ele, passado e pendurado num cabide sobre a cômoda, descendo para o chão, do comprimento da cauda do vestido. Os olhos de Edwina encheram-se de lágrimas. Parecia exatamente o que era, uma tela etérea para cobrir um rosto virgem e fazer com que o noivo a desejasse com mais ardor quando caminhasse para ele. Estava exatamente como deveria estar onze anos antes, se ela tivesse casado com Charles. Era seu presente para Helen, e agora o observava, comovida. Voltou-se para Helen, que entrou no quarto e tocou levemente seu ombro. Eram irmãs agora, não apenas amigas. Irmãs que só tinham uma à outra. Edwina abraçou a noiva do irmão, com as lágrimas descendo pelo rosto, lembrando de Charles como se o tivesse visto há poucos momentos. Depois de todos aqueles anos, a imagem dele ainda estava clara no seu coração, e se fechasse os olhos, podia vê-lo, como via os pais.

— Muito obrigada por usar o véu — murmurou Edwina, abraçada a Helen, que chorava também, adivinhando o que o presente representava para a irmã de George.

— Obrigada por me deixar usá-lo... eu queria que você o tivesse usado também... — Queria dizer que desejava que Edwina tivesse conhecido a felicidade que ela sentia nesse momento.

— Eu o usei, no meu coração. — Afastou-se e olhou para aquela irmã mais jovem. — Ele era um homem maravilhoso, e eu o amava muito. — Nunca havia falado de Charles com Helen. — E George é também um homem maravilhoso... que vocês sejam felizes para sempre — disse ela, beijando o rosto de Helen.

Logo depois ajudou-a a se vestir, e quando terminou, conteve a respiração. Helen era a noiva mais linda que já tinha visto na vida real ou no cinema. O cabelo louro emoldurava o rosto e parecia um halo dourado em volta da cabeça, artisticamente enfeitado com gipsófilas e lírios-do-vale, e a coroa do véu de Edwina ajustava-se com perfeição sobre o cabelo sedoso, com as pérolas cintilantes e os quilômetros de tule branco. Seis damas de honra e ajudaram a descer a escada, e Edwina, observando, chorou outra vez.

Edwina estava com um vestido de renda azul-clara, com uma pequena cauda, casaco combinando e um chapéu de Paris, criação de Poiret, inclinado para um lado, quase escondendo o olho esquerdo, que a fazia parecer discreta e ao mesmo tempo *sexy*. O vestido era decotado, revelando o colo acetinado, mas o casaco cobria o decote. O azul pálido do vestido acentuava o brilho do cabelo negro como uma asa de corvo. George não disse, mas nunca Edwina estivera tão bela.

Sam ficou extasiado também quando a viu; logo depois, fez-se um silêncio e Helen apareceu. O vestido extraordinário e o véu mágico a transformavam no sonho de todos os presentes, e Sam lembrou que Helen não era mais uma criança e que a estava entregando para outro homem. Com uma lágrima pairando no canto do olho, um momento depois ele a abraçou com força, com um carinho comovente. Helen estava tão linda, e Sam parecia tão forte. Edwina sabia tudo que a filha representava para ele, e também o que ela representava para seu irmão. Helen era uma mulher de sorte. Era preciosa para os dois homens, e sabia o quanto eles a amavam.

A música tocou, e primeiro as damas e Fannie com as flores, depois Edwina, com um buquê de orquídeas brancas, seguida por Helen e Sam, desfilaram com passo cadenciado. Todas as damas pareciam meninas para ela, e Alexis e Fannie cochichavam e riam lá na frente. Edwina viu George, esperando ansiosamente para começar sua vida com Helen. Então, mais uma vez, desejou que seus pais estivessem vivos para vê-lo agora. Edwina afastou-se para o lado e Helen apareceu, de repente, como uma visão de sonho. As pessoas suspiravam e esforçavam-se para ver melhor a noiva. Edwina parou no seu lugar, Sam Horowitz, solene e compenetrado, olhou para a filha com um sorriso tristonho e, segurando a mãozinha enluvada que se apoiava no seu braço, entregou-a a George.

Um murmúrio correu pelos assistentes, e quando Helen e George tomaram seus lugares sob o pálio, que era uma tradição da religião da noiva, lágrimas silenciosas desceram pelo rosto de Edwina, lágrimas de alegria pelos noivos e lágrimas de tristeza e dor pelo amor perdido há tanto tempo.

Foi uma cerimônia muito bela, e George, de acordo com a tradição, quebrou o copo com o salto do sapato. Os Horowitzes não eram ortodoxos, mas Helen fizera questão de ter um casamento de acordo com sua religião, sem se preocupar com o fato de o noivo ser de religião diferente.

Ficaram horas na fila dos cumprimentos, e Edwina, ao lado de Sam, a princípio exausta de emoção, depois começou a rir com o que Sam dizia enquanto apertava as mãos dos convidados, apresentava todos os amigos e, sempre que podia, murmurava coisas no ouvido dela. Ele foi uma fonte de força e de calor durante toda a cerimônia. Edwina apresentou-o aos amigos de São Francisco, quase todos amigos dos seus pais, e a Ben, acompanhado da mulher, grávida. Depois de dançar com George, enquanto Helen dançava com o pai, Edwina dançou com Sam, com Reddy, com astros de cinema, com amigos e com pessoas que não conhecia e que provavelmente nunca mais iria ver, e todos se divertiram muito. Finalmente, à meia-noite, os noivos saíram no Duesenberg, presente de casamento de Sam para George. Na manhã seguinte, iriam de trem para Nova York, e de lá para o Canadá. Tinham pensado na Europa, mas à idéia de entrar num navio George recusara e Helen não insistira. Algum dia ele perderia aquela impressão; Helen tinha certeza disso e não quisera apressar as coisas. Estaria feliz com ele em qualquer lugar. Quando os noivos partiram, vendo a felicidade de Helen, Edwina voltou-se para Sam, com um suspiro, imaginando onde estariam Alexis, Teddy e Fannie. Ela os vira uma vez ou outra durante a noite, e todos estavam se divertindo muito, especialmente Alexis.

— Foi uma beleza — disse Edwina, com um sorriso.

— Seu irmão é um belo rapaz — disse ele, com admiração.

— Muito obrigada, senhor. — Edwina fez uma leve curvatura, sorrindo para ele, com seu belo vestido azul. — E você tem uma filha encantadora.

Dançaram a última música, e de repente Edwina olhou em volta e viu Malcolm Stone. Ele devia estar com alguém, porque ninguém pensaria em convidá-lo. Um pouco depois, ela reuniu os irmãos, agradeceu mais uma vez a Sam e foram para casa, exaustos, mas felizes. Só mais tarde, quando estavam se preparando para deitar, Edwina lembrou-se de perguntar a Alexis se ela vira Malcolm Stone.

Por um momento, Alexis ficou calada; depois fez um sinal afirmativo. Sim, tinha visto. Tinha dançado com ele. Mas não queria admitir isso para Edwina e estava quase certa de que a irmã não os tinha visto juntos. Alexis ficara surpresa quando o vira, e Malcolm, rindo, explicara que tinha entrado de penetra, fingindo ter perdido o convite.

— Sim, eu o vi — respondeu Alexis, tirando o colar de pérolas emprestado por Edwina.

— Ele falou com você? — Edwina franziu a testa e sentou, preocupada.

— Na verdade, não. — O que era mentira.

— Estou surpresa por ele ter tido coragem de aparecer.

Mas dessa vez Alexis não respondeu e não disse que tinham combinado almoçar no dia seguinte, para conversar sobre o próximo filme de Alexis. Malcolm dissera que fizera um teste para um papel no filme, o que a surpreendera, porque nada estava resolvido ainda e ela nem tinha assinado o contrato.

— Foi um lindo casamento, não foi? — Edwina resolveu mudar de assunto. Não adiantava falar sobre Malcolm Stone. Tudo isso pertencia ao passado.

Todos concordaram em dizer que Helen estava lindíssima, e Edwina foi para a cama naquela noite sorrindo, cansada, com um misto de felicidade e tristeza, satisfeita por ter dado o véu a Helen. Mas Alexis não pensava na noiva quando mergulhou no sono. Sonhava com Malcolm e com o almoço do dia seguinte.

Capítulo 31

ALEXIS CHEGOU MUITO NERVOSA para seu encontro com Malcolm Stone, no Ambassador Hotel. Edwina fora cedo à casa de George para providenciar algumas coisas pedidas por ele, e Alexis dissera a Fannie que ia encontrar uma amiga. Fannie lia no quarto e Teddy estava na piscina quando Alexis pedira ao porteiro do hotel para chamar um táxi e saíra, sem dizer a ninguém aonde ia.

— Minha irmã vai ficar furiosa se souber deste encontro — confessou Alexis.

Ela estava mais bela do que nunca, com um *tailleur* creme e chapéu da mesma cor, com um véu que encobria os olhos, agora erguidos para ele com uma expressão de confiança infantil.

— Pois então vamos fazer o possível para que ela não saiba, está certo?

Quando ele segurou sua mão, Alexis o achou belo, como sempre, e um tanto assustador. Apesar da forte sensualidade de Malcolm, o que mais a atraía era o fato de fazê-la sentir-se como uma menina, a quem estava disposto a proteger.

— Pelo menos, seu irmão encantador não está na cidade. — Ele riu, como se a lembrança de George o divertisse. — Onde eles vão passar a lua-de-mel?

— Nova York e Canadá.

— Por que não na Europa? — Parecia atônito. — Muito estranho. — Mas Alexis não explicou por quê. — Quanto tempo ficarão fora?

— Seis semanas — disse Alexis, inocentemente, e Malcolm beijou a palma da mão dela.

— Pobrezinha... o que você vai fazer sem ele? Ele vai estar muito ocupado com a nova mulherzinha, deixando você sozinha no mundo, não é mesmo?

Era claro que não. Alexis estava entregue aos cuidados muito capazes de Edwina, mas, ouvindo aquelas palavras, ela sentiu como se não tivesse mais ninguém para protegê-la.

— Pobre amorzinho, Malcolm vai ter de tomar conta de você, não é mesmo, meu bem? — disse ele, e Alexis fez um gesto afirmativo, esquecendo por completo o incidente em Rosarita Beach.

Ele perguntou quando começaria seu próximo filme, e Alexis disse que Edwina e George resolveram que a assinatura do contrato seria feita quando o irmão voltasse.

— Então, vai estar livre durante alguns meses? — Ele parecia encantado.

— Bem... sim... mas tenho de voltar para São Francisco, porque meus irmãos ainda estão na escola.

E então, de repente, mesmo com o véu cobrindo parte do rosto, até para ele Alexis pareceu uma menina. Tinha o rosto e o corpo de um anjo, e bem orientada podia até passar por uma *vamp.* Mas na verdade era ainda deliciosamente infantil. Isso era parte do seu charme. Embaraçada com a atitude de Malcolm, Alexis desejou estar de volta à segurança do hotel.

— Agora preciso ir — disse ela, finalmente, enquanto Malcolm procurava detê-la com beijos repetidos, brincando com seus cabelos, parecendo não ter pressa.

Durante o almoço, Malcolm bebera bastante vinho e convencera-a a acompanhá-lo. Alexis concordara, esperando que, depois disso, ele a levasse de volta ao hotel. Ela descobriu, porém, que o vinho lhe agradava muito mais do que o champanhe que tinham tomado na noite anterior. E no fim da tarde, ainda estavam ali sentados, tomando vinho, entre risos e beijos, e Alexis esquecera completamente que devia voltar para casa. Alegremente, foram para o apartamento dele. Tudo parecia muito engraçado agora, especial mente o fato de Edwina estar à sua espera, só Deus sabia onde. Alexis não conseguia lembrar.

Quando chegaram, Malcolm serviu mais vinho e beijou-a até ela perder o fôlego, e de repente Alexis lembrou que queria fazer mais do que isso com ele, mas não sabia ao certo o que era. Lembrou que certa vez tinham ido a um lugar juntos, e por um minuto pensara que estavam casados, mas essa idéia também se apagou numa névoa. Alexis estava inconsciente quando Malcolm a pôs dentro do carro com uma mala. Ele tinha pensado nisso a noite toda e convenceu-se de que era uma grande idéia, a solução para todos os seus problemas. Deixou o dinheiro do aluguel do apartamento na mesa e pretendia deixar o carro na estação, com um bilhete, para a pessoa que o havia emprestado.

O trem estava na estação quando eles chegaram; Alexis, semiconsciente agora, sentou-se e olhou em volta.

— Para onde vamos? — A cabine parecia girar lentamente, e Alexis não sabia onde estava, nem para onde ia.

— Vamos visitar George em Nova York — disse Malcolm, e, na sua confusão, Alexis achou que era uma boa idéia.

— Vamos? Por quê?

— Não se preocupe, amorzinho — disse ele, beijando-a. Era um plano perfeito. Alexis ia ser seu passe para o estrelato. Uma vez que a tivesse comprometido suficientemente, George não teria escolha. Especialmente agora, que estava casado com a filha de Sam Horowitz, faria de tudo para que a irmã não fosse considerada uma prostituta no mundo do cinema.

Quando o trem partiu, Alexis dormia a sono solto, roncando alto, e ele sorriu. Tinha de admitir que tivera muita sorte. Alexis era uma menina bonitinha. Na verdade, era muito bonita.

Capítulo 32

— COMO VOCÊ NÃO SABE aonde ela foi?

Exatamente quando o trem saía da estação, com Alexis e Malcolm, Edwina fazia essa pergunta a Fannie, que estava quase chorando.

— Eu não sei... ela disse que ia ver uma amiga, ou coisa assim... acho que alguém do filme... não me lembro... — Fannie estava entrando em pânico, e Teddy nem tinha visto Alexis sair.

— Você viu alguém?

Fannie sacudiu a cabeça, apavorada, temendo que tivesse acontecido alguma coisa com Alexis.

— Ela estava muito bem-vestida e muito bonita.

Um arrepio percorreu a espinha de Edwina, e ela pensou em Malcolm Stone. De repente, sentiu que Alexis tinha mentido na noite anterior. No momento, pensara vagamente nisso, mas não quisera pressioná-la.

O porteiro do hotel disse que Alexis tinha saído num táxi. Às nove horas, Alexis não tinha voltado, e Edwina telefonou para Sam. Pediu desculpas por incomodá-lo e disse qual era o problema. Ela queria descobrir o paradeiro de Malcolm, para verificar se Alexis estava com ele.

Duas horas depois, quando as crianças já estavam dormindo, Sam telefonou. Só havia conseguido um endereço, dado por outro ator, num péssimo lugar da cidade.

— Não quero que você vá a esse lugar. Quer que eu vá agora ou amanhã cedo?

Sam queria ajudar, mas Edwina disse que podia resolver sozinha. Discutiram por um tempo e finalmente ela concordou em aceitar a companhia dele. Era meia-noite quando chegaram ao apartamento vazio.

Edwina resolveu chamar a polícia, sem se importar com a possibilidade de escândalo, e Sam, relutantemente, deixou-a no hotel, com os policiais, à uma hora da manhã. Ela disse que estava bem e evidentemente não queria a presença dele. Contou à polícia tudo que sabia, que, na verdade, era apenas o que Fannie tinha dito. Alexis saíra para se encontrar com uma amiga e não voltara. Na manhã seguinte, Edwina estava em pânico. Não tinha encontrado nem sinal da irmã. A polícia não conseguira nenhuma pista. Nenhum corpo fora encontrado, ninguém tinha visto coisa alguma. Nenhuma pessoa que correspondesse à descrição de Alexis havia dado entrada nos hospitais da cidade. Alexis devia estar em algum lugar, mas Edwina não sabia onde, nem com quem, nem por quê. Só pensava em Malcolm Stone, mas podia estar errada. Depois daquela quase fuga com ele, meses antes, ela certamente aprendera a lição.

Ao meio-dia, quando Edwina estava completamente desesperada, Sam Horowitz telefonou, e o que ele disse confirmou suas suspeitas. Por meio de uma investigação discreta, Sam descobrira que Malcolm havia pago o aluguel do apartamento e tinha desaparecido. Soubera também que o carro, emprestado por um ator, seu conhecido, fora deixado na estação, com um bilhete. Tudo fazia supor que tinha saído da cidade. Mas a questão era: Alexis estava com ele? Era o que precisavam descobrir agora, e Edwina não sabia como.

— Você pode dizer à polícia que ele a raptou — sugeriu Sam, mas Edwina não queria fazer isso. E se não fosse verdade? Se Alexis tivesse consentido em ir com ele, o que ela achava mais provável, o caso ia parar nos jornais, e a reputação de Alexis estaria manchada para sempre. Naquele momento, Edwina sentiu falta de George. — Posso fazer alguma coisa? — ofereceu-se Sam, outra vez, mas Edwina disse que ia encontrar uma solução e o avisaria logo que tivesse notícias. Mas não queria mais incomodá-lo. Sam já havia feito muito, e, afinal, o problema não era seu. Além disso, era embaraçoso admitir que não podia controlar a irmã. De repente, Edwina teve medo de prejudicar George, Sam e Helen.

Certamente não podia fazer nada agora para deter Alexis e Malcolm, nem para alcançá-los, se tinham saído da cidade. O mais certo era voltar para São Francisco e esperar notícias de Alexis. Naquela tarde telefonou para Sam e disse o que tinha resolvido; na manhã seguinte, voltou para casa com Teddy e Fannie. Foi uma viagem triste e silenciosa. Edwina preocupava-se dolorosamente com a irmã, e Fannie sentia-se culpada por não ter perguntado aonde ela ia, ou tentado demovê-la do seu propósito.

— Isso é bobagem — disse Edwina, procurando acalmá-la. — Não é culpa sua, meu bem.

A culpa era apenas de Alexis.

— E se ela nunca mais voltar? — Fannie começou a chorar, e Edwina sorriu tristemente.

Ela voltaria... mas só Deus sabia quando, ou como. De certo modo, porém, era mais reconfortante imaginá-la com Malcolm Stone do que pensar num acidente ou outra coisa qualquer. Edwina não tinha certeza se era realmente melhor o que estava acontecendo.

Só depois de três dias tiveram notícias de Alexis, e, durante essa espera, Edwina pensou que ia enlouquecer. O telefone tocou em São Francisco às dez horas da noite.

— Meu Deus, você não tem idéia do quanto ficamos preocupados? Onde você *está*?

Alexis falava com voz trêmula. Constrangida, hesitara em telefonar, mas o próprio Malcolm achara que devia. Fora a pior semana da sua vida. Para começar, enjoara tanto no trem que pensara que ia morrer. Depois Malcolm dissera que tinham casado antes de tomar o trem e que Alexis dormira durante toda a noite de núpcias. Para provar isso, fizeram amor durante toda a segunda noite. Fora horrível, nada parecido com o que ela esperava, e agora Alexis se perguntava por que tinha casado com ele. Malcolm era muito diferente do homem que conhecera em Los Angeles, e só falava nos filmes que fariam juntos, e por mais belo que fosse, à luz do dia não passava de um velho para Alexis.

— Eu estou bem — disse ela, com voz sumida e pouco convincente. — Estou com Malcolm.

— Foi o que pensei — disse Edwina, com lágrimas de alívio. — Mas por quê? Por que fez isso, Alexis? — Edwina perguntava a si mesma onde tinha errado na educação da irmã. — Por que mentiu para mim?

— Não menti. Não de todo. Mal falei com ele na festa de casamento. Só dançamos uma vez e combinamos almoçar no dia seguinte.

— Onde você está?

Sem dúvida fora o almoço mais longo da sua vida, e Edwina não tinha ilusões sobre o que havia acontecido. Depois de cinco dias, até ela sabia.

— Estou em Nova York — respondeu Alexis, nervosa.

Edwina sacudiu a cabeça, imaginando se poderia entrar em contato com George. Mas detestava a idéia de interromper sua lua-de-mel, e ele pouco podia fazer agora. Tudo que queria era esconder o fato dos jornais. Pensou em contar a Sam que tinha encontrado Alexis, pedir aos menores para guardar segredo e nunca contar nada para George. Quanto menor o número de pessoas a par de tudo, melhor para Alexis.

— Em que lugar de Nova York? Em que hotel? — Sua mente estava a mil.

— No Illinois Hotel — disse Alexis, dando um endereço no West Side. Não era nenhum Plaza nem o Ritz-Carlton, mas Malcolm Stone não era esse tipo de homem. — Edwina... — parou, com a voz embargada. Sabia que ia partir o coração da irmã, mas tinha de contar. — Estou casada.

— *O quê?* — Edwina quase deixou cair o fone. — Está casada?

— Estou. Casamos antes de tomar o trem.

Não contou que estava embriagada e não se lembrava do casamento. Bastava dizer que estava casada.

— Vocês vão voltar agora?

Edwina pretendia anular o casamento e fazer Alexis recuperar o juízo. Mas para isso precisava que ela voltasse para casa.

— Não sei... — disse, chorosa. — Malcolm quer tentar um papel numa peça, em Nova York.

— Ora, pelo amor de Deus. Escute... — Edwina fechou os olhos e fez alguns cálculos rápidos. — Fique onde está. Vou apanhar você aí.

— Vai dizer a George?

Pelo menos Alexis tinha a graça de parecer embaraçada, pensou Edwina com certo alívio.

— Não, não vou. Não vou contar para ninguém, e você e Malcolm também não. Quanto menos falarmos do assunto, melhor. Vou trazê-la para casa e acabar com essa bobagem. Anularemos o casamento e estará tudo terminado.

E Edwina, lembrando as palavras de George, meses atrás, rezava para que, no fim de nove meses, não aparecesse nenhum "presente" de Malcolm.

— Estarei em Nova York dentro de cinco dias.

Porém, assim que desligaram, Alexis arrependeu-se de ter telefonado. Malcolm estava carinhoso outra vez, e ela começava a gostar de fazer amor com ele. Não queria voltar para a Califórnia, queria ficar em Nova York com ele. O hotel era escuro e lúgubre, e havia muitas coisas de que não gostava. Também não lhe agradava o modo como fora tirada da Califórnia. Porém, agora com ele, às vezes tinha certeza de estar apaixonada. E ele era muito bonito, embora bebesse demais e então suas mãos ficassem ásperas, mas sempre a tratava com carinho, como se ela fosse uma criança. Além disso, Alexis sentia-se muito adulta quando era apresentada como sua mulher. No dia seguinte estava arrependida de ter concordado com a ida de Edwina a Nova York. Telefonou para pedir que ela não fosse, mas Fannie disse que Edwina já estava a caminho.

— Por que fez isso, Lexie? — choramingou Fanie, no telefone; sentindo a mão de Malcolm subindo por sua coxa, Alexis estremeceu.

— Vamos fazer filmes juntos — explicou Alexis, como se isso mudasse tudo. — E eu queria casar com Malcolm.

Fannie deixou escapar uma exclamação de horror. Edwina não tinha falado em casamento. Tudo que sabia era que Alexis estava em Nova York.

— O quê? Vocês casaram? — Fannie quase entrou pelo telefone, enquanto Teddy ouvia atentamente. Edwina não tinha contado, e de repente Alexis lembrou que não devia contar a ninguém.

— Bem, mais ou menos.

Mas se contasse agora, Edwina não poderia anular o casamento, ou podia? Tudo estava confuso, e Alexis mais uma vez arrependeu-se de ter telefonado. Desligou e disse a Malcolm que achava que não devia ter falado com Edwina. Ele estava de mau humor porque não conseguia arranjar trabalho em Nova York.

— Tenho uma idéia — disse Malcolm, fazendo-a deitar ao seu lado e tirando-lhe a blusa.

Malcolm tinha comprado algumas roupas baratas para ela, perto da estação de Chicago. Para Alexis, tudo isso era excitante. Era como desempenhar um papel num filme.

Fizeram amor outra vez, e depois ele saiu, voltando à noite com duas passagens. Estava muito bêbado. Alexis ficou furiosa, mas Malcolm prometeu que no dia seguinte tudo estaria bem. Explicou que iam para Londres, onde ele ia trabalhar numa peça de teatro, e depois voltariam para a Califórnia. A essa altura, seria tarde demais para Edwina fazer qualquer coisa. Se tivessem sorte, pensava ele, Alexis já estaria grávida. Mas mesmo que isso não acontecesse, o escândalo teria ido longe demais, e ele poderia passar o resto da vida em grande estilo, vivendo à custa de George Winfield.

Capítulo 33

ANTES DE DEIXAR A CALIFÓRNIA, Edwina telefonara para Sam, dizendo que tudo estava bem. Fora tudo um mal-entendido, explicara ela. Ofendida com uma observação de Edwina, Alexis tinha voltado sozinha para São Francisco. De acordo com essa versão, quando chegaram, eles a encontraram arrependida e perfeitamente bem. Tudo não passara de um susto.

— E Malcolm Stone? — perguntara ele, não acreditando na história.

— Não apareceu em lugar nenhum — dissera Edwina, com convicção, agradecendo a Sam pelo seu interesse.

Fizera os preparativos para deixar Teddy e Fannie com a governanta, dizendo que voltaria o mais breve possível. Dera ordens também para que, em nenhuma circunstância, contassem a George o que estava acontecendo, caso ele telefonasse.

Tomara o trem para Nova York, assoberbada pelo medo e por lembranças dolorosas. Sua última viagem para aquela cidade fora feita na companhia dos pais e de George, para embarcarem no *Mauretania*, a caminho da Inglaterra. Tivera muito tempo para pensar e fora direto da estação para o Illinois Hotel, esperando encontrar Alexis desesperada e disposta a ameaçar Malcolm com um processo na justiça. Mas o que encontrou foi uma carta dos dois, com a letra infantil de Alexis, explicando que Malcolm queria trabalhar nos palcos de Londres e que ela ia com ele, como uma boa esposa. Nas entrelinhas, Edwina percebeu que Alexis estava completamente hipnotizada, a ponto de concordar com a viagem de navio, o que, Edwina sabia, não ia ser nada fácil. Imaginou se Malcolm tinha idéia do que ia acontecer, e se Alexis tinha contado a ele sua experiência no *Titanic*, onze anos atrás.

Edwina saiu do hotel aos prantos, sem saber se devia segui-los até Londres, para tentar trazer Alexis de volta, ou desistir de vez. Talvez Alexis quisesse realmente casar com Malcolm, e talvez fosse tarde demais. Podiam estar casados de verdade, e ela podia estar grávida. Nesse caso, o que podia fazer? Não ia conseguir anular o casamento se Alexis estivesse para ter um filho.

Chorando baixinho, tomou um táxi para o Ritz-Carlton e subiu para o quarto tão parecido com os que tinha ocupado em sua última viagem a Nova York. Então, de repente desejou ter alguém para ajudá-la. Mas não havia ninguém... seus pais e Phillip estavam mortos... George estava casado... ela mal conhecia Sam... não queria que Ben soubesse do seu fracasso... não tinha ninguém, e naquela noite, quando se deitou, sabia que precisava resolver sozinha. Na verdade, não tinha escolha. Nunca teria coragem de entrar num navio outra vez, não depois do *Titanic*, mas não podia permitir que Alexis fosse com Malcolm sem ao menos tentar levá-la de volta para casa. Afinal, Alexis tinha telefonado e dito onde estava. Isso devia significar que esperava que Edwina a livrasse de tudo aquilo.

Passou a noite toda pensando. Na manhã seguinte, pensou em passar um telegrama para o navio, mas depois achou que, no estado de confusão em que estava, Alexis não concordaria em voltar. Precisava fazer alguma coisa, imediatamente. Então, como se fosse a única resposta, teve a impressão de ver o rosto da mãe na sua frente e soube o que ela teria feito. Kate teria ido atrás de Alexis. Naquela tarde, Edwina reservou passagem no *Paris*. Alexis partira, três dias antes, no *Bremen*.

Capítulo 34

ALEXIS EMBARCOU na segunda classe do *Bremen*, muito quieta e pálida, e Malcolm tentou animá-la. Falou no quanto iam se divertir, pensando que era a primeira vez que ela viajava por mar. Pediu champanhe, cobriu-a de beijos, pensando na vida que levariam algum dia, em navios mais luxuosos, sempre na primeira classe.

— Imagine só — disse ele, enfiando a mão debaixo do vestido dela, mas dessa vez Alexis não sorriu.

Alexis não disse uma palavra, e quando desceram para a cabine, Malcolm percebeu que ela tremia.

— Você não enjoa a bordo, enjoa? — perguntou ele, alegremente.

Malcolm achava que havia coisas muito piores do que ser casado com a irmã de um grande diretor de estúdio, embora tivesse gasto o resto do dinheiro que tinha para comprar as passagens no *Bremen*. Era um navio tristonho, mas os alemães gostavam de beber e de rir, e ele poderia jogar cartas com os homens e mostrar sua bela "esposa". Só que Alexis estava encolhida na cama quando saíram da baía, e naquela noite, na hora do jantar, ela mal podia respirar. Estava deitada, com os olhos arregalados, e Malcolm, apavorado, pediu ao camareiro que chamasse um médico imediatamente. Ela parecia estar morrendo.

— *Mein Herr?* — perguntou o camareiro, olhando para dentro do quarto. Tinha notado a bela recém-casada. Os dois eram bonitos, mas o marido parecia pai dela.

— Minha mulher... não está bem... precisamos de um médico, agora mesmo.

— Certamente — sorriu o homem. — Mas posso trazer uma xícara de *bouillon* e alguns biscoitos? É a melhor coisa para enjôo, senhor. Ela nunca viajou por mar antes?

Mas nesse momento, ouviram um gemido alto e doloroso, e quando Malcolm se voltou, Alexis tinha desmaiado.

— O médico, homem, depressa!

Alexis parecia morta, e de repente Malcolm ficou apavorado. E se ela morresse? George Winfield o mataria, e ele podia esquecer Hollywood, os Duesenbergs e tudo que esperava conseguir com a pequena e doce Alexis ao seu lado.

O médico chegou imediatamente, e sem rodeios perguntou a Malcolm se ela estava grávida e se havia algum sinal de aborto. Malcolm nem tinha pensado nisso, era cedo demais, e Alexis era virgem quando saíra de Los Angeles. Disse que não sabia e, obedecendo às ordens do médico, saiu da cabine e começou a andar no corredor, fumando e tentando adivinhar a causa do desmaio, da palidez e do silêncio de Alexis desde o momento em que embarcaram.

Depois de um longo tempo, o médico saiu da cabine com a testa franzida. Chamou Malcolm, e ele o seguiu hesitante, no corredor.

— Ela está bem?

— Está. Vai dormir durante muito tempo. Apliquei-lhe uma injeção. — Chegaram a uma saleta, e o médico o fez sentar. — Essa viagem à Europa é muito importante?

Malcolm não entendeu por que o médico parecia quase zangado com ele.

— Sim, eu... sou ator... vou trabalhar no teatro, em Londres.

Como tudo em sua vida, era mentira. Não tinha a mínima idéia se arranjaria trabalho em Londres. Mas o homem louro, belo e emurchecido acendeu outro cigarro e sorriu nervosamente para o médico alemão.

— Ela não lhe contou nada, então?

Olhou para Malcolm, pensando se seriam realmente casados. Ela era muito jovem, estava muito assustada e calçava sapatos muito caros. De certo modo não parecia ter nada em comum com ele, e o médico imaginou se estaria fugindo de casa. Mas, nesse caso, aquela viagem não devia estar nos seus planos; olhando para Malcolm, o médico sentiu pena dela.

— Não me contou o quê? — Malcolm parecia confuso.

— Sobre a última vez que ela esteve na Europa?

Entre soluços, Alexis contara tudo ao médico, confessando que não podia ficar no navio. Era horrível demais, e se o navio afundasse? Quase fora de si, agarrara-se a ele, e o médico resolvera mantê-la sob sedação. Se o americano concordasse, ela devia ficar na enfermaria do navio, com uma enfermeira, até chegarem a Londres.

— Eu não sei de nada. — Malcolm parecia aborrecido.

— Não sabia que ela estava no *Titanic*?

Se fossem casados, certamente Alexis teria contado, mas Malcolm não deu muita importância ao fato.

— Ela devia ser muito pequena — disse Malcolm, com ar de dúvida.

— Tinha seis anos e perdeu os pais, e a irmã perdeu o noivo.

Malcolm fez um gesto afirmativo, achando que isso explicava muita coisa sobre Edwina. Nunca tivera a curiosidade de perguntar por que apenas George e a sempre vigilante Edwina pareciam se preocupar com ela. Supusera que os pais deviam estar em outro lugar qualquer. Na verdade, nunca tinha pensado muito no assunto. Não lhe interessava, e Alexis não falava sobre a própria vida. O médico continuou:

— Naquela noite, ela foi separada dos pais, tirada do navio contra sua vontade e atirada num bote salva-vidas. Só encontrou os irmãos no navio que os salvou do mar, acho que foi o *Carpathia*. — Franziu a testa, lembrando. Naquele tempo, era médico do *Frankfurt* e tinham recebido alguns dos últimos chamados de socorro do *Titanic*. — Posso sugerir — disse ele — que sua mulher fique sob sedação o resto da viagem? Temo que, de outro modo, ela não resista. E parece tão... frágil.

Malcolm suspirou, recostando na cadeira. Isso era tudo que ele precisava agora. Uma mulher histérica que tinha perdido a família no *Titanic*... e como diabo ia levá-la de volta para os Estados Unidos? Talvez a essa altura o problema fosse de George, ou de Edwina, se ela aparecesse, mas sabia que não iam aparecer. Estava livre de todos eles, até estar preparado para negociar nos seus termos. Então, Alexis seria totalmente sua e teriam de aceitar suas condições. Para sempre.

— Está bem — concordou Malcolm. Isso até o deixava livre para alguma aventura, se aparecesse.

— Preciso da sua permissão para levá-la para a enfermaria, senhor.

— Tem minha permissão. — Malcolm sorriu, encostou a ponta do dedo na testa, numa saudação, e foi para o bar, enquanto o médico, a enfermeira e uma camareira retiravam da cabine Alexis, profundamente adormecida.

Ela dormiu durante toda a viagem, acordando apenas o tempo suficiente para uma nova injeção de sedativo. Lembrava vagamente que estava num navio e às vezes gritava, no escuro, chamando pela mãe. Mas sua mãe jamais apareceu. Havia apenas uma mulher vestida de branco, falando uma língua que ela não entendia, e Alexis imaginava se o navio tinha naufragado e ela estava em outro lugar... e talvez agora encontrasse a mãe finalmente... ou seria apenas Edwina?

Capítulo 35

FORA DIFÍCIL TAMBÉM para Edwina entrar no navio, e não havia nenhum médico alemão para lhe aplicar um sedativo. Embarcara na primeira classe do *Paris*, com a pequena mala trazida da Califórnia. Não tinha trajes para a noite, mas sabia que não ia precisar. Seu único objetivo era chegar a Londres e levar Alexis de volta. Na carta, Alexis descrevia os planos dos dois e insistia em dizer que estava feliz com Malcolm. Mas Edwina não queria saber do quanto ela estava feliz. Sabia apenas que Alexis tinha dezessete anos, e que não ia permitir que fugisse com aquele patife. Arrependia-se de ter deixado Alexis ir para Hollywood e permitido que fizesse um filme. Não ia haver mais filme nenhum. Ia ser somente a vida tranqüila em São Francisco, logo que se livrassem de Malcolm Stone. E se tivessem sorte, ninguém ia saber o que acontecera em Nova York, nem mesmo que tinham estado nessa cidade. Edwina estava disposta a contar qualquer mentira para proteger a irmã. E trazê-la de volta fora a única coisa que a fizera embarcar no navio, com as pernas trêmulas.

A camareira levou-a até a cabine; assim que entrou, Edwina fechou os olhos e deixou-se cair numa cadeira, tentando não lembrar da sua última viagem por mar, de quem estava com ela e do que tinha acontecido.

— Deseja alguma coisa, madame? — O camareiro daquela ala era bastante atencioso.

Muito pálida, Edwina sacudiu a cabeça, com um fraco sorriso.

— Se for para o convés, talvez se sinta melhor, madame. — Era muito solícito e muito francês, e Edwina sacudiu a cabeça outra vez, com um sorriso, e agradeceu.

— Acho que não.

Um pouco depois, quando o navio deixou o porto de Nova York, ela pensou em Helen e George na sua lua-de-mel. Por telefone, tinha repetido para Teddy e Fannie a ordem de não contar nada a George, se ele telefonasse. Deviam dizer que estava tudo bem, e que Edwina e Alexis tinham saído. De qualquer modo, ele estaria muito ocupado com Helen e certamente não ia telefonar com muita freqüência. Mas as crianças sabiam onde Edwina estava e para onde se dirigia, sem imaginar o sacrifício que isso representava para ela. Os dois eram tão pequenos quando os pais morreram que quase não lembravam do *Titanic*. Para Alexis, porém, no *Bremen*, era quase insuportável, e para Edwina, no *Paris*, era extremamente doloroso.

Na primeira noite, ela jantou na cabine e quase não comeu, para desapontamento do camareiro francês. Ele não entendia o que a perturbava. Pensou que estivesse com enjôo de mar, mas não tinha certeza. Ela não saía da cabine, não abria as cortinas, e sempre que ele trazia as refeições, notava-a muito pálida e desanimada. Parecia estar sob o peso da dor de uma grande perda ou de um trauma.

— Madame está triste hoje? — perguntou ele, com preocupação paternal; Edwina, que estava escrevendo, ergueu os olhos e sorriu.

Redigia uma carta para Alexis, dizendo tudo que pensava sobre aquela fuga e seu caso absurdo com Malcolm. Pretendia entregá-la quando a encontrasse. Pelo menos mantinha sua mente ocupada, evitando pensar no lugar em que estava. Na opinião do camareiro, ela era uma mulher jovem, mas muito séria. No segundo dia, ele imaginou que talvez fosse escritora. Mais uma vez insistiu para que subisse ao convés. Era um belo dia de outubro, o sol brilhava, e partia seu coração vê-la tão infeliz e tão pálida. Imaginou também se ela estaria indo à Europa para esquecer um amor infeliz. Finalmente, quando levou o almoço e voltou a insistir, Edwina riu, levantou-se, olhou para a cabine na qual estava escondida há dois dias e concordou em andar um pouco no convés. Mas todo o seu corpo tremia quando ela vestiu o casaco e subiu lentamente para o convés de passeio.

Tentou não pensar nas semelhanças e nas diferenças enquanto andava devagar pelo convés do *Paris*. Por toda parte havia botes salva-vidas pendurados nos turcos, e ela procurou não olhar para eles. Porém, se olhasse para longe deles, veria o mar, o que também era apavorante. Ali não podia fugir das lembranças, e embora fizesse tanto tempo, parecia tão recente e tão difícil de esquecer. Em certos momentos, só com esforço convencia-se de que não estava no *Titanic*.

Quando voltava para a cabine, ouviu a música que vinha do salão de chá, e seus olhos encheram-se de lágrimas. Lembrou da tarde em que tinha dançado com Charles, enquanto seus pais os observavam, sorrindo. Edwina queria fugir da lembrança e apressou o passo, sem notar para onde estava indo. De repente, quando fez uma volta rápida, colidiu com um homem e caiu literalmente nos braços dele.

— Oh... oh... — Edwina perdeu o equilíbrio, e teria caído se ele não a segurasse com mão forte.

— Perdoe-me... está bem?

Edwina ergueu os olhos e viu um belo homem louro, de trinta e poucos anos. Estava impecavelmente vestido, com chapéu e um sobretudo com gola de castor.

— Eu... sim... desculpe...

Com o encontrão, dois livros e um jornal tinham caído da mão dele, e Edwina pensou que era reconfortante encontrar alguém carregando coisas tão comuns. Às vezes, só a idéia de estar num navio a fazia pensar em gente com coletes salva-vidas.

— Tem certeza de que está bem? — perguntou ele.

O rosto emoldurado pelos cabelos negros e brilhantes

estava muito pálido, e ele teve medo que ela fosse desmaiar se soltasse seu braço. Parecia extremamente abalada.

— Sim, estou bem.

Ela sorriu, e ele, mais tranqüilo, soltou seu braço. O homem estava de luvas, e Edwina notou o sorriso amável e caloroso.

— Desculpe, foi distração minha. Eu estava pensando em outra coisa.

Provavelmente num homem, supôs ele. Mas uma mulher como aquela não ficaria sozinha por muito tempo.

— Tudo bem. Vai tomar chá? — perguntou, delicadamente, sem pressa de deixá-la.

— Não, na verdade estava indo para minha cabine.

Desapontado, ele a viu afastar-se. Quando chegou na cabine, o camareiro a congratulou por ter subido finalmente para tomar ar. Ela riu daquela atenção paternal.

— Foi muito agradável. Você tinha razão — admitiu, aceitando o chá sugerido por ele, que foi servido logo depois, acompanhado de torradas com canela.

— A senhora deve sair outra vez. A única cura para a tristeza é sol, ar fresco, gente amável e boa música.

— Então, acha que pareço triste? — Aquela observação a intrigava. Na verdade, estava mais assustada do que triste. Mas tinha de admitir que o fato de estar no navio trazia lembranças dolorosas e tristes. — Mas estou bem. De verdade.

— Está muito melhor agora — aprovou ele. Mas naquela noite ficou desapontado quando ela pediu o jantar na cabine.

— Temos um salão de jantar tão bonito, madame. Não quer subir e conhecer?

Não se importava em servi-la na cabine, mas tinha tanto orgulho do navio, que sentia pena quando alguém não aproveitava todas as vantagens e os confortos oferecidos a bordo.

— Eu não trouxe nada para vestir.

— Não faz mal. Uma bela mulher pode ir a qualquer lugar com um simples vestido negro. — O camareiro tinha notado o vestido de lã negra que Edwina vestira apenas naquela manhã.

— Hoje não. Talvez amanhã.

Ele serviu *filet mignon* com aspargos *hollandaise* e *pommes soufflées*, preparadas especialmente para ela pelo *chef*. Pelo menos foi o que ele disse, mas, como nos outros dias, Edwina comeu muito pouco.

— Madame nunca tem fome — lamentou ele, levando a bandeja. Mas naquela noite, quando entrou para abrir a cama, ficou satisfeito por não encontrá-la na cabine.

Depois de pensar por algum tempo, Edwina resolvera sair outra vez e respirar ar fresco antes de se deitar. Teve o cuidado de ficar longe da amurada e andou lentamente pelo convés, com os olhos baixos, com medo do que podia ver se olhasse para o oceano. Talvez um bote salva-vidas, ou um fantasma... ou um *iceberg*... Enquanto andava, procurava não pensar; um momento depois, colidiu com um par de elegantes sapatos masculinos de verniz preto e ergueu os olhos para o belo homem louro, com seu sobretudo de gola de castor.

— Oh, não!... — disse ela, rindo embaraçada.

Tinha derrubado alguma coisa das mãos dele outra vez, e o homem riu.

— Ao que parece, temos um pequeno problema. Está bem, outra vez?

Claro que estava. Edwina corou, sentindo-se mais do que tola.

— Eu não estava olhando para onde ia. Outra vez! — disse, com um sorriso.

— Nem eu — confessou ele. — Estava olhando para o mar... é muito lindo, não acha?

Ele olhou para o oceano outra vez, mas Edwina apenas o observou, achando que tinha modos muito parecidos com os de Charles. Era alto, bonito e aristocrático, louro e não moreno, e muito mais velho do que Charles na viagem do *Titanic*. O homem olhou para ela com um sorriso amistoso e não parecia disposto a continuar o passeio solitário.

— Dá-me o prazer da sua companhia?

Ofereceu o braço para Edwina apoiar a mão, e ela pensou em recusar delicadamente, depois de tê-lo abalroado duas vezes no mesmo dia.

— Eu ia... na verdade... estou um pouco cansada... estava indo para...

— A cabine? Eu também vou, daqui a pouco, mas acho que uma caminhada fará bem a nós dois. Desanuvia a cabeça... e os olhos...

Quase instintivamente, Edwina passou o braço pelo dele e caminharam juntos, enquanto ela imaginava o que podia dizer. Não estava acostumada a conversar com estranhos, só com as crianças e com os amigos que conhecia desde pequena, além dos amigos de George, em Hollywood, que eram, quase todos, um tanto tolos.

— Você é de Nova York?

— Não, não sou — disse ela, quase num sussurro. — Moro em São Francisco.

— Sei... vai a Londres visitar amigos... ou a Paris?

— Londres. — Para arrancar minha irmã dos braços do miserável que a levou, embora ela só tenha dezessete anos, e ele, uns cinqüenta. — Só por alguns dias.

— É uma longa viagem para ficar só alguns dias. Você deve gostar de viajar de navio. — Conversavam enquanto caminhavam, e finalmente pararam ao lado de duas cadeiras de convés. — Não quer sentar?

Edwina sentou, sem saber bem por quê, mas era fácil falar com ele, e a companhia lhe agradava. Ele estendeu a manta sobre os joelhos dela e depois disse:

— Desculpe... esqueci de me apresentar. — Estendeu a mão e sorriu. — Sou Patrick Sparks-Kelly, de Londres.

Edwina apertou a mão dele formalmente

— Eu sou Edwina Winfield.

— Senhorita? — perguntou ele, sem rodeios, e ela sorriu, balançando a cabeça afirmativamente, como se não fizesse a mínima diferença.

Ele ergueu uma sobrancelha.

— Aha! Mais misteriosa do que nunca. Os passageiros estão intrigados com você, sabia?

Ele também parecia curioso, e Edwina riu outra vez. Era um homem alegre, delicado e agradável.

— Não acredito!

— Pode estar certa. Hoje mesmo duas senhoras me falaram sobre uma bela mulher que passeia no convés, não fala com ninguém e faz as refeições na cabine.

— Deve ser outra pessoa — disse ela, sorrindo, certa de que ele estava inventando.

— Bem, você passeia sozinha no convés? Sim, passeia. Eu sei porque vi pessoalmente e — acrescentou jovialmente — porque já fui atropelado algumas vezes por essa bela mulher. Você faz as refeições no salão de jantar? — Olhou interrogativamente para ela, e Edwina, rindo, sacudiu a cabeça.

— Não, não faço. Bem... ainda não fiz... mas...

— Ah, está vendo? Então eu estou certo. Você é sem dúvida a mulher misteriosa que provoca a curiosidade de todos. Devo dizer que estão imaginando as histórias mais exóticas. Um diz que você é uma bela e jovem viúva, que vai passar o período de luto na Europa, outro a vê como uma divorciada, outro ainda acha que deve ser muito famosa. Ninguém conseguiu dizer ainda quem você pode ser, mas todos concordam que deve ser uma pessoa que nós todos amamos, como, por exemplo — ele pensou por um momento, com os olhos entrecerrados —, Theda Bara?

Os dois riram da sugestão.

— Tem uma imaginação maravilhosa, Sr. Sparks-Kelly.

— Meu nome parece ridiculamente complicado, não acha? Especialmente quando dito com a pronúncia americana. Por favor, chame-me de Patrick. Quanto à sua identidade, acho que deve confessar seu nome verdadeiro e contar que é uma famosa estrela do cinema, antes que toda a primeira classe fique maluca, tentando adivinhar. Devo admitir que passei o dia inteiro pensando na resposta e não cheguei a conclusão alguma.

— Acho que todos vão ficar muito desapontados. Sou apenas eu, viajando para encontrar minha irmã, na Europa.

Edwina fez com que o motivo parecesse mais inocente do que era, mas foi o bastante para despertar o interesse dele.

— E vai ficar apenas alguns dias? É uma pena.

Ele sorriu, e Edwina considerou que era realmente um homem muito bonito. Mas não passou de uma observação clínica de quem estava acostumada a ver tantos astros do cinema.

— Acho muito interessante o fato de não ser casada — continuou ele, como se o casamento fosse algo fascinante, e Edwina sorriu. — As americanas são muito boas nisso. Têm estilo. As moças inglesas desde os doze anos têm pavor de ficarem solteiras, e se não arranjam um marido assim que são apresentadas à sociedade, as famílias as enterram vivas no jardim.

Edwina riu. Nunca tinha pensado no celibato como uma virtude ou uma preferência. No seu caso, fora resultado das circunstâncias e uma obrigação.

— Eu nunca soube que ficar solteira é uma arte especial das americanas. Talvez o casamento não seja tão fácil para nós quanto para as inglesas. As mulheres inglesas são muito mais comportadas. Não discutem tanto. — Ela sorriu, pensando na tia Liz e no tio Rupert. — Tive uma tia casada com um inglês.

— É mesmo? Quem era ele? — Perguntou como se tivesse certeza de conhecer, e Edwina achou que talvez conhecesse mesmo.

— Lorde e *lady* Hickham, Rupert Hickham. Morreram há alguns anos. Não tinham filhos.

Ele pensou por um momento e então fez um gesto afirmativo.

— Acho que sei quem é... ou era... acho que meu pai o conhecia. Um homem muito difícil, se me permite dizer.

Edwina achou graça. Difícil era pouco para descrever Rupert, e ela concluiu que ele sabia exatamente quem era seu tio.

— Uma boa descrição. E a pobre da tia Liz tinha medo da própria sombra. Ele a dominava completamente. Nós os visitamos em Havermoor... — Ia dizer "há onze anos", e de repente percebeu que não queria dizer. — Há muito tempo. — Sua voz estava agora triste e rouca. — Desde então, nunca mais estive na Inglaterra.

— E quando foi isso? — Ele parecia interessado, sem notar o desconforto de Edwina.

— Há onze anos.

— É um longo tempo. — Ele a observou atentamente, imaginando o que teria acontecido. Uma sombra terrível passou pelos olhos dela, e ele fingiu não notar.

— Sim, é. — Edwina levantou-se, como se precisasse se afastar. Estava cansada de fugir do passado e cansada de enfrentar o presente. — Acho que vou para minha cabine. Foi um prazer conversar com o senhor, Sr. Sparks-Kelly.

— Patrick — corrigiu ele. — Posso acompanhá-la até a cabine, ou serei capaz de convencê-la a tomar um drinque no bar? É um lugar muito agradável.

Mas a última coisa que ela desejava era passear pelo navio, sentar no bar, conhecer gente. Tudo isso lembrava demais a viagem no *Titanic*. Edwina não queria jamais ver outro navio e estava nesse só por causa de Alexis.

— Acho que não, mas muito obrigada.

Apertou a mão dele e afastou-se. Mas quando chegou no convés inferior, sentiu que não suportaria entrar novamente na cabine. Era tudo muito opressivo, muito familiar, terrível demais, e ela não suportava a idéia de dormir e de viver com seus sonhos, suas lembranças e seus pesadelos. Saiu para o convés da sua cabine e parou junto à amurada, pensando no que poderia ter sido e em como tinha acabado. Absorta nos pensamentos, não ouviu os passos que se aproximavam e só deu conta da presença dele quando o escutou dizer:

— Seja o que for, Srta. Winfield, não pode ser tão terrível... desculpe. — Tocou o braço dela, mas Edwina não se voltou. — Não quero ser inconveniente, mas parecia tão triste quando nos separamos, que fiquei preocupado.

Edwina voltou-se então e olhou para ele, com o cabelo tremulando na brisa, os olhos brilhantes e as lágrimas brilhando no rosto, à luz da lua.

— Parece que passo o tempo todo neste navio garantindo que estou bem. — Tentou sorrir, mas não conseguiu e enxugou os olhos.

— E já convenceu alguém? — A voz dele era terna e bondosa, e Edwina quase desejou nunca tê-lo conhecido. Tinham vidas diferentes, e ela só estava ali para levar Alexis de volta.

— Não — disse, com um sorriso. — Acho que não convenci ninguém.

— Então, creio que tem de se esforçar mais. — Com a voz mais bondosa que Edwina já tinha ouvido, ele fez uma pergunta difícil. — Aconteceu alguma coisa muito séria com você? — Ele não podia suportar o sofrimento que via nos olhos dela desde que tinham saído do porto de Nova York.

— Ultimamente, não. — Queria dizer a verdade, sem entrar em detalhes. — E eu não sou sempre assim desanimada e tristonha. — Sorriu, enxugando as lágrimas, respirou fundo o ar do mar e tentou parecer mais alegre. — Só que não gosto muito de navios.

— Por alguma razão especial? Você enjoa?

— Não. — Estava sendo bastante vaga. — Apenas não me sinto muito bem a bordo... são muitas as... — Parou antes de dizer *lembranças*, e de repente resolveu abandonar toda a cautela. Não sabia quem ele era, mas naquele momento, era um amigo, e ela gostava dele. — Eu estava no *Titanic* quando ele foi ao fundo — explicou, em voz baixa. — Perdi meus pais e o homem com quem ia me casar — Falou sem chorar, e por um momento Patrick ficou atônito, em silêncio.

— Meu Deus. — Os olhos dele encheram-se de lágrimas. — Não sei o que dizer... exceto que a considero muito corajosa por estar neste navio agora. Deve ser horrível. É sua primeira viagem por mar, depois do acidente? — Isso explicava a tensão, a palidez, porque ela raramente saía da cabine.

— Sim, é, e não está sendo fácil. Eu jurei que jamais entraria num navio em toda a minha vida. Mas tive de fazer esta viagem para encontrar minha irmã.

— Ela também estava no *Titanic*? — Agora ele estava fascinado. Ouvira falar de pessoas que tinham morrido no naufrágio, mas não conhecia nenhum sobrevivente.

— Pensamos que a tínhamos perdido. Ela desaparecera quando estávamos embarcando nos botes salva-vidas. Descera até a cabine para apanhar a boneca. Tinha seis anos então. — Sorriu tristemente. — O navio afundou no dia do aniversário dela. Finalmente a encontramos no navio que nos recolheu do mar, e ela estava histérica. Ela nunca se... bem, é uma criança difícil por causa disso tudo.

— Tem outros parentes? — Estava interessado em tudo, mas especialmente nela. Era, afinal, o que todos imaginavam que fosse, uma mulher jovem, bela e misteriosa.

— Eu tinha três irmãos e duas irmãs, e todos sobrevivemos ao naufrágio. Só meus pais e... meu noivo... morreram. Ele era inglês. — Edwina sorriu, lembrando, e Patrick Sparks-Kelly observou-a atentamente. — Chamava-se Charles Fitzgerald. — Disse o nome com voz abafada, e instintivamente procurou o anel de noivado que há muitos anos não usava. Quando o tirara do dedo, quisera devolvê-lo à família de Charles, mas *lady* Fitzgerald insistira para que o guardasse.

Patrick olhou para ela, atônito.

— Meu Deus... — Parecia estar vendo um fantasma. — Lembro-me de ouvir falar em você... uma moça americana... de São Francisco... isso foi... oh, Deus, há dez ou doze anos. Eu estava casado há pouco tempo. — E então ele explicou: — Charles era meu primo em segundo grau.

Ficaram em silêncio por um momento, pensando em Charles, e então Edwina sorriu. Era um mundo estranho, e era estranho que se conhecessem agora, depois de tanto tempo da morte de Charles.

— Foi uma coisa terrível. Único filho homem... o favorito... foi terrível. — Lembrava de tudo agora, até de ter ouvido falar em Edwina. — Os pais choraram sua morte durante anos e anos.

— Eu também — murmurou ela.

— E você nunca se casou?

Ela sacudiu a cabeça e depois disse, com um sorriso:

— Depois daquilo eu fiquei muito ocupada. Meus irmãos ainda eram pequenos. Eu tinha vinte anos. Meu irmão Phillip tinha dezesseis e tentou ser um pai para eles, mas deve ter sido difícil para ele, tão jovem, com uma carga tão pesada nos ombros. E em 1913 ele foi para a universidade. George tinha doze anos, Alexis seis, minha irmãzinha Fannie tinha quatro, e o caçula, apenas dois. Eles me ocuparam e distraíram durante anos — disse, com um largo sorriso.

— E você fez tudo isso... sozinha? — Ele estava assombrado. Edwina era mesmo uma pessoa especial.

— Mais ou menos. Procurei fazer o melhor possível, e às vezes me desesperava, mas todos nós sobrevivemos... — exceto Phillip.

— E o que aconteceu com eles? Onde estão todos agora?

Pensando neles, Edwina sentiu saudades dos dois menores.

— Meu irmão mais velho, Phillip, morreu na guerra, seis anos atrás. George, o segundo, é o herói da família. Quando Phillip morreu, ele abandonou Harvard, voltou para casa e depois foi para Hollywood, onde conseguiu grande sucesso.

— Como ator? — Patrick estava intrigado. Parecia um grupo interessante, certamente muito mais do que a sua família, na Inglaterra.

Edwina sacudiu a cabeça.

— Não, agora ele é diretor do estúdio. E é muito bom. Já fez alguns filmes muito importantes. E casou há duas semanas. — Ela sorriu. — E temos Alexis. Aquela de quem eu falei. Vou encontrá-la em Londres. — Mas não explicou por quê. — E Fannie, que é a nossa menina caseira, está agora com quinze anos. E o caçula, Teddy, com treze. — Terminou a relação com um olhar de orgulho, que o comoveu.

— E você os criou sozinha. Bravo. Não sei como conseguiu.

— Apenas fiz. Um dia depois do outro. Ninguém perguntou se eu queria ou não. Era algo que tinha de ser feito, e eu os amo muito... — Então, com voz suave, continuou: — Eu fiz por eles... e por minha mãe... Ela ficou no navio para procurar Alexis. Depois... quando não deixaram que os homens embarcassem nos botes salva-vidas, ela resolveu ficar com meu pai.

Era terrível pensar nas crianças saindo do navio acidentado só com Edwina. Ela olhou para o mar, lembrando a noite que a atormentaria para sempre.

— Acho que, a princípio, eles pensaram que iam descer outro bote salva-vidas. Ninguém jamais entendeu por que havia tão poucos, nem a gravidade da situação. Ninguém disse que *precisávamos* deixar o navio naquele momento. A banda continuou a tocar, e não havia sereias ou sinos, apenas uma porção de gente no convés, pensando que tínhamos todo o tempo do mundo, e aqueles preciosos botes salva-vidas sendo descidos para a água. Acho que ela pensou que iria mais tarde, ou que ficaria com ele até chegar outro navio... — Edwina voltou-se para ele, para o estranho que quase fora seu primo, e disse o que guardava no coração há onze anos; Patrick segurou-lhe a mão enquanto ouvia. — Durante muito tempo eu a odiei pelo que fez... não por me deixar com as crianças... por preferir morrer com ele, por amá-lo mais do que a nós... por deixar que esse amor a matasse. Acho que isso me assustou durante muitos anos... fazendo-me sentir culpada por ter deixado Charles, achando que devia ter ficado com ele, só porque ela ficara com papai. — As lágrimas desciam agora pelo seu rosto. — Mas não fiquei... saí no primeiro bote, com as crianças... eu os levei para longe do perigo e deixei mamãe, papai e Charles para morrer, enquanto estávamos a salvo no barco.

Dizer o que sentia aliviava o sentimento de culpa guardado por quase doze anos, e Edwina deixou que ele a abraçasse com carinho.

— Você não podia saber o que ia acontecer. Nem você nem eles... eles pensaram que sairiam em outro bote, ou que o navio não ia afundar. — Era exatamente o que Edwina tinha pensado.

— Eu não sabia que estava me despedindo deles para sempre — soluçou ela. — Beijei Charles rapidamente... e nunca mais o vi. — Edwina chorou, na noite escura, e Patrick acalentou-a nos braços.

— Você não podia fazer mais nada. Fez tudo que devia ser feito... O que aconteceu foi falta de sorte, e não pode se culpar por ter sobrevivido e eles não.

— Mas por que ela ficou com papai? — perguntou Edwina, como se ele soubesse. Patrick, porém, só podia imaginar a razão.

— Talvez o amasse demais para suportar a idéia de viver sem ele. Isso acontece às vezes. Algumas mulheres são assim. Talvez ela não tivesse coragem para enfrentar a perda dele, e sabia que você ia tomar conta das crianças.

— Mas não foi justo para as crianças, nem para mim... e eu tive de viver sem Charles. — Agora que falava no assunto pela primeira vez, Edwina ficou zangada. — Às vezes a odiava por eu ter sobrevivido e ela não. Por que eu tinha de viver com aquela dor? Por que tive de viver sem ele? Por que eu tive de... — Não pôde continuar, e, agora, nada mais importava. Todos tinham desaparecido, e Edwina sobrevivera à dor imensa. Devotara a vida a amar Charles e a educar e criar os irmãos, mas não fora fácil, e Patrick compreendia isso.

— A vida é tão injusta às vezes. — Patrick sentiu vontade de chorar com ela, mas não ia resolver nada com isso. Sentia-se lisonjeado com a confiança dela, pois percebeu que era a primeira vez que Edwina admitia abertamente o ressentimento contra a mãe, por ter preferido morrer com o pai.

— Desculpe — disse ela, erguendo os olhos. — Eu não devia ter contado tudo isso. — Começou a enxugar as lágrimas com a mão, depois aceitou o belo lenço que ele ofereceu, com o brasão da sua família bordado num canto. — Não costumo falar sobre tudo isso.

— Foi o que pensei. — Ele sorriu. — Gostaria de tê-la conhecido há doze anos. Talvez eu a roubasse de Charles, e você teria sido muito mais feliz e eu também. Teria evitado que me casasse com a pessoa errada. Na verdade, eu casei com uma prima-irmã de Charles pelo lado materno. Uma "moça muito bela", como diz minha mãe, mas, infelizmente, só muito tarde compreendi que ela não me amava.

— Ainda está casado com ela? — perguntou Edwina, assoando o nariz. A idéia de ter casado com Patrick era interessante, e ela sentia não tê-lo conhecido antes dessa viagem no *Paris*.

— Estou — respondeu ele, estoicamente. — Temos três filhos homens, só nos falamos mais ou menos uma vez a cada dois meses, entre viagens e na mesa do café. Infelizmente, minha mulher é... bem... ela não gosta muito de homem, prefere a companhia das amigas, das parentas e dos seus cavalos.

Edwina achou que ele acabava de dizer algo muito importante para ela, mas estava embaraçada demais para pedir maiores explicações, e ele não entrou em detalhes. Era suficiente ter dito que não amava a mulher, que ela não o amava, e talvez o que ele dissera sobre as "amigas" não tivesse importância. Mas na verdade Patrick queria dizer exatamente o que dissera. O estranho era que, como resultado das poucas tentativas, tivessem tido três filhos, uma coisa que não poderia acontecer mais, uma vez que não era mais tentada nem desejada por nenhum dos dois.

— Acha que se divorciará dela algum dia? — perguntou Edwina, em voz baixa.

Patrick sacudiu a cabeça.

— Não, por diversas razões, entre elas os meus filhos. Além disso, acho que meus pais morreriam de desgosto. Ninguém jamais se divorciou na nossa família. E para complicar mais as coisas, graças a uma avó francesa, eu sou um dos pássaros mais raros na Inglaterra, um britânico católico. Acho que Phillipa e eu estamos unidos para sempre, o que me condena a uma enorme solidão, embora o mesmo não aconteça com ela, uma perspectiva sombria para meus próximos quarenta ou cinqüenta anos.

Ele falou quase sem emoção, mas Edwina percebia, sob a suposta indiferença, toda a solidão e a tristeza daquele casamento.

— Por que não a deixa, então? Não pode viver assim pelo resto da vida.

Era espantoso. Dois estranhos, trocando suas mais íntimas confidências. Mas essas coisas sempre aconteciam a bordo.

— Não tenho escolha — disse Patrick. — Como você não teve quando foi obrigada a cuidar dos seus irmãos. *Noblesse oblige,* como diria minha avó. Certas coisas são uma questão de dever, tanto quanto de amor. Este é o meu dever. E os meninos são maravilhosos; já estão um pouco crescidos, e todos já no colégio. Richard foi o último, no ano passado, com sete anos. Tenho mais liberdade agora. Na verdade, não preciso mais estar em casa, e raramente estou. — Olhou para ela, com um sorriso quase infantil. — Passo muito tempo em Nova York. Vou a Paris, a negócios, sempre que posso. Tomo conta das terras do meu pai. Tenho amigos em Berlim e em Roma... como vê, não é tão mau assim.

Mas Edwina, com o braço dele em volta dos seus ombros, observou, com sinceridade:

— Parece muito vazio e muito triste.

— Tem razão. É mesmo. Mas é tudo que eu tenho, Edwina, e procuro fazer o melhor possível. Como você. Não é uma vida, mas é a minha vida. Como a sua. Veja o que você fez. Passou a vida inteira de luto por um homem que morreu há doze anos. Um homem que você amou quando tinha vinte anos. Pense nisso... pense nele. Você chegou a conhecê-lo realmente? Sabe quem ele é, quem ele era, se a teria feito feliz? Você tinha o direito de fazer muito mais do que isso, assim como eu, mas o fato é que, também como eu, não fez. Portanto, agora você faz o melhor possível com seus irmãos e irmãs, e eu faço o mesmo com meus filhos. Não tenho direito a mais do que isso, sou um homem casado. Mas você não, e quando deixar este navio, deve procurar alguém, alguém que possa amar, de quem Charles talvez pudesse gostar, e deve casar com ele e ter filhos. Eu não posso mais fazer isso, mas você pode. Edwina, não desperdice o que a vida pode lhe dar.

— Não diga bobagem. — Edwina riu, mas sabia que eram palavras cheias de sabedoria. — Sabe a minha idade? Tenho trinta e dois anos. Sou velha demais para isso. Metade da minha vida já se foi.

— Da minha também. E estou com trinta e nove anos. Mas quer saber de uma coisa? Se eu tivesse outra oportunidade, a chance de amar alguém, de ser feliz, de ter mais filhos, eu não a deixaria escapar. — Patrick olhou para ela, e antes que Edwina tivesse tempo de dizer alguma coisa, beijou-a. Beijou-a como Edwina não era beijada desde a morte de Charles. Na verdade, naquele momento não se lembrou de ter sido beijada assim alguma vez na vida, e ouviu outra vez as palavras de Patrick. Ele teria razão? Charles seria apenas uma lembrança longínqua da sua infância? Ela teria mudado tanto? Ultrapassado as possibilidades de Charles? Será que realmente ainda lembrava? Era impossível saber agora, e ela tinha certeza do seu amor por ele. Mas talvez tivesse trazido aquele amor no coração durante muito tempo. Talvez estivesse na hora de se libertar dele, afinal. E então, retribuindo o beijo de Patrick, todo o resto desapareceu da sua mente e ficaram abraçados como dois náufragos.

Continuaram abraçados durante um longo tempo; então ele a beijou outra vez e disse uma coisa que ela tinha direito de saber.

— Edwina, seja o que for que aconteça entre nós, não posso casar com você. Quero que saiba disso agora, antes de nos apaixonarmos seriamente. Por mais que eu venha a amá-la algum dia, sou um homem morto. Vou continuar casado com minha mulher até o fim da vida. E não quero destruir sua vida também. Quero dizer agora que, se me deixar amá-la, eu a libertarei... para seu bem, e para o meu... não quero me prender a você, e não a prenderei a mim. Você compreende?

— Compreendo — disse ela, com voz abafada, grata pela honestidade dele. Mas sabia, desde o começo, o tipo de homem que ele era. Por isso tinha conversado tão intimamente, e por isso sabia que já o amava. Era absurdo, mal o conhecia, mas sabia que o amava.

— Não vou permitir que faça o que fez com Charles... viver durante anos da lembrança... quero amar você, e deixá-la partir como uma pessoa completa e feliz. E se você chegar a me amar um dia, case com alguém e faça o que eu disse.

— Você se preocupa demais. — Ela sorriu. — Não pode prever tudo. E se Phillipa morrer, ou abandoná-lo, ou resolver morar em outro lugar qualquer?

— Não vou construir minha vida baseado nessas possibilidades, nem permitirei que o faça. Lembre-se, meu amor, eu a libertarei um dia... como um passarinho... para voltar ao lugar de onde veio, no outro lado do oceano.

Mas as palavras a envolveram numa sensação dolorosa de perda, e ela o abraçou com força, murmurando:

— Ainda não... por favor...

— Não... ainda não... — murmurou ele, e, como a lembrança de um sonho distante, afagou os cabelos dela com os lábios, dizendo, em voz baixa: — ...eu te amo... — Estranhos um para o outro, as confissões e a lembrança de Charles os uniram estreitamente.

Capítulo 36

FOI COMO UMA DESSAS COISAS que só aconteciam nos romances ou nos filmes de George. Eles se conheceram, se apaixonaram e passaram a viver suspensos entre dois mundos, Edwina descobrindo uma vida que não conhecia, uma vida esquecida há doze anos. Conversavam, riam, caminhavam durante horas no convés, e aos poucos o terror do naufrágio desapareceu da sua mente. Patrick fez questão de comparecer com ela ao exercício de salvamento, embora tivessem sido designados para pontos diferentes. Mas o comissário de bordo não opôs nenhuma objeção. E os outros passageiros os observavam de longe, com sorrisos e olhares invejosos, mas todos torcendo para que fossem felizes. Eram sempre discretos e escolhiam lugares desertos e escondidos para conversar, beijar e ficar de mãos dadas. Era disso que sentiam falta há tanto tempo. Edwina suspeitava que Patrick devia ter suas aventuras, uma vez ou outra, embora ele afirmasse nunca ter amado ninguém desse modo desde o seu casamento. Edwina acreditava.

— Como você era quando criança? — perguntou ele, querendo saber tudo, cada detalhe, todas as particularidades da vida dela.

— Não sei — respondeu, com um sorriso feliz. — Acho que nunca pensei a respeito. Era feliz, eu acho. Tínhamos uma vida bastante comum até a morte dos meus pais. Eu ia à escola, brigava com Phillip por causa de brinquedos... gostava de ajudar mamãe no jardim... na verdade — lembrou ela então —, logo depois que ela morreu... quando voltamos para casa, eu costumava conversar em pensamento com ela enquanto podava suas roseiras e arrancava as ervas daninhas, e às vezes ficava muito zangada. Queria saber por que ela tinha feito aquilo, por que ficara com ele, quando tinha todos aqueles filhos. Eu achava que era uma deserção da parte dela.

— E alguma vez teve resposta? — Ele sorriu, e Edwina sacudiu a cabeça.

— Não, mas sempre me sentia melhor depois da conversa.

— Então, era uma coisa boa. Eu também gosto de jardinagem, quando tenho tempo, embora digam que não é coisa para homem.

Falavam sobre tudo, sobre os amigos de infância, os esportes favoritos, os escritores mais queridos. Ele gostava de leitura clássica e séria, e ela gostava de escritores mais populares como F. Scott Fitzgerald e John Dos Passos. Ambos gostavam de poesia e do pôr-do-sol, da luz da lua e de dançar. Com lágrimas nos olhos, ela disse o quanto se orgulhava de George e descreveu tudo que ele fazia e já tinha feito, e o quanto gostava de Helen. Contou até sobre o presente do véu de noiva, e dessa vez Patrick ficou com os olhos marejados de lágrimas.

— Eu queria que você o tivesse usado para mim.

— Eu também — murmurou ela, enxugando uma lágrima no rosto dele; nessa noite, seguinte à do primeiro encontro, foram dançar. Edwina queixou-se de não ter roupa apropriada, mas, como por milagre, ele conseguiu que a camareira arranjasse um vestido decente para a noite. Serviu perfeitamente, tinha a etiqueta Chanel, e Edwina passou a noite toda na expectativa de que alguma passageira furiosa o arrancasse do seu corpo, mas isso infelizmente não aconteceu, e os dois se divertiram bastante, deslizando suavemente na pista de dança na primeira classe. Tudo estava perfeito.

E o navio não foi ao fundo, mas chegou depressa demais. Parecia que tinham deixado Nova York apenas há alguns momentos quando aportaram em Cherburgo, e depois em Southampton.

— O que fazemos agora? — perguntou Edwina, com tristeza. Tinham conversado a respeito muitas vezes, e ela julgava estar preparada para deixá-lo, mas agora sentia que não tinha coragem.

Ele repetiu tudo que já tinha dito.

— Você encontra Alexis, vamos almoçar ou jantar em Londres, para comemorar, e depois você volta para casa, começa uma vida feliz e procura um bom homem para casar.

Edwina afastou a sugestão com um gesto.

— E como é mesmo que vou fazer isso? Ponho um anúncio nos jornais de São Francisco?

— Não, você pára de se portar como uma viúva de luto e sai para o mundo, e em dez minutos vai ter dezenas de homens no seu portão, anote minhas palavras.

— Isso é absurdo. — E não era o que ela queria. Edwina queria Patrick.

Contara a ele o motivo da sua viagem, e Patrick, revoltado com Malcolm, oferecera-se para ajudar a encontrá-los. Iam procurar nos pequenos hotéis, e Patrick conhecia muitos, preferidos pelos atores. Achava que não ia ser difícil. Quando desembarcassem, ele pretendia ir ao escritório resolver alguns negócios, e à tarde começariam a busca. Porém, por mais que quisesse encontrar Alexis, Edwina não tinha vontade de se separar dele. Depois de passarem juntos quase todas as horas do dia durante três dias, ia ser difícil ficar longe dele. Por acordo tácito, no navio só se separavam à noite. Eles se beijavam, se abraçavam e andavam de mãos dadas, mas Patrick não queria se aproveitar dela e depois abandoná-la. De certa forma, Edwina achava que ele estava certo, mas, por outro lado, desejava que as coisas fossem realmente diferentes. Na verdade, era ridículo. Sua irmã de dezessete anos estava dormindo com um homem, e ela ia voltar para os Estados Unidos virgem e solteirona. Edwina riu, pensando nessa possibilidade, e Patrick sorriu também, vendo a expressão dos olhos dela.

— O que está tramando, menina levada?

— Estava pensando no absurdo de tudo isso. Alexis tendo um caso ardente com aquele patife, e eu agindo com tanta discrição. Acho que não gosto desse *script*.

Os dois riram, mas teria sido diferente, se quisessem. Acontece que foi depressa demais para ambos, e eles não queriam diminuir o valor do que tinham descoberto. O que eles tinham, os dois sabiam, era algo muito raro e muito especial.

Tomaram juntos o trem para Londres e conversaram durante a viagem, ele explicando que Phillipa não sabia da sua chegada nem tampouco se importava, e que talvez ela estivesse muito feliz, assistindo a algum treino de cavalos na Escócia.

Edwina ficou no Claridge, e ele prometeu voltar à tarde. Ainda não era meio-dia. Ela mandou imediatamente um telegrama para as crianças, dizendo onde estava, que tudo estava bem, e pedindo para telegrafarem se tivessem alguma notícia de Alexis. Imaginou que eles deviam estar bem, e se houvesse alguma coisa diferente, no dia seguinte escreveriam para ela, contando seus problemas.

Foi à Harrods e num tempo recorde comprou mais alguns vestidos, foi ao cabeleireiro e tomou um táxi de volta ao hotel, com as caixas de chapéus, os vestidos e o novo penteado. Quando Patrick chegou, às cinco horas, encontrou-a elegante e sorridente, feliz por revê-lo.

— Meu Deus — disse ele, com um largo sorriso. — O que você fez a tarde toda?

Mas Patrick estivera ocupado também. Comprara para ela uma edição rara de Elizabeth Barrett Browning, e se Edwina conhecesse as lojas de Londres, saberia que a caixa que ele tirou do bolso era de Wartski's. Com uma exclamação de surpresa, Edwina segurou a caixa, hesitou por algum tempo, depois abriu-a e olhou em silêncio para o presente. Era um bracelete estreito de brilhantes que, dizia a lenda, fora presente do príncipe Alberto para a rainha Vitória. Era raro peças como aquela serem postas à venda, mas, para alguns clientes especiais, os joalheiros separavam sempre uma ou duas. Era uma jóia que podia ser usada o tempo todo, e quando a pôs no braço, Edwina sabia que ficaria ali por muito tempo, como lembrança de Patrick.

Ele havia levado também uma garrafa de champanhe, mas depois do primeiro drinque resolveram sair para começar a busca. No carro com chofer, alugado por Patrick, começaram a procurar em todos os hotéis do Soho. Às oito horas, quando resolveram "tentar só mais aquele", Edwina entrou no hotel com a fotografia, como tinha feito nos outros, e Patrick deu cinco libras para o recepcionista.

— Viu esta moça? — perguntou ela, mostrando a pequena foto que há anos levava na carteira. — Ela está viajando com um homem chamado Malcolm Stone, alto e bonito, com mais ou menos quarenta e cinco ou cinqüenta anos.

O homem olhou para Edwina, depois para Patrick, para a nota de cinco libras que tinha na mão, e fez um gesto afirmativo.

— Sim, estão aqui. O que foi que ela fez? Roubou alguma coisa de vocês? Eles são americanos, sabiam?

Aparentemente não tinha notado o sotaque de Edwina, e como o dinheiro tinha vindo de Patrick, dirigia-se a ele.

— Estão no hotel agora?

— Não, saíram ontem. Só ficaram uns poucos dias. Posso verificar o dia que chegaram, se quiserem. Ela é uma moça muito bonita, com cabelos louros.

Edwina sentiu o coração disparar, sabendo que estava tão perto de Alexis agora, e ao mesmo tempo lamentando tê-la encontrado tão depressa. Isso queria dizer que logo ia deixar Patrick.

— Vão passar alguns dias em Paris. Pelo menos foi o que ele disse. Desocuparam o quarto por duas semanas, mas disseram que vão voltar. Eu acredito. Ele deixou uma mala.

Depois de olhar para Edwina, que fez um leve sinal afirmativo com a cabeça, Patrick deu mais cinco libras para o homem e pediu para ver a mala. Bem em cima das roupas masculinas estava o *tailleur* branco que Alexis usava quando havia saído da Califórnia. O chapéu estava praticamente destruído, mas Edwina reconheceu a roupa da irmã.

— É isso! — Com lágrimas nos olhos, ela tocou o vestido de Alexis, imaginando o que teria acontecido com ela. — É a roupa dela, Patrick. Era o que ela estava usando quando desapareceu de Los Angeles, no dia seguinte ao casamento de George.

Parecia que tudo tinha acontecido uma vida atrás, e de certa forma era verdade. Fazia mais de duas semanas, e nesse tempo a vida de Alexis tinha mudado completamente.

— O que você quer fazer agora? — perguntou ele, em voz baixa, quando o recepcionista afastou-se para atender o telefone.

— Não sei. Ele disse que vão se demorar duas semanas.

— Por que então não discutimos isso durante o jantar?

Era uma ótima idéia. Quando se despediram, o recepcionista perguntou se devia informar o casal dessa visita, mas Edwina respondeu, rapidamente:

— Não. Não diga nada.

Outra nota de uma libra garantiu o silêncio do homem, e os dois entraram no carro alugado por Patrick e voltaram para o Claridge.

Subiram ao quarto dela, e Patrick perguntou se ela queria ir a Paris, mas Edwina achou que seria inútil. Não sabiam para onde tinham ido, nem por quê, e a mala garantia que voltariam.

— Acho que teremos de esperar.

Agora tinham duas semanas à sua disposição.

— Há alguma coisa especial que você queira fazer em Londres? — perguntou ele.

Havia uma coisa, mas ela ainda tinha tempo e pretendia falar a respeito mais tarde.

— Na verdade, não — sorriu ela.

Patrick, porém, já tinha uma idéia. Havia um lugar na Irlanda que ele queria revisitar há muito tempo. Não o visitava desde menino, e para ele era o lugar mais romântico do mundo. Enquanto jantavam, ele o descreveu para Edwina, e ela sentiu que tudo que desejava era conhecê-lo agora com ele.

— Você pode ir? — perguntou ela, cautelosamente, e ele sorriu como um garoto feliz. Ela o fazia sentir-se jovem e vivo, exatamente como Edwina se sentia com ele. Era como se fosse menina outra vez, só que agora sabia o que tinha perdido. E então, de repente, tudo parecia dez vezes mais romântico.

— Vamos fazer isso, Edwina — murmurou ele, inclinando-se para beijá-la.

Na manhã seguinte, Edwina telefonou para Fannie e Teddy, dizendo que estava bem. Patrick apanhou-a no hotel, tomaram o trem, depois atravessaram de balsa o Mar do Norte, alugaram um carro e foram para Cashel, e ao cair da noite estavam na frente da Rocha de Cashel. Era um lugar enorme, discreto e imponente, rodeado por campos de tojo e urze, e mesmo naquela época do ano, tudo estava incrivelmente verde. Ao pôr-do-sol, eles caminharam quilômetros pelos campos. Finalmente, abraçaram-se e ele a beijou.

— Você veio de muito longe para estar comigo — disse ele, na noite fresca, enquanto o sol desaparecia no lago, atrás deles.

— É como se estivesse escrito, não é?

— Sim, estava — disse ele, com o sotaque arrastado do Country Tipperary. Depois, falando normalmente, continuou: — Vou me lembrar para sempre deste dia, Edwina, até ficar muito velho, até minha morte, jamais me esquecerei deste momento.

Beijou-a outra vez e voltaram para o hotel, e quando chegaram ao quarto, Edwina teve certeza de que tinha nascido para ele e que tudo estava escrito. Patrick tinha pedido um único quarto para os dois, e ambos sabiam por quê. Tinham pouco tempo, tanta coisa para partilhar, tanta coisa para aprender, e quando ele tirou seu vestido delicadamente e a levou para a cama, Edwina compreendeu que ele tinha muito a ensinar.

Deitada ao lado dele até o nascer do dia, possuída por ele, Edwina sentiu que aquele era o dia do seu casamento, o único reservado para ela, não o que ia ter com Charles, mas a única vida que jamais teria, aquelas duas breves e doces duas semanas com Patrick.

Capítulo 37

O TEMPO PASSAVA CÉLERE nas asas dos anjos, enquanto Patrick e Edwina caminhavam pelas colinas, remavam no lago, apanhavam flores silvestres, fotografavam tudo e passavam as noites abraçados. E os dias terminaram num piscar de olhos. Eles voltaram para Londres em silêncio, desejando nunca chegar. No fim, tinham roubado dois dias a mais, porém, sabiam que precisavam voltar, e Edwina precisava encontrar Alexis. Em certos momentos, sentia-se muito tola. Estava claro que Alexis não queria ser encontrada, e a carta, deixada em Nova York, dizia que estavam casados de verdade. Às vezes, Edwina a invejava, porque talvez Alexis tivesse agora tudo que queria. Embora fosse difícil para ela imaginar Malcolm Stone como um homem agradável, havia sempre a infeliz possibilidade de Alexis estar apaixonada por ele. Edwina não sabia ainda o que ia dizer a George. Mas nesse momento não pensava em Alexis ou em George. Só em Patrick. Com a mão na dele, desejou que pudessem ter uma vida inteira, mas ambos sabiam que não era possível. Sabiam desde o primeiro dia, e Edwina ia voltar aos Estados Unidos para a sua vida de sempre. Por um momento encantado, porém, o sonho lhes pertencera, e ela sabia que sempre ia lembrá-lo com carinho e amor, como algo muito precioso. Voltaram ao hotel de Alexis, e

Edwina olhou para o bracelete que brilhava no seu pulso, a lembrança do amor partilhado, dos momentos que sempre guardariam no coração.

Patrick perguntou por Malcolm Stone, e outro recepcionista disse que eles estavam no quarto. Com um rápido movimento da mão, Patrick disse para não avisá-los por telefone e olhou para Edwina.

— Quer subir comigo, ou prefere que eu os veja primeiro?

— Acho melhor ir com você — murmurou ela —, ou Alexis vai ficar assustada.

Embora a essa altura fosse difícil imaginar alguma coisa que pudesse assustá-la, depois do que devia ter passado nas últimas semanas. Fazia quase um mês que Alexis tinha fugido de Los Angeles. E George estaria de volta dentro de algumas semanas. Precisava levá-la para casa imediatamente, se queria fazer tudo com discrição. Subiu com Patrick ao quarto indicado pelo recepcionista e esperou, tremendo, que ele batesse na porta, os dois imaginando o que iam encontrar naquele quarto.

Patrick olhou para ela, sorriu para animá-la e bateu com força. Menos de um minuto depois, um homem bonito e alto, descalço e com um cigarro na boca, abriu a porta. Tinha uma garrafa de uísque na mão; atrás dele, uma garota bonita, com uma combinação de cetim, olhava para os dois. Só depois de um momento, Edwina percebeu que a jovem bonita era sua irmã. O cabelo longo fora cortado e frisado, e ela usava pó e ruge no rosto, muito *kohl* nos olhos e muito batom. Porém, mesmo com essa máscara, Patrick viu que Edwina tinha razão, a menina era uma beleza.

Alexis começou a chorar assim que os viu, e Malcolm, com uma curvatura, convidou-os a entrar, achando graça no fato da irmã virgem aparecer com um herói a tiracolo.

— Ora, ora, uma visita da família tão cedo. — Olhou para Edwina com sarcasmo, acentuado pelo uísque irlandês que estava bebendo. — Eu não esperava que fizesse a gentileza de nos visitar em Londres, Srta. Winfield.

Por um momento, Patrick teve vontade de fazer o que

George tinha feito em Rosarita Beach, mas controlou-se e ficou calado.

Edwina olhou solenemente para a irmã, e Patrick viu desaparecer toda a doçura dos seus olhos. De repente, era uma mulher severa e imponente.

— Alexis, tenha a bondade de arrumar suas malas. — Olhou com desprezo para Malcolm Stone. Ele fedia a bebida e a charuto barato, e Edwina estremeceu, pensando na vida de degradação que a irmã devia estar levando com ele. Mas Alexis parecia paralisada desde que vira Patrick.

— Pretende levar minha mulher a algum lugar? — perguntou Malcolm ironicamente a Edwina.

— Acontece que sua "mulher" tem dezessete anos, e a não ser que queira ser acusado de seqüestro e estupro, sugiro que a deixe voltar para casa comigo, Sr. Stone — disse Edwina, friamente.

— Isto não é a Califórnia, Srta. Winfield. Isto é a Inglaterra. E ela é minha mulher. A senhora não pode interferir.

Edwina olhou para Malcolm como se ele não existisse, e depois voltou-se para a irmã.

— Alexis, você vem?

— Eu... Edwina, tenho de ir? Eu o amo.

As palavras atingiram violentamente Edwina, mas só Patrick percebeu, porque a conhecia. Ela continuou impassível, e ele admirou a força com que estava tratando a irmã rebelde e aquele patife miserável. Por mais abalada que estivesse, foi com calma dignidade que ela respondeu:

— É assim que você quer viver? — Falou em voz baixa, olhando em volta, observando tudo, o banheiro aberto, as roupas no chão, as garrafas de uísque vazias, os charutos fumados pela metade, e finalmente olhou para Malcolm. — Isto é o que você sempre desejou? — Suas palavras teriam envergonhado qualquer um, especialmente uma menina de dezessete anos. Até Patrick ficou embaraçado, e Malcolm também, embora não demonstrasse. — Este é o seu sonho, Alexis? O que aconteceu com o resto? Onde está a estrela de cinema... a casa... onde está todo o amor que você sempre teve? Foi nisto que você o transformou?

Alexis virou o rosto, gemendo baixinho. Edwina sabia o que Alexis tinha feito, e isso partia seu coração. Não fora por acaso que Alexis fugira no dia seguinte ao do casamento de George. Ela estava à procura do pai que tinha perdido... como quando fugira para procurar Phillip em Harvard... ela precisava de homens, de um homem, de alguém. Mas o que Alexis queria não era um amante ou um marido, ou qualquer homem, ela queria um pai. Edwina sentiu vontade de chorar, olhando para a irmã.

— Edwina... — Alexis começou a chorar. — Eu sinto muito...

Não tinha sido nada do que ela esperava. Pensara que seria divertido e charmoso fugir com Malcolm, mas há muitas semanas sabia a verdade. Estava apenas sendo usada de todos os modos, e era tudo muito triste e deprimente. Até Paris fora horrível. Malcolm estava bêbado a maior parte do tempo, e mais de uma vez tinha saído com outras mulheres. O único consolo era que, pelo menos assim, ele a deixava em paz. Alexis não queria nada com ele, porém uma parte dela desejava que ele a amasse. E quando Malcolm a chamava de "benzinho", ela era capaz de fazer qualquer coisa, e ele sabia disso.

— Vista-se — disse Edwina, calmamente, enquanto Patrick a observava e admirava.

— Srta. Winfield, não pode levar minha mulher. — Malcolm deu um passo na direção da Edwina, cambaleou um pouco, procurando parecer ameaçador, e com o canto do olho viu Patrick fazer um movimento. Mas Edwina ergueu a mão, detendo-o. Edwina tivera uma idéia e não ia embora antes de saber a verdade. Malcolm não era o tipo de homem capaz de casar com quem quer que fosse, muito menos com uma criança de dezessete anos.

— Tem prova do seu casamento com minha irmã, senhor? — perguntou ela, delicadamente. — Não espera que eu acredite sem vê-la, não é? A propósito... — Voltou-se para Alexis, e estremeceu ao vê-la vestir uma coisa horrível de cetim vermelho. Mas pelo menos estava se vestindo. — A propósito, Alexis, como você entrou na Inglaterra e na França sem passaporte? Ou tirou um em Nova York? — perguntou friamente.

— Malcolm disse que eu tinha perdido meu passaporte — explicou Alexis. — E eu estava tão doente que não quiseram me incomodar.

— Doente, no navio? — perguntou Edwina. Sabia o quanto a viagem devia ter sido traumática para Alexis, e era de admirar que ela tivesse conseguido.

— Eles me doparam o tempo todo, no *Bremen* — disse ela, inocentemente, calçando os sapatos.

— Doparam? — Edwina olhou para Malcolm, com as sobrancelhas erguidas. — E o senhor pretende voltar aos Estados Unidos, Sr. Stone, *algum dia?...* dopada, raptada... estuprada... uma menina de dezessete anos... menor de idade... uma história interessante para os tribunais.

— Acha mesmo? — Malcolm estava se refazendo lentamente. — Acha mesmo que seu irmão e sua elegante mulherzinha de Hollywood vão querer espalhar tudo isso por aí? O que pensa que vai fazer para a reputação de Alexis? Não, Srta. Winfield, ele não vai aos tribunais, e você também não. E nem Alexis. Ele vai me dar trabalho no cinema, é isso que seu irmão vai fazer, dar trabalho para o cunhado. Ou, se não quiser, pode me dar apenas dinheiro.

Ele riu, e Edwina olhou horrorizada para Alexis. A menina estava chorando baixinho, envergonhada pelo homem com quem tinha fugido. Desde o começo suspeitara que ele não a amava, mas agora não podia mais se enganar.

— Alexis, você casou com ele? — perguntou Edwina, olhando-a nos olhos. — Casou? Diga a verdade. Eu quero saber. E depois do que acaba de ouvir, tem de me dizer, pelo bem de George e pelo seu.

Mas Alexis já estava sacudindo a cabeça, para alívio de Edwina e de Patrick, e chorando baixinho, enquanto Malcolm praguejava, furioso, por ter se traído. Mas nunca imaginou que eles fossem procurá-la na Inglaterra.

— No começo, ele disse que estávamos casados e que eu estava bêbada demais para lembrar. Mas depois admitiu que não era verdade. Íamos casar em Paris, mas ele estava sempre bêbado demais para isso — disse Alexis, e Edwina olhou para Patrick, quase rindo de alegria.

— Não pode levá-la. — Stone tentou blefar. — Ela

é minha companheira. Não vou deixar que a levem. — Então, teve outra idéia. — Além disso — disse, esperançoso, vendo o ouro escapar entre os dedos —, e se ela estiver grávida?

— Não estou — disse Alexis, para grande alívio de Edwina.

Pelo menos isso estava garantido. Alexis ficou de pé ao lado de Edwina e olhou tristemente para Malcolm.

— Você nunca me amou, não é verdade? Eu nunca fui a sua menininha...

— É claro que foi. — Embaraçado, ele olhou para ela. — Ainda podemos casar. Você não precisa ir com eles, a não ser que queira.

Mas Edwina não queria que tivessem nenhuma dúvida.

— Eu a levarei à força, se for preciso.

— Não pode fazer isso. — Malcolm deu outra vez um passo para ela, e então olhou para Patrick, como se o estivesse vendo pela primeira vez. — Afinal, quem é ele?

Edwina ia responder, mas Patrick, olhando furioso para Malcolm, disse:

— Sou um oficial de justiça. E se disser mais uma palavra, ou procurar deter esta criança, nós o trancaremos na cadeia e o deportaremos o mais depressa possível.

Dessa vez Malcolm Stone murchou completamente. Patrick abriu a porta, Edwina levou Alexis para fora do quarto. Ela só olhou para trás uma vez. Logo estavam no saguão do hotel, o pesadelo tinha acabado, Edwina agradecia a Deus por Alexis não estar casada, e tudo que queria agora era voltar para São Francisco, sem que ninguém soubesse do que tinha acontecido. Quanto à carreira de Alexis no cinema, estava terminada. De agora em diante, Edwina prometeu a si mesma, Alexis ia ficar em casa com Fannie, aprendendo a fazer pão e biscoitos de aveia. O que mais a entristecia, porém, era saber que o amor por ela dedicado a Alexis durante todos aqueles anos, por maior que tivesse sido, não fora suficiente, e a irmã tinha se vendido na procura vã de um pai.

Mais tarde, naquela noite, ela comentou isso com Patrick, quando Alexis dormia na sua cama, no Claridge. Numa longa sessão de choro e histeria, Alexis pedira perdão a Edwina. Nada disso era necessário; Edwina acalentara-a nos braços e as duas choraram juntas, até Alexis adormecer. Então Edwina fora para a sala, conversar com Patrick.

— Como está ela? — Patrick estava preocupado. Fora uma longa noite para todos, mas tudo tinha acabado melhor do que ele esperava. Alexis estava bem, e Malcolm Stone não dera muito trabalho.

— Está dormindo, graças a Deus — disse Edwina, com um suspiro, enquanto ele servia uma taça de champanhe. — Que noite!

— Que tipo asqueroso. Acha que ele voltará a atormentar vocês?

Edwina tinha pensado nisso, mas a única coisa que podia fazer agora era aconselhar George a pôr Malcolm Stone na lista negra. Essa idéia, porém, não a entusiasmava muito.

— Não sei. Espero que não. A coisa toda não o faz parecer nenhum príncipe. Ainda bem que foi preguiçoso demais para casar com ela. Nós teríamos anulado o casamento, é claro, mas seria uma complicação a mais, e sem dúvida ia parar nos jornais.

— E agora?

— Com sorte, posso levá-la discretamente de volta aos Estados Unidos, sem que ninguém saiba. Acha que consigo um passaporte para Alexis, aqui?

— Amanhã vou me informar na embaixada.

Patrick conhecia bem o embaixador americano e podia conseguir um passaporte, sem muitas perguntas. Como Malcolm Stone já fizera, bastava dizer que Alexis, viajando com a irmã, tinha perdido o seu.

— Será que podia fazer mais uma coisa para mim? — Estava para pedir isso desde que soubera que Charles era primo dele. — Quer telefonar para *lady* Fitzgerald por mim? Ela deve estar bem velha, agora. — Não era jovem há doze anos. — Se ela concordar, eu gostaria de visitá-la.

Patrick ficou em silêncio por um momento, depois fez um gesto afirmativo.

— Preciso me despedir dela — disse Edwina, em voz baixa.

Nunca tivera oportunidade de fazer isso antes. Acima de tudo, precisava despedir-se de Charles, e Patrick a ajudara a fazer isso.

— Telefono para ela amanhã. — Despediu-se com um beijo. — Vejo você de manhã.

— Eu te amo — murmurou Edwina, e ele sorriu e a abraçou.

— Eu também te amo.

Mas sabiam que o fim estava próximo. Se ela queria levar Alexis para casa discretamente, deviam partir logo. E Edwina detestava a idéia de deixar Patrick.

Capítulo 38

NA MANHÃ SEGUINTE, Alexis levou um susto tremendo quando Patrick apareceu no hotel. Ela abriu a porta e correu para chamar Edwina.

— O oficial de justiça está aqui outra vez! — murmurou, com voz urgente, e Edwina foi ver o que ele queria. Mas caiu na gargalhada quando viu quem era.

— Ele não é oficial de justiça — disse ela, rindo —, é Patrick Sparks-Kelly, meu amigo. — Como explicação, porque achava que devia justificar para Alexis o fato de conhecê-lo tão bem, acrescentou: — É primo de Charles.

— Mas eu pensei... você disse... — Alexis parecia uma menina outra vez, sem maquiagem, e com um penteado simples, o máximo que Edwina tinha conseguido para corrigir os horrores feitos no cabelo da irmã em Paris. E agora ela sorriu, parecendo limpa e bela outra vez, enquanto Edwina explicava que Patrick tinha fingido ser oficial de justiça para assustar Malcolm.

— Para o caso do seu amigo nos criar problemas — disse ele.

Voltou-se então para Edwina e explicou que elas deviam apanhar o passaporte em Grosvenor Gardens, 4. Depois, disse que *lady* Fitzgerald os esperava às onze horas.

— Ela ficou surpresa quando soube que estou aqui?

— Edwina não queria provocar nenhum choque emocional. *Lady* Fitzgerald devia estar com mais de setenta anos.

Patrick sacudiu a cabeça.

— Acho que ficou mais surpresa quando soube que nos conhecíamos.

— Como você explicou isso? — Olhou para ele preocupada. Tinham tanta coisa para esconder, mesmo de Alexis.

— Disse que nos conhecemos no navio. — Continuou, com um sorriso: — Uma coincidência feliz... para mim...

— Acha que ela vai ficar muito emocionada com minha visita?

Patrick sacudiu a cabeça outra vez.

— De modo nenhum. Creio que ela se resignou com o fato há muitos anos, mais do que você.

E quando se encontraram naquela manhã, Edwina percebeu que era verdade. *Lady* Fitzgerald a recebeu alegremente, e conversaram por muito tempo, enquanto Patrick e Alexis passeavam nos seus belos jardins.

— Eu sempre esperei que você casasse de novo — disse ela, tristemente, olhando para Edwina. Continuava tão bonita quanto antes, pensou *lady* Fitzgerald. Era uma pena nunca ter se casado. — Mas suponho que não foi possível, tendo de tomar conta dos seus irmãos. Uma coisa terrível, sua mãe ter morrido com seu pai. Foi uma coisa horrível... tantas vidas... um desperdício tão grande só porque a companhia não achou necessário levar mais botes salva-vidas... o capitão, por teimosia, não diminuiu a marcha do navio quando começaram a aparecer os *icebergs*... o rádio do navio mais próximo estava fora do ar... tudo isso me atormentou terrivelmente por muito tempo, e no fim tive de me convencer de que Charles estava destinado a morrer no naufrágio. Seu irmão sobreviveu, não é verdade? Muito embora não o tivessem deixado embarcar no barco salva-vidas. Como vê, minha querida, foi o destino. Deve agradecer por estar viva e viver cada momento.

Edwina sorriu, esforçando-se para conter as lágrimas, lembrando dia em que se conheceram, do véu de noiva enviado quando ficara pronto, embora Charles já não existisse mais e soubessem que Edwina jamais o usaria. Agradeceu mais uma vez, e *lady* Fitzgerald explicou por que o havia mandado para ela.

— Achei que não tinha o direito de ficar com ele. Embora sabendo que ia perturbá-la bastante naquela época, resolvi que o mais certo era ficar com você.

— Minha cunhada usou-o no mês passado. Estava uma beleza. — Prometeu mandar uma fotografia, e a velha senhora sorriu, cansada. O marido tinha morrido no ano anterior, e ela não estava muito bem de saúde, mas a visita de Edwina aqueceu seu coração.

— Sua irmã é muito bonita, minha querida, lembra você naquela idade, só que é muito mais loura.

— Eu espero não ter sido tão tola quanto ela é agora. — Edwina sorriu, lisonjeada por ser comparada com Alexis, mesmo remotamente.

— Você não tinha nada de tola. E tem sido muito corajosa desde aquele dia... muito corajosa... talvez agora seja feliz também e encontre alguém que a ame. Ficou presa a ele durante todos esses anos, não é mesmo? — *Lady* Fitzgerald sabia disso desde que começaram a conversar, e agora, com os olhos cheios de lágrimas, Edwina fez um gesto afirmativo. — Deve deixar que ele se vá agora — murmurou ela, beijando o rosto de Edwina, e por um momento ela a fez lembrar de Charles com uma intensidade quase insuportável. — Ele está feliz agora, onde quer que esteja assim como seus pais. E você deve ser feliz também, Edwina. Os três iam querer isso.

— Tenho sido feliz — protestou ela, assoando o nariz no lenço de Patrick e imaginando se *lady* Fitzgerald teria notado. Mas ela era muito velha para ver detalhes como esse, ou para se preocupar com o dono do lenço que Edwina estava usando. — Tenho sido feliz com meus irmãos durante todo esses anos.

— Não é o bastante — censurou a mãe de Charles —, e você sabe disso. Espera voltar à Inglaterra algum dia? — perguntou quando se levantaram e caminharam lentamente para o jardim.

Edwina estava emocionalmente exausta, mas feliz por

ter ido, e reconhecia a verdade das palavras de *lady* Fitzgerald. Eles certamente iam querer que ela fosse feliz outra vez. Não podia continuar se escondendo do mundo. Aprendera isso com Patrick. E agora tinha de se despedir dele também. Sua vida, de repente, parecia repleta de despedidas dolorosas.

Ao meio-dia, despediu-se de *lady* Fitzgerald com um beijo e, sentindo-se mais leve do que nunca, comentou a visita com Patrick, durante o almoço, elogiando *lady* Fitzgerald. E ele e Alexis concordaram com ela.

Almoçaram no Ritz, em seguida compraram as passagens no *Olympic* e depois foram apanhar o passaporte de Alexis. No balcão de passagens disseram que elas estavam com sorte. O *Olympic* partiria na manhã seguinte, e de repente Edwina sentiu uma onda de pânico, pensando em deixar Patrick. Olhou para ele, Patrick fez um gesto afirmativo, e ela comprou as duas passagens de primeira classe.

Alexis tinha crescido muito naquelas últimas semanas, e naquela noite, alegando cansaço, foi para o hotel, deixando-os sozinhos.

— Você não acredita que ela tente fugir outra vez, acredita? — perguntou Patrick, preocupado, quando saíram para jantar no Embassy Club.

Edwina riu, garantindo que dessa vez Alexis aprendera a lição.

A noite passou depressa demais, e logo estavam de volta ao Claridge e não podiam mais partilhar a ternura que os envolvera na Irlanda. Edwina queria fazer amor com ele mais uma vez, porém ambos sabiam que era melhor assim.

— Como vou dizer adeus a você, Patrick? Acabo de encontrá-lo. — Levara onze anos para dizer adeus a Charles, e agora tinha de deixar Patrick partir de um momento para o outro. — Vai até Southampton conosco, amanhã?

Ele sacudiu a cabeça, tristemente.

— Seria muito difícil para nós dois, não acha? E podia ser inconveniente para Alexis.

— Acho que ela sabe.

— Então, vocês duas voltam para casa com profundos segredos. — Ele a beijou carinhosamente, ambos certos de que haviam compartilhado algo belo e luminoso e que, de certa forma, ele a tinha libertado.

— Eu o verei outra vez? — perguntou Edwina.

— Talvez. Se você vier à Inglaterra. Ou se eu for aos Estados Unidos. Nunca estive na Califórnia.

Edwina duvidava que ele fosse algum dia. Era exatamente como Patrick tinha dito desde o começo. Ambos tinham de desistir, deixar que o outro partisse livre para sempre. Sentiu o presente dele no pulso, onde sempre estaria, e o seu carinho no coração, mas o resto ficaria apenas como uma lembrança feliz e distante de algumas semanas, que a libertava dos elos auto-impostos que a prendiam há tanto tempo.

— Eu te amo... — murmurou ele. — Eu te amo desesperadamente... e sempre amarei... e vou sorrir cada vez que pensar em você... vou sorrir, como você deve sorrir também cada vez que pensar na Irlanda.

Ele a beijou pela última vez, entrou no carro e partiu, sem olhar para trás. Edwina ficou ali parada, chorando, por um longo tempo, depois caminhou lentamente para o Claridge, sentindo o quanto o tinha amado.

Capítulo 39

NO DIA SEGUINTE, às oito horas, elas partiram para Southampton, como há doze anos, mas desta vez só as duas irmãs, duas amigas, duas sobreviventes. Viajaram em silêncio, e Alexis percebeu o alheamento da irmã. Edwina ficou um longo tempo pensativa, olhando pela janela do trem.

Embarcaram no *Olympia* ainda nervosas por estarem num navio, e foram diretamente para a cabine. Então, Edwina surpreendeu Alexis dizendo que ia subir ao convés para ver a partida. Foi sozinha, porque Alexis não tinha vontade de ver coisa alguma.

Quando o navio imenso soltou as amarras e começou a se afastar das docas, ela o viu. Era como se soubesse que ele estaria lá. Patrick acenava solenemente, olhando para ela, e Edwina jogou um beijo, com os olhos cheios de lágrimas, e levou a mão ao coração. Patrick retribuiu o gesto. Ela o viu acenar até o cais se perder na distância. Edwina sabia que jamais ia se esquecer de Patrick.

Só muito mais tarde ela desceu e encontrou Alexis dormindo. Fora uma viagem exaustiva para as duas.

Naquele mesmo dia fizeram o exercício de salvamento, e agora Edwina só pensava em Patrick, não em Charles... seus passeios no convés, as conversas intermináveis, o exercício de salvamento, juntos... a noite em que dançaram, ela com o vestido emprestado... as lembranças a faziam sorrir. Olhou para cima, viu um pássaro lá no alto e lembrou as palavras de Patrick. Não importava o que acontecesse entre eles, ele a libertaria para voltar para casa. Tinham suas vidas, seus mundos, e não podiam ficar juntos. Mas nos seus trinta e dois anos de vida, Edwina amara e fora amada por dois homens; agora sentia-se estranhamente completa e adulta, e até Alexis notou a diferença.

— Você se apaixonou por ele, não foi? — perguntou Alexis, no segundo dia de viagem, e Edwina, olhando para o mar, demorou a responder.

— Ele é primo de Charles.

Alexis sabia que essa não era a resposta, mas tinha aprendido também, do modo mais difícil, que é melhor deixar certas perguntas sem resposta.

— Você acha que George vai saber? Sobre Malcolm, quero dizer. — Parecia assustada, e Edwina pensou cuidadosamente antes de responder.

— Talvez não, se você for discreta e se as crianças não contarem.

— E se eles ou outras pessoas contarem?

— O que acha que ele pode fazer? — perguntou Edwina, pela primeira vez falando com Alexis como se ela fosse uma mulher adulta. — Não pode fazer nada. O mal está feito, para você, para seu coração, sua alma, e é isso que importa. Se você puder viver em paz com isso, será a vencedora. Aprendeu verdades muito duras e deixou-as para trás. O que importa é que conseguiu se livrar. O resto é só conversa.

Alexis sorriu, aliviada, e inclinou-se para beijar a irmã.

— Muito obrigada por me tirar da encrenca.

Na verdade, tinha sido bom para as duas. Edwina também aprendera muita coisa e era grata por isso.

— Sempre às ordens. — Sorriu e recostou na cadeira no convés; fechou os olhos e de repente abriu-os de novo. — Bem, nada de "sempre às ordens". Não vamos fazer nada disso outra vez.

— Tem razão, não vamos. — Alexis riu.

Ficaram na cabine a maior parte do tempo, lendo jogando cartas, dormindo, conversando e conhecendo melhor uma à outra, como adultas. Alexis afirmou que pensava seriamente em fazer carreira no cinema. Edwina achava que ela devia esperar pelo menos até completar dezoito anos, e Alexis concordou. Depois da experiência com Malcolm, tinha medo do tipo de homem que podia encontrar e queria Edwina sempre por perto, para protegê-la.

— Da próxima vez, você vai ser capaz de resolver sozinha.

Mas Alexis já não tinha certeza e disse que invejava a sorte de Fannie, que só desejava um lar e filhos e nada mais excitante na vida do que fazer o jantar do marido.

— Os grandes desafios não são para qualquer um — disse Edwina. — Só para uns poucos. E as pessoas que estão fora desse círculo mágico raramente compreendem.

Fizeram alguns amigos a bordo, e com alívio aportaram em Nova York. Algumas experiências dolorosas deixam marcas, e ambas sabiam que aquela sempre seria uma lembrança desagradável. Quando desembarcaram, Edwina ainda sentia saudades de Patrick. Ele havia enviado flores para o navio, com um cartão que dizia apenas: "Eu te amo. P." O outro, que acompanhava as flores que ela encontrou no hotel, em Nova York, dizia, *Je t'aime... Adieu.* Edwina olhou para elas durante algum tempo, tocou o bracelete no seu pulso e guardou o cartão na bolsa.

Ficaram só uma noite em Nova York. Telefonaram para casa; Fannie contou como George havia telefonado duas vezes; e ela lhe dissera que Alexis tinha saído e Edwina estava com laringite. Sam Horowitz tinha telefonado também, e ela dissera a mesma coisa. Fora isso, "a costa estava livre", e Fannie e Teddy ficaram felizes ao saber que Alexis estava com ela. Quando falou com eles no telefone, Fannie chorou de alegria, e Alexis também. Quatro dias depois, estavam em casa, e entre abraços, beijos e lágrimas de alegria, Alexis jurou que jamais os deixaria, nem para voltar a Hollywood, e Edwina achou graça na promessa.

— Algum dia vou fazer você engolir essas palavras — brincou ela, quando o telefone tocou.

Era George. Tinham chegado a Hollywood naquele dia,

depois de uma gloriosa lua-de-mel, e Helen, no telefone, disse em voz baixa para Edwina que talvez estivesse grávida.

— É mesmo? Que maravilha! — E ficou surpresa com a ponta de inveja que sentiu. Helen era dez anos mais moça, acabava de voltar da viagem de núpcias e tinha um marido que a adorava, ao passo que Edwina, sozinha outra vez, voltava a cuidar dos irmãos menores.

George voltou a falar com ela e perguntou, solícito:

— A propósito, como está sua garganta?

— Está ótima. Por quê? — Então lembrou-se da história de Fannie. — Oh... perfeita, agora... mas foi um resfriado tremendo. Pensei que ia ter uma gripe forte, ou pneumonia, ou coisa assim, mas já estou boa.

— Fico contente. Eu tive um sonho muito estranho com você, uma noite dessas.

Para não preocupar a irmã, deixou de contar que, no sonho, ela estava num navio, mas fora um sonho tão claro que ele tinha acordado Helen. E Helen tinha certeza de que ficara grávida naquela noite.

— Estou satisfeito por saber que está bem. Quando vem nos visitar?

Só a idéia de outra viagem a apavorava. Acabava de chegar do outro lado do oceano, mas George não sabia.

— Vocês virão a São Francisco nos feriados de Ação de Graças?

Mas George tinha outros planos.

— Sam acha que devíamos fazer um revezamento. Podemos comemorar o dia de Ação de Graças na casa dele este ano, e em São Francisco no ano que vem.

Estava cumprindo a promessa feita a Helen de propor a mudança desse modo, mas tinha avisado também que se Edwina não gostasse da idéia e insistisse em comemorar em sua casa, como sempre, teriam de ir a São Francisco.

Edwina pensou por um longo tempo, depois balançou a cabeça afirmativamente e disse, no telefone:

— Está certo... vai ser bom variar um pouco. Quem vai ficar desapontada é Fannie, que queria preparar um peru especial.

— Ela pode preparar na casa de Sam — disse George,

acariciando a barriga ainda lisa e plana de Helen. — Helen também quer ajudar na cozinha, não quer, meu bem? — brincou ele, e Helen gemeu. Ela não sabia coisa alguma de cozinha.

— Acho que foi por isso que Sam telefonou — disse Edwina, lembrando que ainda não tivera tempo de retribuir o telefonema.

— Provavelmente — concordou George. — Muito bem, então nos veremos dentro de poucas semanas.

Edwina disse aos irmãos que iam passar o dia de Ação de Graças em Hollywood, para começar uma nova tradição na companhia de Helen, George e Sam, e todos ficaram satisfeitos, até Alexis.

— Pensei que você nunca mais ia me deixar sair de casa.

Estavam mais unidas agora, depois da grande aventura, e os dois menores não se importavam.Teddy e Fannie eram quase como gêmeos e estavam felizes com a volta de Edwina e Alexis. Então, naquela noite, Edwina se deu conta de que todos agiam como adultos agora. Adormeceu pensando em Patrick. Parecia um sonho, as viagens por mar, os trens, a Irlanda, o incidente com Malcolm e Alexis, o bracelete de brilhantes, o champanhe, a poesia, a visita a *lady* Fitzgerald. Pensava ainda em todas essas coisas quando partiram para Los Angeles, para os feriados de Ação de Graças.

Helen e George estavam bem, e a gravidez fora confirmada. Sam estava extasiado e pediu um neto. Fannie fez o peru "especial" e perguntou a Helen se podia passar alguns meses em Hollywood quando o bebê nascesse, para ajudá-la. Helen ficou surpresa, mas o bebê ia nascer em junho, e Fannie estaria de férias.

— E o que eu vou fazer durante o verão inteiro, enquanto você troca fraldas, Fan? — queixou-se Teddy.

Mas George tinha a solução.

— Acho que você gostaria de trabalhar como ajudante de cenarista durante o verão.

Teddy achou a idéia maravilhosa, e todos comeram com prazer a torta de abóbora preparada por Fannie. Ela cozinhava muito bem, e Sam não poupou elogios, o que aqueceu o coração de Edwina. Sam tratava todos com carinho, como se fossem sua família agora, e isso significava muito para ela. Mais tarde, quando Alexis conversava com George sobre seu próximo filme, e Fannie, Helen e Teddy jogavam cartas, Edwina e Sam saíram para o jardim, e ela lhe agradeceu pela sua amabilidade.

— Muito obrigada por ser tão bom para eles. Significa muito para mim — disse ela, com um sorriso.

— Você dedicou a vida a eles por muito tempo. Pode se orgulhar de todos. — Olhou para ela, com um leve sorriso. — Edwina, o que vai fazer quando estiverem todos crescidos?

— O mesmo que você faz agora com Helen. — Para Edwina, pertenciam à mesma geração, o que não era verdade. Ela estava com trinta e dois anos, e Sam Horowitz com cinqüenta e sete. — Você espera pelos netos, eu pelos sobrinhos. Na verdade, a mesma coisa. — Ela sorriu, e Sam sacudiu a cabeça.

— Não, não é — disse tranqüilamente, os dois caminhando no ar da noite, depois do jantar, como dois velhos amigos, que podiam falar de qualquer coisa. Edwina gostava de Sam tanto quanto de Helen. — Há muito tempo vivi com a mulher que eu amava e que me feriu dolorosamente. Você teve muito pouco em sua vida, a não ser um bando de crianças que ama e a quem sempre deu tudo que tem. Mas quando vai ter o que é seu por direito? Quando vai chegar a sua vez? O que acontecerá quando eles partirem? É disso que estou falando... sobrinhos não são suficientes... você precisa muito mais do que isso. Devia ter filhos seus. — Sam falava sério, e Edwina teve vontade de rir.

— Por que todo mundo me diz isso ultimamente? — Patrick... *Lady* Fitzgerald... agora Sam... — Escute, eu criei cinco crianças como se fossem minhas. Não acha que tive o bastante?

— Talvez. Mas não é a mesma coisa. Pelo menos, eu não acho.

— Pois eu acho que é. — Edwina falava sério. — Amei

essas cinco crianças como se fossem meus filhos. — Hesitou por um momento, depois continuou: — Chego a pensar que os amei mais do que minha própria mãe. — Kate não os amara o suficiente para viver por eles, para deixar o marido por eles... mas, depois de falar com Patrick, isso não a magoava mais. Estavam falando tão abertamente que ousou perguntar: — Por que disse que sua mulher o feriu profundamente? Pensei que tinha morrido.

— Ela morreu. — Olhou para ela com os olhos experientes e bondosos. — Estava fugindo com outro homem quando morreu num acidente de trem. Helen tinha apenas nove meses e não sabe disso.

Por um momento Edwina ficou atônita, em silêncio.

— Deve ter sido terrível para você — disse, impressionada por ele nunca ter contado para a filha. A bondade e a decência de Sam eram apenas uma parte do que Edwina gostava nele. Ela o admirava e respeitava, e dava grande valor à sua amizade.

— Sim, foi terrível. Fiquei revoltado durante muito tempo. Guardei tudo dentro de mim e quase fui destruído. Um dia, porém, resolvi que era um fardo muito pesado e desisti. Ela me deixara Helen, e talvez fosse suficiente. Hoje sei que foi.

Mas Edwina refletiu que era triste Sam nunca mais ter casado. Vinte e um anos era um longo tempo para viver sozinho. Sabia que ele costumava sair com as artistas mais importantes de Hollywood, mas nunca se envolvia seriamente. Sam Horowitz vivia para seus negócios e para sua filha. Então, para espanto de Edwina, ele perguntou:

— A propósito, como foi a viagem à Europa?

Ela parou de andar e olhou para ele, atônita.

— Por que pensa que estive na Europa?

Fannie tinha contado a ele a mesma história da laringite.

— Telefonei umas duas vezes, para saber notícias. Você foi tão carinhosa com Helen no dia do casamento, como uma verdadeira mãe, e eu queria agradecer. Então a pequena Fannie mentiu descaradamente, inventando que você estava muito resfriada, com uma laringite tão forte que nem podia falar. — Sam imitou com perfeição a voz de Fannie, e Edwina riu, olhando para o rosto de traços fortes e para os cabelos brancos que brilhavam ao luar, mais uma vez achando que ele era um homem realmente belo. — Seja como for, desconfiei que havia alguma coisa errada. Fiz algumas indagações discretas e descobri que não só Malcolm Stone tinha desaparecido, como também a Srta. Alexis. Então, tive certeza de onde você estava. Cheguei a pensar em ir também, mas depois achei que, se precisasse, você me chamaria, pelo menos eu esperava que o fizesse. Gosto de pensar que somos amigos. — Olhou atentamente para ela. — Na verdade, fiquei desapontado por não ter pedido a minha ajuda. Você embarcou num navio sozinha, não foi? — Sim, pensou ela, mas não tinha ficado assim por muito tempo. — Acho que foi muito corajosa — continuou ele, e Edwina assentiu com um gesto. — E você a encontrou. Onde?

— Em Londres. — Edwina sorriu, lembrando a cena no hotel e o "oficial de justiça" Patrick.

— Ela estava com Stone?

Edwina hesitou, depois respondeu:

— Estava. Mas George não sabe e prometi a Alexis não contar a ele.

Olhou para Sam preocupada, e ele sacudiu a cabeça, tristemente. Ele sabia, desde o começo, e não tinha contado a ninguém. Sam era inteligente, discreto e incrivelmente carinhoso.

— Não compete a mim contar ao meu genro e meu sócio o que sua irmã andou fazendo. Desde que você mantenha tudo sob controle, respeito sua vontade. A propósito, onde está Stone agora?

— Acho que ficou em Londres. Não acredito que tenha pressa em voltar a Hollywood. Ele tem muito medo de George.

— Homem esperto. Acho que seu irmão o mataria se soubesse. Minha falecida mulher me ensinou alguns truques que eu não precisava aprender, por isso suspeitei que Alexis tinha saído da cidade, mas ela parece estar se comportando agora.

— Sim, está, e quer voltar para Hollywood na primavera, quando completar dezoito anos, para fazer outro filme. Acho que George vai permitir, se ela não tiver mudado de idéia até lá. — Mas Edwina sabia que Alexis não mudaria. Ela só falava na sua carreira no cinema.

— E você? — perguntou ele. — O que vai fazer agora?

Seus olhos se encontraram. Ele queria perguntar tantas coisas, contar tantas coisas sobre si mesmo, saber tantas coisas a respeito dela.

— Eu não sei, Sam. — Suspirou. Mas parecia feliz. — Vou fazer o que for preciso para eles, continuar em casa, qualquer coisa...

Edwina não estava preocupada. Ela acompanhava a vida dos irmãos há doze anos e podia continuar assim. Além disso, ela os amava. Mas Sam queria falar de outra coisa e não sabia como começar. Algo em que vinha pensando há muito tempo. Pela primeira vez ele sentiu medo.

Pararam de andar e ele olhou para ela outra vez. Com o rosto erguido, iluminado pelo luar, os olhos azuis de Edwina pareciam de aço, e a pele muito branca contrastava com o cabelo escuro.

— Estou falando de você, Edwina. Quando terá aquilo a que tem direito? Todos eles têm suas vidas, estão quase prontos para sair de casa, e você nem notou. Sabe quando percebi que Helen tinha saído da minha vida? No dia em que casou com George. De repente, lá estava eu, entregando-a a ele. Construíra um império para ela, e de repente ela ia embora. Mas sabe o que mais descobri naquele dia, enquanto você cuidava dela, arrumava o véu... o véu que você teria usado se seu noivo não tivesse morrido com seus pais... descobri que construíra o império para mim também, e agora não tinha com quem compartilhá-lo.

"Depois de tantos anos, tanto trabalho, dedicando todo o meu amor a Helen, e à mãe dela, antes... de repente, estou sozinho. Certo, algum dia virão os netos, e Helen ainda está ao meu lado, mas não é a mesma coisa. Não tenho ninguém para segurar minha mão, para estar ali para mim, ninguém que se importe realmente comigo... e ninguém com quem eu me importe, a não ser minha filha. Naquele dia eu a observei — disse ele, carinhosamente, segurando a mão dela, os rostos muito próximos, e Edwina viu tudo que gostava nele, desde o princípio. A gentileza, a força, a bondade e a experiência da vida. Era igual a seu pai, alguém com quem ela podia rir, conversar, e a quem podia amar instintivamente. Era natural e real, e por um momento quase pensou que o amava. Mas procurou afastar essa idéia, e ele disse, sorrindo:

"Sabe o que eu quero? Quero estar sempre ao seu lado, segurar sua mão, abraçá-la quando você chorar, rir com você quando estiver contente. Quero estar sempre com você, Edwina. E que você esteja ao meu lado quando eu precisar. É um direito que temos, você e eu. — Com um sorriso quase triste, concluiu: — E nunca nos foi concedido.

Edwina ficou em silêncio por um longo tempo, pensativa. Sam não era Patrick, nem Charles, não era jovem, mas ela também não era e sabia que, de certo modo, o amava. Era o homem que há anos ela esperava, sem saber. Um homem a quem podia querer, respeitar e amar. Um homem com quem poderia passar o resto da sua vida. E então, de repente, compreendeu outra coisa também. Sentiu que ficaria ao lado dele em qualquer circunstância, na alegria e na tristeza até... exatamente como sua mãe. Kate preferira morrer com Bert porque não havia amor maior... nenhum amor maior do que o seu... ou do que o amor de Edwina por seus irmãos... ou do que o amor que ela e Sam teriam um pelo outro, e talvez por seus filhos.

De repente, Edwina teve certeza de que, um dia, seu amor seria igual ao dos seus pais. O tipo de amor que se constrói, que se acalenta, que se cultiva com carinho. O tipo de amor pelo qual se vive... e pelo qual se está disposto a morrer. Era um sentimento tranqüilo, mas construído sobre a rocha sólida sobre a qual se pode construir uma vida.

— Não sei o que dizer... — Edwina sorriu, quase com timidez.

Nunca tinha pensado em nada assim com ele. Pensava em Sam apenas como o pai de Helen... mas então lembrou que tinha pedido a ajuda dele quando Alexis desaparecera, e que ele atendera imediatamente e depois ficara à espera, certo de que o chamaria outra vez, se precisasse. Era seu amigo, antes de tudo, e isso era importante para ela. Na verdade, gostava de tudo nele.

— O que acha que Helen vai pensar? — ...e George... e os outros... mas tinha quase certeza de que ficariam satisfeitos.

— Ela vai pensar que sou um homem de muita sorte, exatamente o que eu penso. — Segurou a mão dela. — Edwina... não diga nada agora, se é cedo demais para você. Só quero saber se é possível, ou se acha que estou louco.

Olhou para ela hesitante, quase como um garoto, e Edwina riu, lembrando-se dos irmãos mais novos.

— Acho que nós dois estamos loucos, Sam, mas acho que gosto.

Chegou para perto dele, sorriu, e Sam abraçou-a com força e beijou-a.

***

Seja um Leitor Preferencial Record
e receba informações sobre nossos lançamentos.
Escreva para
RP Record
Caixa Postal 23.052
Rio de Janeiro, RJ – CEP 20922-970
dando seu nome e endereço
e tenha acesso a nossas ofertas especiais.

Válido somente no Brasil.

Ou visite a nossa *home page*:
http://www.record.com.br

Impresso no Brasil pelo
Sistema Cameron da Divisão Gráfica da
DISTRIBUIDORA RECORD DE SERVIÇOS DE IMPRENSA S.A.
Rua Argentina 171 – Rio de Janeiro, RJ – 20921-380 – Tel.: 2585-2000